JN085937

SOVIET GROOVE DISC GUIDE

RED FUNK

AKIRA YAMANAKA

前書き

　世界中には眩いほどに音楽が溢れ、インターネットを介しさえすれば、誰しもが容易にあらゆる音楽にリーチすることが可能となった現在。国や時代を超えて音楽は聴き継がれ、体系的に語られることにより形成された「音楽史」は、すでに十二分な厚みを備えていると言って良いだろう。そして私たちはそれらを自由気ままに享受することができる、まさに音楽的飽食の時代を迎えたと言っても過言ではない。

　ロスト・ミュージック。そんな現在においてもなお、世界と断絶するかのように隔てられ、ついぞ音楽史に書き込まれることのなかった、失われたひとつのシーンが確かに存在した。そのシーンの舞台は、かつて存在した超大国、ソヴィエト社会主義共和国連邦（以下、ソ連）。鉄のカーテンの向こう側で独自の音楽的生態系を育んだ彼の国は、長い時を経た今、音楽界最大のロスト・ミュージックとして大きな注目を集めつつある。

Red Funk とその背景

　本書は私が名を付け、そして長きに渡りレコードを蒐集し深耕を続けた、「Red Funk」に関する研究をまとめたものである。今回書籍化するにあたって、書名をそのまま Red Funk とするかどうかに頭を悩ませたが、まだあまりにも一般的ではないジャンル名であるということや、その利便性や検索性の向上を考慮して、書名を『ソ連ファンク』と改めさせていただいた。ただ、それはあくまで書名だけに留め、文中では基本的に Red Funk という呼称を使用しているので、その点はあらかじめご理解いただきたい。

　書名はさておき、Red Funk とは何か。それはソ連が生んだ、一種独特のグルーヴを持ったサウンドを総称している。世界中の音楽はすでに隅から隅まで掘られたと言って良い昨今においても、省みられることなく埋もれたままとなっていたのがソ連の音楽シーンだった。世間一般のソ連、ないしロシア音楽といえば、クラシック、コサック・ダンス、バラライカ、そして 1990 年代育ちにはお馴染みの t.A.T.u というのがパブリック・イメージかもしれない。しかし、黄金期ともいえる 1970 ～ 80 年代にはロック、サイケ、プログレ、ジャズ、ソウル、ディスコ、電子音楽等々、鉄のカーテンの向こう側でも西側諸国と同様に、多種多様な音楽が生み出されていた。

　ソ連の音楽シーンが世界と隔絶してしまったのも、当時の特殊な時代背景に起因するものであろう。特に冷戦下において西側の音楽は「退廃的音楽」と位置付けられ、その影響下にある音楽は厳格に統制されていた。そしてその一環として、西側音楽のレコードの輸入は禁じられ、国産レコードの輸出もあくまで限定的なものとなっていた。ソ連崩壊後ですらもその影響は色濃く残り、当時残された音源の CD 化ないしデータ化もほとんど進まなかった。また、私たち日本人や英米文化圏に生きる者にとって、独自の文字体系（キリル文字、グルジア文字等）の存在が、ソ連音楽へのアクセスを妨げる要因ともなった。

　今やソ連の音楽シーンと深く繋がり得る術は、当時リリースされたレコードを掘り起こすことでのみ。とはいえ、たとえ世界中どこのレコード屋に訪れようとも、気軽に手に入れられるような類のものではなく、ましてやディスク・ガイドや雑誌等で大っぴらに紹介されることもない。

　私はソ連音楽に魅せられた一愛好家として、少しでもこうした状況を変えたい、そしてこの個性溢れるシーンの魅力を伝えたいという思いから、Red Funk という新しい冠と共にシーンの再解釈を目指した。既存のイメージや文脈から切り離し、新しいジャンルとして引き直すことによって、ソ連音楽の再評価の契機になればと考えたのである。それ以降、可能な限り多くのレコードを入手し、ソ連音楽へのさらなる深耕を続けるとともに、自身でレコードの紹介や販売を始めた。

英米文化圏とは異なる個性

　ソ連の音楽シーンが実にユニークな魅力を持つのも、音楽を取り巻く環境が他国と大きく異なることに由来している。かつて世界最大の国土を誇ったソ連の音楽シーンは、ロシアを中心に、エストニア、ラトビア、リトアニア、ウクライナ等の西部（北ヨーロッパ～東欧）、アゼルバイジャン、アルメニア、グルジア等の南西部（南コーカサス）、ウズベク、カザフ、トルクメン、タジク、キルギスの南部（中央アジア）、そしてソ連と密接な関係にあったモンゴル人民共和国と、大まかに分けることができる。そして、それぞれの国や地域により、英米の地域差とは比較にならないほどバラエティーに富んだ音楽性を持っていた。

しかし、99% の録音物は国営スタジオで制作され、国営レーベルの Melodiya（及び前身レーベル）からリリースされていた。そしてそれら録音物には国家による検閲が行われ、全てが強固な監視の下に置かれていた。この特殊事情は実にワイド・レンジな音楽性に（期せずして）統一感を持たせ、Red Funk という一つのジャンルに括るに相応しい、独自の音楽シーンを創り上げることとなった。

　また、ミュージシャンたちはほぼ例外なくアカデミックな教育を受けた、いわゆる音楽的サラブレッドであった。加えて、多くのグループは組織的に構成されてもいた。気の合う仲間とバンドを組み、ライブ・ハウスで人気を集めて名を上げ、レコードをリリースする。そんな西側の「普通」がまかり通るような寛容さは全くなかった。さらに、ソ連でのバンドにあたる VIA（Vocal Instrumental Ensemble の略）は、10 人や 20 人という大人数での構成を基本としていた。アカデミックな音楽家が大勢集まり、サイケやプログレをプレイする、それだけで英米とは基本的なサウンドの骨組みが違うことがお分かりいただけるだろう。

本書の取り扱い範囲

　最後に、Red Funk に含まれる範囲、つまり本書で取り扱う対象となる音楽について、もう少し詳細を説明させていただく。本書では、国民的ポップ歌手であるアーラ・プガチョワから、電子音楽の祖エドゥアルド・アルテミエフまで、実に広範なジャンルを扱っているが、旧来のジャンルに囚われず、「グルーヴ」が感じられるかということを主眼に置き選盤している。そのため、たとえビッグ・アーティストの名盤と目されるような作品であっても、グルーヴの要素が希薄であれば本書への掲載は見送っている。さらに、クラシックや純粋な伝承音楽は含んでおらず、ヴラジーミル・ヴィソツキーのようなフォーク・シンガーも含んでいない。そういったことからも、Red Funk はある種の「ソ連版レア・グルーヴ」と言えば通りが良いのかもしれない。とは言え、ジャズやソウルと馴染みのあるジャンルをサブカテゴリのように残し、音楽的傾向ごとに作品を紹介させていただいているので、自身の嗜好にあわせて読み進めていただきたい。

　なお、上記のことからもお分かりいただけるかもしれないが、Red Funk の「Funk」は、あくまでブラック・ミュージック由来のファンクそのものを指すものではなく、必ずしもその要素を含んでいることを指し示すものでもない。恣意的なジャンル名の援用にあたるかもしれないが、ある種キャッチーなジャンル名を引き合いに出すことにより、ソ連音楽の再解釈と認知度の向上を目指した。それは、近年同じくして市民権を得た「Thai Funk」と通ずるようなものと、好意的に解釈していただければ幸いだ。

　また、一部例外はあるものの、対象となる年代は、1960 年代後半からソ連崩壊の 1991 年までとしている。さらに、国営レーベル Melodiya からリリースされた作品を基本としているため、ソ連後期に人気を博したバンド、キノー（Кино）を始めとする、Red Wave（ソ連版 New Wave）に属するアーティストも含まれていない。

　クローズドな環境で育まれ、彼の国で独自進化を遂げた唯一無二の音楽的生態系は、決して英米に劣るものではない。むしろその強烈な独自性が故、西側音楽のある種の定型が全身に染み込んだ貴方にこそ、丸ごとフレッシュなサウンドを味わわせてくれるだろう。鉄のカーテンで閉ざされた、音楽シーン最深部へようこそ！

目次

025 CHAPTER1 JAZZ

ディスクレビュー

075 CHAPTER2 ROCK/POPS/SOUL

133 CHAPTER3 PSYCHEDELIC PROGRESSIVE

凡例

- 原語の単語に定着しているカナ表記がある場合（特に国名、人名、地名等の固有名詞）、それにできるだけ遵守する。
   例：モスクワ、レーニン
- アーティスト個人名はカナ表記で記載、（）内に原語を記載する。なお、カナ表記は可能な限り原語発音に近いものとする。
   例：アーラ・プガチョワ（Алла Пугачева）
- グループ名は原語表記で記載、（）内に英語訳を記載する。また、場合によっては判読しやすいようにローマ字に翻字して記載する。
   例：Весёлые Ребята（Jolly Fellows）、Песняры（Pesnyary）
- 作品名に「s.t.」（Same Title の略）と記載あるものは、アーティスト名と同一の作品名であることを指し示す。
- 都市や地名はソ連時代の呼称に従って記載する。
- ソ連構成共和国の正式名称は「ロシア・ソヴィエト社会主義連邦共和国」「ウクライナ・ソヴィエト社会主義共和国」のように「ソヴィエト社会主義共和国」と入る。しかしながらその都度記載するのも煩雑になる為、「ロシア連邦共和国」「ウクライナ共和国」などと「共和国」を付すに留める。なお自治共和国も同様の処置に留める。
- 出身国は出生国を基準とする。
- 作品のジャケット画像は、初回盤のものを採用する。なお、初回盤とはアーティスト出身国のプレス、ないし最もプレス時期が早いとされるものを基準とする。

レビューの見方

Ⓟ アーティスト / グループ名（原語表記）　Ⓣ 作品名（原語表記）

Ⓐ アーティスト / グループ名（英語表記）　Ⓣ 作品名（英語表記）
Ⓕ フォーマット　🎞 規格番号　　　　　　　　　　　　　　　レア度

レビュー

Ⓛ リリース年数　🌐 出身国

- ※レア度は最大 6 つまでとし、市場価値の目安を表す。オリジナル・ジャケットが付属した初回盤を要件とするが、元々ジャケットが存在しないものは例外とする。なお、オリジナル・ジャケットの有無で、その価値が大きく変動するものも少なくない。
- ❶ アーティスト特集ページの（人）マークは、バンドのリーダー名を表す。時期によりリーダーが異なる場合は、複数の名前を記載する。

Melodiya 国営レコード製作機関

　1964 年モスクワにて設立、ソ連時代には国営機関としてほぼ全ての録音物を製作した、メガ・レコード・カンパニー。ピーク時には世界 6 大レーベルの一つと目され、ソ連崩壊までに約 5 万タイトルをリリースしたと言われている。まずここでは Melodiya ならではと言える、その特殊なレコード製作過程について触れておきたい。

　録音は各地に配置されたレコーディング・スタジオにて行われており、マスター・テープは中央集権的なメイン工場「All-Union Recording Studio（Всесоюзная студия грамзаписи）」（通称 VSG）へと集められていた。

　モスクワ、レニングラード（ロシア）、ノヴォシビルスク（ロシア）、リガ（ラトヴィア）、ヴィリニュス（リトアニア）、タシュケント（ウズベク）、トビリシ（グルジア）、アルマ・アタ（カザフ）、エレヴァン（アルメニア）等、多くのスタジオが存在したが、地域ごとの特色を持ちつつも、西側諸国に追いつき追い越そうと互いにその技術の研鑽を重ねた。

　また、使用機材は Studer、Neumann、Ampex 等、多くの西側製品が使用されており、国内外問わず先端技術の導入にも貪欲だった。

　そして VSG においてマスター・テープから大量生産された（レコードの元ととなる）ラッカー・マスターは、各プレス工場へと配布され、各地にて複製を繰り返すことによって一般流通盤となるレコードがプレスされていた。そのため、英米文化圏では多く見られる、地域ないし工場ごとのカッティング差は生まれなかったが、プレス能力の差による音質差はいくぶん感じられる。なお、増産を繰り返す中で、新たにラッカー盤のカッティングが行われたかどうかについては、盤に刻まれた情報（いわゆるマトリクス等の）に変化がなく、それぞれのレコードからその出自を追求することはできない。

　また、レコードのプレス枚数はその音楽性により一定のロットが設定されており、最小で 1,000 枚程度、最大で 10 万枚程度とされていた。詳細は後述するが、実際のプレス枚数がジャケット裏面のクレジットから読み取ることができる場合もある。さらに、国外向けにエクスポート（輸出）仕様としてのレコードも製作されており、一部タイトルはここ日本も含め積極的な輸出販売も行われていた。それと共に国外アーティストの作品のリリースも行っていたが、とりわけ大きな販売枚数を記録したのが、ポール・マッカートニーによる『Снова в СССР（Back in the USSR）』だった。累計 50 万枚以上のレコードを販売し、最も多く輸出されたレコードと公式に記録されている。

　ソ連末期から崩壊後にかけて、非公式にレコードをリリースしたアンダーグラウンド・レーベル、AnTrop、Santa Records、Cobweb Records 等、一部の例外はあったものの、ソ連国内における 99%（かそれ以上）のレコード、CD、カセット等の製作を手掛けた Melodiya。ソ連崩壊後は機能ごとに徐々に独立を果たしていきながらも、ロシア連邦が保有する単一企業として存在し続けた。しかし、2020 年 2 月、音楽プラットフォーム「Fonmix」等を運営する、ロシアの音楽著作権管理会社「Formax」へと売却され、全ての権利と共に 100% 民間企業の所有となっている。

ラベルの見方

❶ MONO / STEREO

「CTEPEO 33」=「STEREO 33rpm」の意。
なお丸が二つ重なった記号は STEREO、
MONO は三角で表現される。

▽ 33

❷ プレス工場

❸ GOST ナンバー

「ГОСТ」=「GOST」。詳細は後述する。

❹ サイド表示

「1 сторона」=「SIDE 1」の意。

❺ 規格番号
Solid 期は A 面 /B 面で規格番号が異なる。掲載画像のケースでは、A 面は「C60-14933」、B 面は「C60-14934」
となっている。また、Box 期から混在する、末尾「00X」という規格番号の場合は、A 面 /B 面統一の規格
番号となる。

❻ Group/ 盤価格
「Гр.3.」=「グループ 3」の意。詳細は次ページにて。
「1-90」「2-25」は盤価格。左図の場合は「1 ルーブル 90 コペイカ」を指す。Melodiya ではジャケットと盤
を個別に価格設定していた。なお、当時の 1 ルーブルは、食堂での一食分程度の価値となる。

❼ プレス年数
「Год выпуска 1988」=「Year of issue 1988」の意。盤（のみ）のプレス年数を表す。ただ、全てのラベル
に表示があるわけではなく、一部に限定される。

GOSTナンバー/規格番号

GOST ナンバー

Melodiya では規格番号とは別に固有の製造番号、通称「GOST(ГОСТ) ナンバー」がラベル面に記載されている。
これにより大まかなプレス年の判断が可能となるが、ラベル・デザインとの組み合わせにより詳細の追跡が可能となる。

・ГОСТ 5289-61（1964 年〜 69 年）
・ГОСТ 5289-68（1969 年〜 74 年）
・ГОСТ 5289-73（1974 年〜 80 年）
・ГОСТ 5289-80（1980 年〜 89 年）
・ГОСТ 5289-88（1989 年〜 ）

※上記対応表は 1964 年の Melodiya 設立以降のもの。前身レーベルにあたる VSG （ВСГ）時代も、同様の
　GOST ナンバー（ГОСТ 5289-56 等）を使用していた。
※プレス工場により多くのバリエーションが存在するため、GOST ナンバー移行の年数については、不明
　瞭な部分も多い。エクスポート（輸出仕様）盤においては、GOST ナンバーの記載がないものが存在する。

グループ

ラベル面には「Гр.（gr.）」と数字の組み合わせで記載される。グループの内訳は以下の通り。
1: ノン・ミュージック 2: クラシック音楽 3: その他の音楽

規格番号

タイトルごとに割り振られている規格番号にはそれぞれ法則性がある。
前のページの「C60-14933」を例に挙げると、ハイフン以降は固有の商品番号、ハイフン前は以下の通りとなる。

【1 文字目】方式
C = STEREO ※ラテン文字の「C」に見えるが、キリル文字の「S」にあたる
M = MONO
Г = Flexi（ソノシート）

【2 文字目】ジャンル番号
ソ連音楽の道なき道を歩むに、最も役立つ「ジャンル番号」。たとえ聴かずともある程度の内容の判断が可能となる。

0: 賛美歌 / ドキュメンタリー　 1: クラシック / 民謡
2: ロシアのフォーク / 民謡
3: ソ連の人々の創作活動　 4: 詩 / ドラマ
5: チルドレン　 6: ロック / ポップス / ジャズ他
7: 記録　 8: 外国音楽　 9: その他

【3 文字目】レコード・サイズ
0 = 12"
1 = 10"
2 = 7"

「MADE IN USSR」の表記がエクスポート
盤の証。さらに、クレジットは英語で表記
され、GOST ナンバーの表記もない。

ラベル・ガイド

初版特定において最も重要なのは、ラベル・デザインと GOST ナンバー。ここではプレス年ごとにその変遷を解説する。

※ GOST ナンバー同様、移行の年数については不明瞭な部分も多い。

Outline【1 期】（1964 〜 68 年）
Melodiya のフォントがアウトラインのみで表記されたデザイン。またの名を Contour ラベル。GOST ナンバーは「5289-61」。

Outline【2 期】（1969 〜 71 年）
1 期と同じデザインだが、GOST ナンバーは「5289-68」へと移行。カラー・ヴァリエーションが若干増加。

Solid【1 期】（1971 〜 74 年）
GOST ナンバーは変わらず「5289-68」ながら、Melodiya のフォントが変更。

Solid【2 期】（1974 〜 79 年）
1 期と同じデザインだが、GOST ナンバーは「5289-73」へと移行。

Solid【3 期】（1980 〜 82 年）
GOST ナンバーが「5289-80」に移行。

Box（1983 年〜）
GOST ナンバーは「5289-80」のまま、Melodiya のロゴが BOX タイプに変更。

Leningrad（1989 年〜）
ソ連崩壊直前の最終デザイン。GOST ナンバーは「5289-88」。
プレス工場によっては Box デザインをそのまま使用している。作品数は決して多くない。

Outline【2 期】

Solid【3 期】

Box

Leningrad

ラベル・ヴァリエーション

Melodiya は時代やプレス工場により様々なカラー・バリエーションが存在する。各工場により使用頻度の高いカラーは存在するものの、同タイトル / 同年代 / 同工場のプレスであっても複数種のカラーが使用されており、明瞭な法則性はない。そのため、初回プレスの判別は作品ごと個々に判断する必要がある。

※参考：ラベル別プレス枚数順（例外あり）

White > Pink/Red/Yellow > Blue > Black

Solid ラベル
Vsg プレス
GOST:5289-73

Solid ラベル
Leningrad プレス
GOST:5289-73

Solid ラベル
Aprelevka プレス
エクスポート仕様
GOST：なし

Solid ラベル
Riga プレス
GOST:5289-68

Solid ラベル
Tbilisi プレス
GOST:5289-73

Solid ラベル
Tbilisi プレス
GOST:5289-73

Box ラベル
Tbilisi プレス
GOST:5289-80

Box ラベル
Tashkent プレス
GOST:5289-80

Box ラベル
Leningrad プレス
GOST:5289-88

Leningrad ラベル
Aprelevka プレス
GOST:5289-88

AnTrop ※参考画像

Russian Disc ※参考画像

プレス工場

広大な国土を持っていたソ連は、アメリカと同様に多くのプレス工場を保有したが、その全てが国営であったことにより、アメリカ他西側諸国とは大きく異なるプレス事情を抱えていた。バラエティーに富んだラベル・カラーやジャケット・デザイン等、それぞれのプレス工場毎に独自の変遷が見られ、多くの人が持つ西側的感覚では理解し難いその複雑な状況は、現在のコレクター達の頭を悩ませている。

All-Union Recording Studio
▬ Всесоюзная студия грамзаписи
Melodiya 設立前、1957 年にモスクワにて設立されたメインのプレス工場。略語は「VSG（ВСГ）」。Melodiya の全てのレコードの生産計画、原盤の製作を行った。そのためプレスの源流と見なされ、他工場に比べ人気も高い。

Moscow Experimental Plant "Gramzapis"
▬ Московский опытный завод «Грамзапись»
1978 年にモスクワに新設され、上記 VSG からその機能が移管されたプレス工場。略語は「MOZG（МОЗГ）」。

Aprelevka Record Plant
▬ Апрелевский завод граммпластинок
モスクワ州アプレレフカに存在したプレス工場。設立は古く、1910 年のこと。長きに渡り Melodiya のメインのプレス工場として生産を続け、全レコードの 65% をプレスしたとされる。

Leningrad Gramophone Record Plant
▬ Ленинградский завод грампластинок
設立は 1959 年、帝国時代は首都でもあった、レニングラードにあるプレス工場。

Riga Record Factory
▬ Рижский завод грампластинок
1950 年、ラトヴィアのリガに設立されたプレス工場。なお、レコーディング・スタジオはタリンとヴィリニュスに設立されており、多くの最新機器が導入されていた。

Tashkent Record Plant named after M. T. Tashmukhamedov
▬ Ташкентский завод грампластинок им. М. Т. Ташмухамедова
1945 年にウズベク共和国のタシュケントにて設立された、Ташкентский Завод の後身となるプレス工場。

Tbilisi Recording Studio
▬ Тбилисская студия грамзаписи
グルジアのトビリシに設立されたプレス工場。プレス枚数は最も少なく、その希少度は全プレス工場一。

ジャケットの見方

ジャケットの初回プレス特定において、重要となるのはジャケット裏面のクレジット。そしてその中でも最も重要な判断基準の一つとなるのが、プレス年と録音年の整合性となる。

なお、以下クレジットは必ずしも全てのジャケットに記載があるわけではないが、プレスによってはその年数、枚数をも判断することが可能となる。

また、ジャケットのプレス年、盤のプレス年、この二つの整合性を取ることによって、完全な初回プレスを特定することが可能となるが、さらにプレス工場ごとに多くのバリエーションが存在する。

❶

© «МЕЛОДИЯ», 1983
Алма-Атинская студия грамзаписи, запись 1982
Ташкентский завод грампластинок
им. М. Т. Ташмухамедова

❷　　　　　　　　　　　　　　　**❹**　　　**❸**

Арт. 11-1. Цена 2 руб. 50 коп.
Тип. з-да грампластинок
Зак. 876.　Тир. 12600

❻　　　　　　　**❺**

❶ プレス年
初回プレスであっても、必ずしも録音年とイコールではない。個別での判断が必要となる。

❷ レコーディング・スタジオ
左図の場合は、カザフ共和国のアルマ・アタ・レコーディング・スタジオ。

❸ 録音年

❹ プレス工場

❺ ジャケット価格
左図の場合は「2 ルーブル 50 コペイカ」を指す。

❻ プレス枚数
左図の場合は 12,600 枚を指す。あくまで該当品のロット枚数であり、その作品自体のプレス総数を表しては
いない。

盤、ジャケット共に同年数、同プレス工場のものとなるが、ジャケットの仕様が異なるケース。

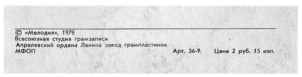

1979 年プレス

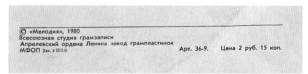

1980 年プレス

盤の条件やジャケットのプレス工場は変わらないが、ジャケットのプレス年数のみが異なっている。こういっ
たケースは非常に多い。

プレス・ヴァリエーション

オリジナル・ジャケットを持つものでも、実に様々なヴァリエーションが存在している。
いずれのプレスが初版かという判断はタイトル固有の条件もあるが、原則アーティストの自国プレスが第一
条件とされている。また、タイトルによっては多種多様なカラー・ヴィニールが存在する。通常盤よりも希
少度は高く、市場においてもより高値で取引されている。
ここではアレクサンドル・グラツキーの名作『Романс о влюбленных（Romance for Lovers）』を例にして、
その一部をご覧いただこう。

1978 年 Aprelevka プレス / シングル・スリーヴ

197? 年 Aprelevka プレス /Red Vinyl/ フリップバック・スリーヴ

1980 年 Aprelevka プレス /Violet Vinyl/ シングル・スリーヴ
※ラベル面の色は書込によるもの

1974 年初回 VSG プレス / ゲートフォールド・スリーヴ

197? 年エクスポート（輸出）仕様 /VSG プレス / ゲートフォールド・スリーヴ / ブックレット付

カンパニー・ジャケット

Melodiya が英米レコード文化圏と大きく異なる点のひとつとして挙げられるのが、「カンパニー・ジャケット（共通ジャケット）」の存在。英米においてシングルに付属するカンパニー・スリーヴ、自主盤に存在する共通ジャケットに類似したものとなるが、Melodiya では LP/ シングル共に、実にカラフルでバリエーション豊かなものが製作されている。なお、オリジナル・ジャケットとカンパニー・ジャケットとでは大きく価値付けも異なるが、カンパニー・ジャケットのデザインの秀逸さが故、そのどちらなのかの見極めが難しい（ただ、人物写真が使用されていればオリジナルと思って良い）。また、そもそもオリジナル・ジャケット自体が存在しないタイトルもある。

用語解説

用語	説明
ВИА（VIA）	1960年代からおよそペレストロイカ以前（80年代後半）までのロック〜ポップス・グループの呼称。ヴォーカリノ-インストルメンタリヌィ・アンサンブリ（Vocal Instrumental Ensemble）の略。英米のバンドでは一般的な3〜5人の編成とは大きく異なり、コーラス隊やブラス・セクションがメンバーにその名を連ね、6〜10人またはそれ以上の人数での編成が一般的。
Диско Клуб（Disco Club）	80年代にディスコを基調とした作品を多く残したシリーズ。個別アーティストのリリースもあるが、共通のジャケットに包まれたオムニバス・アルバムが中心となっており、本シリーズのみに収録された音源も多い。なお、シリーズの作品には共通のロゴがあしらわれている。
Спорт и Музыка（Sports & Music）	ソ連スポーツ委員会が一般大衆に向けて、80年代中頃に制作したスポーツ音楽シリーズ。「Disco Club」と並び、ソ連ディスコ〜エレクトロを語る上では外せないシリーズとなっている。
Балкантон（Balkanton）	ソ連の衛星国、ブルガリアの国営レーベル。ソ連との関わり合いも深く、ソ連向けのエクスポート（輸出）仕様も製作されていた。
Джаз-мугам（Jazz Mugham）	大きな即興性と固有の旋法を持ち、現在では無形文化遺産としても知られる、アゼルバイジャンの伝統音楽ムガム。そこに西洋音楽であるジャズを融合し、ムガムに新たな息吹を吹き込んだ音楽が、ジャズ・ムガムだった。天才ピアニスト、ヴァギフ・ムスタファザデによって創造され、今現在も実娘アジザ・ムスタファザデを中心に継承されている。
Red Wave	1986年にアメリカでリリースされた、KinoやAquarium等を収録したオムニバス・アルバム『Red Wave: 4 Underground Bands from the USSR』に由来するジャンル名。いわゆるソ連版New Wave。彼らは80年代から90年代にかけて、アンオフィシャルな存在であり続けながらも、ソ連におけるオルタナティヴなロックのあり方を切り開いた。
ANS シンセサイザー	赤軍大佐だったエヴゲニー・ムルジンによって開発された、ソ連生まれのシンセサイザー。ロシアが誇る偉大なる作曲家、アレクサンドル・ニコラエヴィチ・スクリャービンの頭文字を取って名付けられた。エドゥアルド・アルテミエフ他多くのアーティストに使用され、ソ連電子音楽の礎となった。
口琴	口にくわえ指で弾く特徴的な奏法で演奏される楽器。ソ連では多くのアーティストに使用されており、ウクライナ口琴ドリンバや、口琴マスター、コーラ・ベリドゥによる演奏が代表的。
ファズ	英米においてガレージ〜サイケ・サウンドの代名詞となったエフェクター。ソ連においてもVIAをVIA足らしめるサウンドのひとつとして多用された。
モスクワ・オリンピック	日本を始め諸外国が参加をボイコットした、1980年モスクワにて開催されたオリンピック。テーマ曲はエドゥアルド・アルテミエフが担当。大会のマスコットとなった「こぐまのミーシャ」は現在でも高い人気を誇る。
ソ連崩壊	1991年8月に起こったクーデターが失敗に終わり、多くの共和国が独立を宣言。大統領ゴルバチョフの辞任と共に、1991年12月26日に正式に消滅した。そしてその崩壊に伴って、解散を余儀なくされたVIAも少なくない。
КГБ（KGB）	ソ連時代に秘密警察として暗躍した、ソ連国家保安委員会。独自のネットワークを張り巡らし、アーティストの監視、連行等も行っていた。
Москонцерт（Mosconcert）	イベントの企画運営に加え、多数のアーティストのマネジメントも手掛けた、モスクワ最大のコンサート運営国家機関、モスコンツェルト。ソ連内には他にも類似機関が配されており、ロシア全体を手掛けた「ロスコンツェルト」、国外向け「ゴスコンツェルト」等が運営された。
Народный артист СССР（People's Artist of the USSR）	秀でた芸術家に与えられた栄誉称号、ソ連人民芸術家。栄誉称号には序列があり、ソ連人民芸術家をトップに、ロシア人民芸術家、ロシア功労芸術家と階層化されていた。また、他にも「社会主義のノーベル賞」と呼ばれた最高国家賞、レーニン勲章等が存在する。
新世界レコード社	かつて東京神保町にあった、Melodiyaのレコードを輸入・販売していたレコード屋。ここ日本でその存在はあまりに希少だったため、お世話になった方も多いはず。2007年閉店。

Red Funkの聴き方、探し方

今までソ連音楽シーンが広く聴かれず埋もれていたのも、ひとえにそのアクセスのし難さが故。ここでは本書を片手に音楽を探せるよう、その指南書としてそのコツを書き留めておく。

まず最も手軽でオススメな方法といえば、インターネットで音源を探すこと。今音楽を探す上で最もポピュラーな方法といえば、Apple Music や Spotify 等の音楽サブスクリプション・サービス、つまりいわゆるサブスクだろう。ただ、CD 化すら果たせていないことからも明白だが、ソ連時代の音楽の登録は皆無といっても過言ではない。アーラ・プガチョワ等、ごく一部のビッグ・アーティストの、さらにごく一部の曲だけしか登録されていないため、やはりシーンを味わうには適さない。

そこで、やはり最も適したプラットフォームとなるのが YouTube。様々なアーティストの曲はもちろんのこと、当時の TV ライヴ映像や、DJ によるソ連音楽のミックス等もアップロードされており、最も手近でありながらも奥底までシーンを楽しんでいただけるだろう。本書に記載のあるアーティストの英名（現地語であればなお良し）で検索したり、「soviet groove」や「soviet funk」と関連ワードで検索したりして探すのも良いが、特にオススメできるチャンネルを挙げておくので、ぜひ一度チェックしてみていただきたい。また、他参考となるサイトについても併せて列挙しておくので、これを手掛かりにソ連音楽シーンを深掘りしてみてはいかがだろうか。

Obscure Little Beasties

同名の Web サイトも運営する、Aidas Česnauskas によるチャンネル。最もアップロード数も多く、ファンクから伝承音楽やクラシックまで、取り扱うジャンルの幅も広い。

Funked Up East

自身もアーティスト活動を行う、Misha Panfilov によるチャンネル。ソ連と東欧の音源が並ぶが、その多くはアルバム一枚の丸ごと全曲アップロードという形を取っており、その有用性は高い。また、自身のミックス音源も多くアップロードしており、未知なる音楽との出会いを楽しむにはバッチリ。

Z2.fm https://z2.fm

ロシアの MP3 音楽サイト。キリル文字での入力が必要となるが、膨大な量のソ連音楽がアップロードされており、特定の曲を聴いてみたい時にはピッタリだろう。ただ、違法サイト（あるいは非合法サイト）と見られるため、利用は自己責任で。

pakartot.lt https://www.pakartot.lt

リトアニア音楽専門のサブスクリプション・サービス。Okatava、Nerija 等、他大手サービスではフォローされていないアーティストが多く登録されている。年間使用料は 4.99 ユーロ。

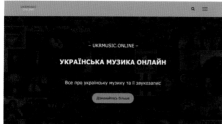

UKRMUSIC ONLINE

https://ukrmusic.online
ウクライナ音楽の紹介に特化した Web サイト。詳細な
バイオグラフィーを始め、音源の掲載も充実しており、
ウクライナ音楽ファンは必ずチェックしておくべし。

Вокально- инструментальные ансамбли CCCPNerijia

http://sssrviapesni.info/index.html
VIA を最も深掘りした Web サイト。グループのバイオグラフィー
やディスコグラフィーの掲載に加え、曲、映像、写真等、圧巻のデー
タ量で構築された、ファン必見のサイト。

Группы СССР

http://gruppasssr.ru
上記サイトの派生サイト。こちらでは 80 年代からソ連
崩壊以降のソ連ロックを紹介。

КАТАЛОГ СОВЕТСКИХ ПЛАСТИНОК

https://records.su
レコード、ソノシート、SP、そして CD に至るまで、ソ連時代に
残されたありとあらゆる音盤をアーカイブする Web サイト。アー
ティスト名やレコードの規格番号から検索が可能となっており、
音源のアップロードこそないが、多くの画像やクレジットを確認
できる貴重なサイト。

Юрий Морозов

http://www.zcinzsar.ru
妻ニーナが運営する、故ユーリ・モロゾフの偉業を
網羅したサイト。バイオグラフィーやディスコグラ
フィーに始まり、数々の映像、写真、インタビュー
等々、貴重な情報が盛り沢山。

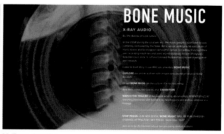

X-Ray Audio

https://x-rayaudio.squarespace.com
肋骨レコードを世界的に広く知らしめたプロジェクト、The X-Ray
Audio Project が運営する Web サイト。写真集の出版、展覧会の開
催（2019 年にはここ日本でも開催）等、勢力的に活動している。
なお、一部の肋骨レコードは音源の試聴もできるので、ぜひ一度
聴いてみてはいかがだろうか。

旧	新
国名	
ロシア・ソヴィエト連邦社会主義共和国	ロシア連邦
ウクライナ・ソヴィエト社会主義共和国	ウクライナ
ベロルシア・ソヴィエト社会主義共和国	ベラルーシ共和国
モルダヴィア・ソヴィエト社会主義共和国	モルドバ共和国
ウズベク・ソヴィエト社会主義共和国	ウズベキスタン共和国
カザフ・ソヴィエト社会主義共和国	カザフスタン共和国
キルギス・ソヴィエト社会主義共和国	キルギス共和国
タジク・ソヴィエト社会主義共和国	タジキスタン共和国
トルクメン・ソヴィエト社会主義共和国	トルクメニスタン
アゼルバイジャン・ソヴィエト社会主義共和国	アゼルバイジャン共和国
アルメニア・ソヴィエト社会主義共和国	アルメニア共和国
グルジア・ソヴィエト社会主義共和国	ジョージア
エストニア・ソヴィエト社会主義共和国	エストニア共和国
ラトヴィア・ソヴィエト社会主義共和国	ラトビア共和国
リトアニア・ソヴィエト社会主義共和国	リトアニア共和国
都市名	
アルマ・アタ	アルマトゥイ
キエフ	キーウ
クイビシェフ	サマラ
ゴーリキー	ニジニ・ノヴゴロド
ベルジャンスク	ベルジャーンシク
ルヴォフ	リヴィウ
レニングラード	サンクト=ペテルブルク

CHAPTER1

長きに
渡り暗黒の時代を歩んできたソ連
ジャズ。かつては広く一般的に親しまれてい
たものの、1948年の「ジダーノフ批判」以降、ジャ
ズは弾圧され国家の統制下に置かれた。しかし、1953年
にスターリンが死去すると状況は変わり始め、徐々にその歩み
を進めていく。その後、1965年の「モスクワ・ジャズ・フェスティ
バル」を皮切りに、各地で次々とジャズ・フェスティヴァルが開
催されることとなり、ソ連ジャズは一挙花開き黄金期を迎えて
いる。そしてそれ以降、Melodiya Ensemble を筆頭に、自身
のリーダー作以外でも多くのアーティストのバッキング
でその腕を振るったジャズマンたちは、ソ連音楽
のグルーヴ面の躍進において、最も大き
な貢献を果たしている。

JAZZ

国営レーベルと同じ名を授かった伝説のジャズ・アンサンブル

Ⓟ Мелодия

Ⓐ Melodiya

- 🕐 1973　🌐 ロシア共和国（モスクワ）
- 👤 Георгий Гаранян、Борис Фрумкин

ソヴィエト社会主義共和国連邦テレビラジオ放送委員会を母体とし、60 年代後半を駆けたモスクワ至高の
ビッグ・バンド、Концертный эстрадный ансамбль Всесоюзного радио и Центрального телевидения
（Concert Variety Ensemble of All-Union Radio and Central Television）。彼らが解散した 1973 年、メンバー
を継承し新たに誕生したジャズ・アンサンブルこそが、ソ連音楽史の頂きで今もなお燦然と輝きを放つ伝説、
Мелодия（Melodiya）、またの名を Мелодия ансамбль（Melodiya Ensemble）だった。「メロディー」の
意味を持ち、国営レーベルと同じ名を授かった彼らを指揮したのが、鬼才の名を欲しいままにするコンポー
ザー兼サックス奏者、ゲオルギー・ガラニャン（Георгий Гаранян）。彼が初代リーダーを務めた約 10 年の
間に鉄壁の布陣へと精錬されたグループは、まさに国家を代表するジャズ・アンサンブルとして、圧倒的な
存在感を示し続けた。彼らは最高傑作の呼び声高い 1974 年作『ラビリント（Labyrinth）』を筆頭に、数々の
名作をそのカタログに刻みこんだが、リーダー作以外にも数多のバッキング参加作で名演を残している（本
書でも多くの作品を紹介しているので、そちらを参照されたい）。1982 年にリーダーはピアノの名手、ボリ
ス・フルムキン（Борис Фрумкин）へと受け継がれ、ソ連が崩壊を迎える 1991 年まで活躍を続ける。そし
て、世紀も変わった 2003 年、ガラニャンの指揮の下アンサンブルは再始動を果たし、2010 年にガラニャ
ンが急逝するその時まで、ソ連音楽の象徴として八面六臂の活躍を続けた。

Melodiya ジャケット写真

◎ Ваши Любимые песни играет ансамбль "Мелодия"
Ⓐ The Ensemble "Melodiya" is Playing Your Favorite Songs

1stPress / VSG   Export Press / VSG   Export Press / Aprelevka   2ndPress / Aprelevka

◎ Популярная мозаика
Ⓐ Popular Mosaic

1stPress / VSG   2ndPress / Leningrad   2ndPress / VSG   2ndPress / Aprelevka

◎ Лабиринт
Ⓐ Labyrinth

1stPress / VSG   Export Press / VSG   2ndPress / Leningrad   2013 Reissue

◎ Стены
Ⓐ Walls

1stPress / Riga   2ndPress / Aprelevka   2ndPress / Aprelevka   2ndPress / Tashkent

Ⓟ Мелодия ❶ Ваши любимые песни играет ансамбль "Мелодия"

Ⓐ Melodiya ❶ The Ensemble "Melodiya" Is Playing Your Favorite Songs
Ⓞ LP 💿 33CM04345-6 ★★★

個々のメンバーが過去のキャリアで精錬してきた、卓越した技術によって編み上げられた本作は、シーンを燦々と照らし、ネクスト・レベルへと押し上げた、「ソ連ジャズ界の夜明け」といえる記念碑的デビュー・アルバム。前時代のソ連音楽界が誇る重鎮コンポーザーたちの楽曲をアレンジし、新時代へとグルーヴをアップデートした男こそが、リーダーのゲオルギー・ガラニャン。強襲するオルガンとベースが印象的なA1 & A5、ピアノが華麗に舞い乱れる高速ジャズB1、そして快活なブラス・アレンジを中心に、全パートが一気呵成にバチバチと交戦するキラー・ジャズ・ファンクB7。思わず手に汗握る、これぞソヴィエト流ジャズ・ファンク！

🕐 1973 🌐 ロシア連邦共和国

Ⓟ Мелодия ❶ Популярная мозаика

Ⓐ Melodiya ❶ Popular Mosaic
Ⓞ LP 💿 33CM-04439-40 ★★★

彼らはデビュー・アルバムと同年に、矢継ぎ早にさらに2枚のアルバムをリリース。2ndアルバムとなる『В старых ритмах（古いリズムで）』（CM04365-6）では、前作同様に重鎮コンポーザーの楽曲をプレイしつつも、過度なアレンジは施さずオーセンティックなジャズを演じている。そして3rdアルバムとなる本作では、モーダルなジャズを基調としながらも、ビブラフォン・プレイを隠し味にミッド・テンポで威風堂々とファンクするA3、そしてキャノンボール・アダレイ「Why Am I Treated so Bad」のカヴァーとなるB2を筆頭に、彼らのクールなアレンジと卓越したテクニックが、如何なく発揮された名品。

🕐 1973 🌐 ロシア連邦共和国

Ⓟ Мелодия ❶ Лабиринт

Ⓐ Melodiya ❶ Labyrinth
Ⓞ LP 💿 C60-052777-8 ★★★★

ソ連ジャズ・シーンの最高到達点とも呼べる彼らの圧巻のカタログの中でも、不動の最高傑作となった5thアルバム。伝承音楽とモード・ジャズを咀嚼したガラニャン自身によるコンポジションを携えて、「即興」と「電化」を手中に収めた彼らは、迷宮がごとく複雑に構築された音世界をアグレッシヴに駆け抜けていく。冒頭からヒリヒリと焼き付くファズ・ベース、タイトで印象的なブレイクが満載のドラミング、雄弁に語るメロディアスなホーン、そして代わる代わる狂い咲く鮮烈なソロ・プレイ。ジャズ、ファンク、サイケ、プログレ等、全ての要素は一つに溶け込み「究極」へと転生した、ソ連ジャズ界が生んだ永遠のマスターピース。

🕐 1974 🌐 ロシア連邦共和国

Ⓟ Мелодия ❶ Произведения Дюка Эллингтона играет ансамбль Мелодия

Ⓐ Melodiya ❶ Works by Duke Ellington Plays Ensemble Melodiya
Ⓞ LP 💿 C60-09261-2 ★★

イージーリスニングの世界ではお馴染みの巨匠、レイ・コニフ。彼はアメリカ人として初めて、ロシアでのレコーディングを敢行した作品『レイ コンニフ in モスクワ（Ray Conniff in Moscow）』（C60-05499-500）を1974年にリリースしているが、その演奏を担当したのは絶頂期にあったMelodiya Ensembleだった。その後さらに多くの経験を積んだ彼らは、1977年にデューク・エリントンのカヴァー集となる本作をリリース。「Take the A Train」に始まる名曲群を並べつつも、緩急自在のジャズ・ファンクへとアップデートされた絶品グルーヴが堪能できる。

🕐 1977 🌐 ロシア連邦共和国

ⓟ Мелодия ❶ Играет популярные русские народные и советские песни

Ⓐ Melodiya ❶ Plays Popular Russian Folk and Soviet Songs
Ⓞ LP ▥ C60-13217-8 ★★

1974 年作『Лабиринт（Labyrinth）』以降ルーツ回帰を進め、イージーリスニング的側面を強めていく中でも、一部にディスコを導入した 1979 年作『Танцевальную музыку советских композиторов（ソヴィエト作曲家のダンス音楽）』（C60-13019-20）をリリース。そして続き同年にリリースされた本作は、タイトルそのままにロシア伝承音楽のカヴァー集。凡庸なアートワークも相まって軽視やむなしの一枚となっているが、蓋を開けてみれば、彼らのキャリア中期を彩る実にフレッシュな秀作となっている。ワイド・レンジな音楽をプレイしてきたからこそ生まれた、アレンジの妙が冴え渡る、これぞ民間伝承ジャズ・ファンク。

❶ 1979 ⊕ ロシア連邦共和国

ⓟ Мелодия ❶ Концерт в Бомбее

Ⓐ Melodiya ❶ Concert in Bombay
Ⓞ LP ▥ C60-14933-4 ★★

インド第二の都市、ボンベイ（現ムンバイ）で開催されている国際ジャズ・フェスティバル、「Jazz Yatra」の 1980 年開催回でのライヴ録音作。同時期にスタジオ・アルバムとしてパッケージングされた音楽性とは異なり、ここに収められたサウンドには、ライヴ特有の「熱狂」が溢れんばかりに充満している。全てが高い純度で構築された切れ味抜群のジャズ・ファンク・グルーヴをベースに、ムーグ・シンセサイザーの使用等、時代の空気も吸い込んだサウンドを見事に捉えており、彼らの貴重なライヴ・パフォーマンスを堪能できる一枚である。曲構成、演奏の出来等含め、紛れもなくシーンを代表する名ライヴ・アルバムと言えよう。

❶ 1980 ⊕ ロシア連邦共和国

ⓟ Мелодия ❶ C'est si bon = Хорошо

Ⓐ Melodiya ❶ It is so Good
Ⓞ LP ▥ C60 20181 002 ★★

キャリア後期に差し掛かった 1982 年、およそ 10 年に渡りグループを率いたガラニャンは退き、初期から作曲やアレンジを手掛け、グループの中核を担ってきたピアニスト、ボリス・フルムキンがリーダーを務めることとなる。そして交代後の同年には、「Disco Club」シリーズにてリリースされたオムニバス作『Дискоклуб 4（C60-17297-300）』に参加。映画『Rocky』でお馴染みの、「Gonna Fly Now」カヴァーを収録している。その後 1984 年に世界各国のジャズをカヴァーした本作をリリース。アートワーク通りのダンディズムが貫かれた、大人のラウンジ・ジャズ・アルバムとなっている。

❶ 1984 ⊕ ロシア連邦共和国

ⓟ Мелодия ❶ Стены

Ⓐ Melodiya ❶ Walls
Ⓞ EP ▥ C62-04887-8 ★★★

彼らは多くのシングル作品も残しているが、とりわけ名品との呼び声高い一枚が、アルバム未収録曲を収めた本作。本作の全てはポーランド出身のポップ・シンガー、イェジ・ポウォムスキ（Jerzy Połomski）が 1968 年にリリースした「Nie pierwszy」のカヴァーとなる B1 に集約。印象的なイントロダクション、連打されるオルガン、ドライヴ感溢れるスピーディーなドラミング、縦乗りファンクするグルーヴ、そしてガラニャンによる鮮烈なるサックス・ソロ。まさにシングルに相応しい、この時期の彼らを代表する名曲となった。なお、A1 も同じくイェジ・ポウォムスキのカヴァー、A2 に Creedence Clearwater Revival「雨を見たかい」のカヴァーを収録。

❶ 1974 ⊕ ロシア連邦共和国

グルジア伝承音楽を再解釈する孤高のジャズ・ファンク・グルーヴ

Ⓟ ВИА-75

Ⓐ VIA-75

🕐 1975　🌐 グルジア共和国
Ⓒ Роберт Бардзимашвили

まさに孤高。自国のグルジア伝承音楽と、強靭なジャズ・ファンク・グルーヴのフュージョンを比類なき純度で実現し、決して英米の単純な模倣ではない強烈な音楽的独自性を手中に収めた、ソ連を代表する最強ジャズ・ファンク・グループ。全土で熱狂的な人気を獲得したグルジア出身コーラス・グループ、Орэра（Orera）のリーダー、ロベルト・バルジマシヴィリ（Роберт Бардзимашвили）により、トビリシにて 1975 年に結成。グループを構成するメンバーは国立トビリシ音楽院の学生から選りすぐられている。ほぼ全メンバーが伝統歌唱を自在に操りつつも、グルジア語、英語、ロシア語と多言語によるシンギングを可能としたヴォーカリストである。加えてドラムやパーカッションによるリズム・セクションに多人数を据えたそのグループ構成からも、彼らの音楽の指向性を垣間見ることができる。1977 年には Рэро(Rero) のメンバー、ベシク・カランダゼ（Бесик Каландадзе）が加入し、以降彼のペンによる楽曲の数々はヒット曲としてグループを成功へと導くが、やはり彼らの音楽的評価の軸となるものは、代表曲「Оровела（Orovela/ 喜びのリズム）」を中心とした「伝承音楽の再解釈」。グルジア民謡が持つポリフォニックな合唱はそのままに、ジャズ、ブルース、ロック、ファンク、そしてかのフェラ・クティに強い影響を受けたアフロ・ビートまでをも咀嚼したグルーヴを掛け合わせたサウンドは、伝承音楽に全く新しい価値観を与え、グルジア音楽の可能性を広げたその功績の大きさは計り知れない。4 枚のアルバムと複数枚のシングルを残し、80 年代中頃にグループは解散しているが、その濃密なグルーヴが刻まれた作品の数々は、DJ や愛好家を中心に再評価が進み、現在のソ連シーンにおける中心的存在として輝きを放ち続けている。

℗ ВИА-75 ⦿ s.t.

🕐 1976　🌐 グルジア共和国

Ⓐ VIA-75 ⦿ s.t.
Ⓞ LP　🎵 C60-08191-2　★★★★★

1975年、その結成年数をそのままグループ名に据えた、グルジア、否、ソ連シーンを代表する最強ジャズ・ファンク・グループ。本作は1976年にリリースされた彼らの記念碑的デビュー作にして名作中の名作。本作がとりわけ高い人気と評価を得る訳は、シーンを代表する名カヴァーA2「Оровела（Orovela）」の存在。荘厳なコーラス・ワークによるグルジア・トラディショナル・フォークをベースにしながらも、切り裂く連発ホーン、吹きすさぶフルート、優美に乱れるピアノ、そしてファンキーなドラム・ブレイクを大胆に導入、否応なしに頭が振られる絶品ジャズ・ファンク・ナンバーへとトランスフォームしている。

℗ ВИА-75 ⦿ Ритм радости

🕐 1981　🌐 グルジア共和国

Ⓐ VIA-75 ⦿ The Rhythm of Joy
Ⓞ LP　🎵 C60-15837-38　★★★★

2作目にして最高傑作の呼び声高い本作では、変わらずグルジア民謡を下地にしつつも、ジャズ、ブルース等の西側諸国のサウンドのみならず、アフロ・キューバンのリズムをも吸収融合させた唯一無二のクロスオーヴァー・グルーヴを創出。前作よりもさらにファンク度の増したB1「Orovela」の再カヴァーを筆頭に、扇動的な高速ブラス・ロックからメロウ・パート等へと大胆な転調を繰り返す極上ファンキー・ナンバーA1、さらにはジミ・ヘンドリクス「Red House」カヴァーA2まで、前作同様ディガー垂涎の一枚となっている。なお、本作で聴ける美しいピアノ・プレイの数々は、盟友ヴァギフ・ムスタファザデによるもの。

℗ ВИА-75 ⦿ Для тебя живу, Грузия моя!

🕐 1984　🌐 グルジア共和国

Ⓐ VIA-75 ⦿ I Live for You, My Georgia!
Ⓞ LP　🎵 C60 20845 004　★★★

1983年リリースの3rd『Звездопад（Starfall）』（C60-18551-2）では、トラディショナル・カヴァーを排除。さらにシンセサイザーを導入したことにより音楽性は一変、加えてファンク度も一気に後退することとなるが、続く4thにして最終作となる本作では、さらなるトランスフォームを見せる。グルジア語をアートワークにあしらう程に、自国の伝統歌謡を押し出しつつも華麗に咀嚼。旧来のジャズ・ファンク路線から歩を進め、伸びやかな歌を軸に据えた、アダルト・オリエンテッドなサウンドを追求した。A4やA5を始め、派手なスキルを抑制したハーモニーが華麗に彩る、絶品メロウ・サウンドをご堪能あれ。

℗ ВИА-75 ⦿ Где эта девушка?

🕐 1976　🌐 グルジア共和国

Ⓐ VIA-75 ⦿ Where is This Girl?
Ⓞ EP　🎵 M62-42397-98　★★★★

彼らは複数枚のシングルを残しているが、いずれの作品も価値高く入手難度も高い。まず挙げておきたい1976年作『Оровела（Orovela）』（C62-09663-4）は、アルバム未収録となる伝統歌唱曲の高速ファンキー・カヴァーB2を収録。その他数枚のソノシートにもアルバム未収録曲が収録されているが、そんなシングル群の中でも最も注目すべきは、全曲カヴァー曲で構成された3曲入りEPとなる本作。ハンガリアン・ロック・バンド、ExpressのカヴァーA1、ポーリッシュ・ブルース・ロック・グループ、BreakoutのカヴァーA2、そしてラストのB1はなんとフェラ・クティ「Egbe Mi O」のインスト・カヴァーを収録！

調和を鳴らすエストニアの伝説のジャズ・トランペッター

ⓟ Jaan Kumani Instrumentaalansambel
Ⓐ Jaan Kuman Instrumental Ensemble

🕐 1975　🌐 エストニア共和国
👤 Jaan Kuman

エストニア北東部の都市コフトラ＝ヤルヴェにて生を受け、後にエストニアン・ジャズ・シーンに偉大なる足跡を残すこととなる、コンポーザー兼トランペッター、ヤーン・クーマン。バーやカフェでの演奏で着実に経験を積み重ねた彼は、1969 年にエストニア国営ラジオにて初のレコーディングを経験。以降数百のレコーディングに参加し膨大な音源を残すも、現在ではそれら全ての音源は失われてしまっている。その後 1974 年に自身のアンサンブル、Jaan Kumani Instrumentaalansambel（Jaan Kuman Instrumental Ensemble）を結成。翌年にデビュー・シングル『Estraadipalu』をリリース後、1976 年より『Tantsurütme（Dance Rhythm）』と題された、彼のキャリア最大の功績とも言える EP シリーズの発表を始めている。シリーズ計 6 枚残された EP はいずれも素晴らしい録音揃いだが、中でも彼の代名詞とも言える名曲「Gloobus（Globus）」を収録した『Tantsurütme V』は、とりわけ高い人気を誇っている。また、いずれもピクチャー・スリーヴ付の入手難度は高いが、プレス年数も含めた完全な初回仕様は非常に高い入手難度を誇る。なお、1979 年には EP シリーズを中心にセレクトした、カセットのみの編集盤もリリースされており、こちらも入手には至難を極める。1978 年のウーノ・ナイソー名義による『Mälestusi Kodust』での全面バックアップを始め、自身の名義作外にも名録音を残した彼が目指したジャズは、マイルス・デイヴィス等トランペッター界の巨人たちが追い求めたエクスペリメンタリズムではなく、美しくも力強い「調和」によるジャズであった。

℗ Jaan Kumani Instrumentaalansambel 🎵 Estraadipalu

Ⓐ Jaan Kuman Instrumental Ensemble 🎵 Estraadipalu
Ⓞ EP 💿 C62-05515-16 ★★★★

エストニアを代表するトランペッター、ヤーン・クーマンが率いた伝説的ジャズ・アンサンブルによるデビュー・シングル。本作は『Tantsurütme』シリーズ以外に発表された唯一の作品となる。Ａ面はジャズ・ピアニスト、ライヴォ・タミック（Raivo Tammiku）のカヴァー、Ｂ面はソロ作『Laulud』でも知られる、オラフ・エハラ（Olav Ehala）のペンによる一曲となっているが、共に施された美しくもファンキーなアレンジは秀逸。伸びやかなホーン・セクション、手数はあれど抑制の利いたグルーヴ、流麗なクリーントーン・ギター。これぞ卓越したジャズメンが集った、至高のクール・ジャズ・ファンク。

🕐 1975 🌐 エストニア共和国

℗ Jaan Kumani Instrumentaalansambel 🎵 Tantsurütme I

Ⓐ Jaan Kuman Instrumental Ensemble 🎵 Dance Rhythms I
Ⓞ EP 💿 C62-06889-90 ★★★★

1976 年に計 6 枚発表された『Tantsurütme』シリーズの存在こそが、彼の名が後世にまで語り継がれるが所以。まずシリーズの幕開けとなる『I』（C62-06889-90）には、シリーズの中でも高い人気を博す B 面曲を収録。重層的なホーン・アンサンブルと、盟友ティート・パウルスによる縦横無尽に走り回るファズ＆ワウ・ギターが織りなす、ハイ・スピード・ジャズ・ファンク・サウンドは絶品の一言。続く『II』（C62-06897-98）および『III』（C62-07225-26）はジャズ・ファンク色が薄い 2 作となるが、オーセンティックなサウンドの中にも、彼らのプレイの素晴らしさは輝きを見せる。

🕐 1976 🌐 エストニア共和国

℗ Jaan Kumani Instrumentaalansambel 🎵 Tantsurütme V

Ⓐ Jaan Kuman Instrumental Ensemble 🎵 Dance Rhythms V
Ⓞ EP 💿 C62-07357-58 ★★★★★

『IV』（C62-07231-32）には人気ナンバー B2 が収録。分厚いホーン・アンサンブルを導入した、ダイナミックかつ快活なテーマが心たぎらせる。そしてシリーズ最大の名曲、「Gloobus」を収録した『V』（C62-07357-58）こそが本命盤。一騎当千のギター・プレイ、虚空を切り裂くホーン・セクション、どこまでも速く細かく刻み続けるグルーヴが生んだ、高速ジャズ・ファンクは必聴。最終作となる『VI』（C62-07359-60）では、クーマンの絶品ホーン、饒舌なクリーントーン・ギター、天から降り注ぐピアノが、クールに滑走するリズム隊の上を駆け巡る、鮮烈なるジャズ・ファンク B1 を体験せよ！

🕐 1976 🌐 エストニア共和国

℗ Jaan Kuman Instrumental Ensemble 🎵 Jaan Kuman Instrumental Ensemble

Ⓐ Jaan Kuman Instrumental Ensemble 🎵 Jaan Kuman Instrumental Ensemble
Ⓞ LP 💿 JALP704 ★★★

本作は『Tantsurütme』シリーズからセレクトされた名曲群に加え、彼らが全面バックアップした名作、ウーノ・ナイソ『Mälestusi Kodust』からの楽曲をコンパイル、さらには完全未発表となる 1973 年のライヴ音源も収録した至高のベスト・アルバム。なお、本作はライヴォ・タミックやトヌー・ナイソ等のソ連レア・アイテムの再発も手掛ける、Jazzaggression Records からのリリース。500 枚という限定されたプレス枚数、そして CD は製作されなかったということもあり、年々高まるその人気からも、本作の市場価格は高騰の一途を辿っている。※ 2021 年に500 枚の追加プレスあり

🕐 2013 🌐 エストニア共和国

アルメニア名家出身、アメリカでも活躍したレア・グルーヴの至宝

℗ Государственный эстрадный оркестр Армении
Ⓐ State Variety Orchestra of Armenia

🕐 1956　🌐 アルメニア共和国

👤 Константин Орбелян

時は中世アルメニア、南部シュニク地方を治めていたオルベリャン家の正統後継者にして、交響曲からポップスまで幅広いコンポージングを手掛けたピアニスト兼コンポーザー、コンスタンチン・オルベリャン（Константин Орбелян）。自身はかの栄誉賞号「人民芸術家」を受章し、甥には3度に渡ってグラミー賞にノミネートを果たした名コンダクター、コンスタンチン・オルベリャン（Константин Орбелян）を持つ、まさにアルメニアン・ジャズ界を代表するノーブル・ファミリー。1928年、アルメニア西部の都市、アルマヴィルに生まれた彼は、幼いころより音楽の才を認められながらも、スターリン主義時代のアルメニアにおいて、不遇の人生を送ることとなる。「大粛清」により父は銃殺刑、母は強制収容所へと投獄され、コンスタンチン自身も学校を追われるも、自身の音楽の才を活かし軍楽隊に所属することによって生き抜いていく。その後、ピアニストとしてのキャリアを積みながら、コンポーザーとしても作曲の腕を磨き続けた彼は、1956年から1990年代初頭まで、実に35年以上の長きに渡りジャズ・オーケストラ「State Variety Orchestra of Armenia」を率い、数多くの名演をレコードに刻み込むこととなる。そんな彼のキャリアの中でも、1977年にリリースした『Песни（Songs）』、翌1978年リリースの『State Variety Orchestra of Armenia』は、ソ連ジャズ・ファンク〜レア・グルーヴ・シーンを代表する名盤として知られている。彼はグループを脱退後渡米、ロサンジェルスにて隠居生活を送り2014年に生涯を終えている。

Ⓟ Государственный эстрадный оркестр Армении ❶ Песни

🅐 **State Variety Orchestra of Armenia** ❶ Songs
Ⓞ LP 🎵 C60-08841-2 ★★★★

アルメニアを代表する鍵盤奏者兼コンポーザー、コンスタンチン・オルベリャン率いるアルメニア国立オーケストラによる 1977 年作。曲毎に異なるソリストをフロントに据えた本作は、アーラ・プガチョワによるバラード A1 で幕を開ける。コンスタンチンによるパーカッシヴな鍵盤捌き、そしてアルメニアの女性ジャズ・シンガー、タテヴィク・オガネシャン（Tatevik Oganesyan）による、流麗なスキャットが光り輝く極上レア・グルーヴ A5、印象的な横乗りホーン・セクションが先導するビックバンド・ジャズ・ファンク B5 等、名曲盛り沢山の名作となっている。このグルーヴへのアプローチは翌年の代表作で完成を迎える。

❶ 1977 🌐 アルメニア共和国

Ⓟ Государственный эстрадный оркестр Армении ❶ s.t.

🅐 **State Variety Orchestra of Armenia** ❶ s.t.
Ⓞ LP 🎵 C60-09733-34 ★★★★★

本作は彼のキャリア、否、アルメニア・シーンを代表する傑出した一枚。編集盤的側面も持った一枚ながら、本作にのみ残された A5 の存在こそが聖杯と呼ばれるが所以。鮮烈な印象を残す連発ホーン、切れ込み鋭いドラム・フィル・イン、そして妖艶に節を回すオリエンタル・フィーメール・ヴォーカルがバチバチに交錯する唯一無二のグルーヴに、世界のディープ・ディガー達は賞賛を惜しまない。ラリーサ・ドーリナの歌唱も素晴らしいファンキー・ソフト・ロック A3、前作にも収録されたスキャットが光るレア・グルーヴ・ナンバー B4 等、アルバム全体が隙間なくキラー・チューンで埋め尽くされ、その様は息つく暇など許さないグルーヴの坩堝。

❶ 1978 🌐 アルメニア共和国

Ⓟ Государственный эстрадный оркестр Армении ❶ s.t.

🅐 **State Variety Orchestra of Armenia** ❶ s.t.
Ⓞ LP 🎵 C60 20321 005 ★★★

彼らはソ連を代表するジャズ・オーケストラのひとつとして、実に世界40 ヶ国以上でのコンサート・ツアーを実施しており、その長いキャリアの中では、1977 年に「State Pop Orchestra of Armenia」名義にてアメリカでもアルバム『s.t.』（Arka Records / AK-132）をリリースしている。そして、キャリア後期となった本作では、ミドル・イースタン歌唱と転がる鍵盤使いが素晴らしいレア・グルーヴ・ナンバー A1、男女混声ヴォーカルによるアップテンポなアルメニア流サンバ B4 等を収録。傑作であった前 1978 年作から間を空けてのリリースとなるも、やはりその水準は高い。

❶ 1984 🌐 アルメニア共和国

Ⓟ Константин Орбелян и его оркестр ❶ s.t.

🅐 **Konstantin Orbelyan and His Orchestra** ❶ s.t.
Ⓞ LP 🎵 C60 29125 004 ★★★

名義を「Konstantin Orbelyan and His Orchestra」に変更してリリースされた本作は、35 年以上の長きに渡りコンスタンチンが率いたジャズ・オーケストラにとっての最終作。彼の代表曲でもある 1977 年作収録のレア・グルーヴ・ナンバー A3「Вокализ」や D1「Дилижан」等、自身が 70 年代に残した名曲群を 2 枚に渡ってコンパイルした編集盤的一枚だが、ここでしか聴けない曲も多数あり。特に男性ヴォーカリスト、アラム・ゲヴォルキャン（Aram Gevorkyan）によるシルキーなメロウ・スキャットが抜群のセンスを見せる、極柔のメロウ・グルーヴ・ナンバー D4 はマスト！

❶ 1990 🌐 アルメニア共和国

アゼルバイジャン伝統ムガムとジャズを融合した早世のピアニスト

ⓟ Vaqif Mustafazadə
Ⓐ Vagif Mustafazadeh

🕭 1940 -1979　⊕ アゼルバイジャン共和国
👤

大きな即興性と固有の旋法を持ち、現在では無形文化遺産としても知られる、アゼルバイジャン伝統音楽「ムガム」とジャズの融合を果たし、アゼルバイジャン・ジャズ・シーン草創期を創り上げた天才ピアニスト、ヴァギフ・ムスタファザデ（Vagif Mustafazadeh / Vagif Mustafa-Zadeh）。1940 年、アゼルバイジャンのバクーにある旧市街（現在は世界遺産）に生まれた彼は、小さな音楽学校のピアノ講師であった母の影響もあり、ピアニストとしての道を歩み始める。時は 1950 年代、「敵性音楽」であったジャズを愛した彼は、傍受した BBC ラジオから聴こえてくる音を手繰りながらジャズを学ぶと共に、アゼルバイジャンの原初的フリースタイル・ラップ（！）と言える古典スポークン・ワード「Meykhana（メイハナ）」を歌い、自身の音楽観を育んだ。彼は 1979年に心臓発作で早世するまで、自身のソロ名義やトリオでの活動のみならず、様々な作品にその名演を残し、獅子奮迅の活躍を遂げている。キャリア初期に在籍した、Opэра（Orera）のメンバーとしての活動を皮切りに、ВИА-75（VIA-75）の名作『Ритм радости』への参加や、晩年まで彼が率いた VIA、Севиль（Sevil）での活動等、彼の残したその功績の偉大さは計り知れない（それらは p.31、p.54、pp.113-114 を参照されたし）。彼が創造した「ジャズ・ムガム」は、今現在は多くのミュージシャンへと広く継承されているが、その正統後継者の一人が実娘、アジザ・ムスタファザデ（Aziza Mustafazadeh）である。彼女は 10 歳の頃に父であるヴァギフを失うが、ピアニストとして意思を受け継ぎ若くして大成、セールス面でも大きな成功を果たしている。未だなお発展を遂げる、ジャズ・ムガムの今後にも注視したい。

Ⓟ Вагиф Мустафа-заде ❶ Джазовые композиции

Ⓐ **Vagif Mustafazadeh** ❶ Jazz Compositions
Ⓒ LP　📇 C60-06407-8　　　　　　　　★★★

彼の非凡なる才能を広く世に知らしめたのは、1967年にエストニア
のタリンで開催された、歴史的ジャズ・フェスティバル「Tallinn 67」
（p.61 参照）での名演。 その後、初めてのソロ名義作となった1974年
作『ジャズ・コンポジション（Jazz Composers）』（33C-04593-4）は、コ
ントラバスとドラムによるピアノ・トリオ編成での録音となっており、名
曲A5「Кавказ」も収録した充実作となっている。そして翌年同作でリリー
スされた本作は、エレクトリック・ピアノとの多重録音によるインプロ色
の濃いピアノ・ソロ作。類い稀なる技巧を誇った、彼のピアニストとして
の力量を存分に堪能できる一枚だ。

❶ 1974　🌐 アゼルバイジャン共和国

Ⓟ Вагиф Мустафа-заде ❶ Джазовые композиции

Ⓐ **Vagif Mustafazadeh** ❶ Jazz Compositions
Ⓒ LP　📇 C60-12277-80　　　　　　　　★★★

トビリシにて開催されたジャズ・フェスティバル Tbilisi-78（p.61 参照）に、
ヴァギフは自身が率いるアンサンブル、Myram（Mugham）と共に参加。
そのアブストラクトなジャズ・サウンドは賞賛を浴び、ベスト・ピアニス
トとして賞を獲得している。そして本作は同年に録音され、彼の絶頂期を
捉えた一枚。美しい鍵盤捌きと軽やかなリズム隊によるリリカルなジャ
ズ・サウンドに加えて、ムガムのエッセンスを導入したフリーキーな即興
や、オリエンタルなヴォーカルが織り込まれており、彼が追い求めたムガ
ムとジャズの融合を果たした瞬間でもあった。なお、本作は2LP版とバ
ラ売りの単体版が存在する。

❶ 1979　🌐 アゼルバイジャン共和国

Ⓟ Вагиф Мустафа-заде ❶ В Киеве

Ⓐ **Vagif Mustafazadeh** ❶ In Kiev
Ⓒ LP　📇 C60 29523 001　　　　　　　　★★★

本作は彼の死の前年、1978年10月にキエフで録音されたライヴ・レコー
ディング・アルバム。リリース自体は1990年となっているが、本作が彼
の遺作にして最終作となる。作品の中心に据えられた、鬼気迫る超絶技巧
ピアノ・ソロも素晴らしいが、A3とB面全てを費やしたロング・トラッ
クに盛り込まれた、スリリングなジャズ・ファンク・グルーヴは格別。ブ
ロウするサックス、ワウが効いたギター・カッティング、そして前作でも
美声を振るったヴァギフの妻、エリザ・ムスタファザデ（Elza Mustafa-
Zadeh）による妖艶な伝統歌唱が交錯する、バチバチのジャズ・ムガム・ファ
ンクが堪らない名作！

❶ 1990　🌐 アゼルバイジャン共和国

Ⓟ Джаз-ансамбль п/у В. Мустафа-заде ❶ Музыка из кинофильма "Дела ердечные"

Ⓐ **V. Mustafazadeh Jazz ensemble** ❶ Music from the Motion Picture Matters of the Heart
Ⓒ Flexi　📇 33ГД0003985-6　　　　　　　　★★★

ヴァギフは様々なアンサンブルを率いたが、ここではトリオ名義の作品
に注目したい。1971年発表のアルバム『ジャズ・コンポジション（Jazz
Compositions）』（33Д030777-78）にも名演を収めているが、1974年に
ソノシートでのみ発表された本作のA面こそが、トリオを代表する一曲
だろう。気品溢れるピアノと、女性ヴォーカリスト、ヴァレンティナ・ト
ルクノヴァ（Валентина Толкунова）の美声が響き渡るジャズ・ヴォー
カル・ナンバーは、まさに白眉の出来と言える。1972年12月16日、彼
はステージ上でプレイ中に急逝したが、時代を華麗に駆け抜けた彼の才能
は、今もなお色褪せることはない。

❶ 1974　🌐 アゼルバイジャン共和国

グルーヴする華麗なる弦、ダゲスタン・オーケストラ・ファンク

 Мурад Кажлаев

Ⓐ Murad Kazhlaev

🕐 1931　🌐 ダゲスタン自治共和国
🔔

若き日から天賦の才に恵まれた巨匠コンポーザー、ムラド・カジュラエフ（Мурад Кажлаев）は、1931 年にアゼルバイジャンのゾルゲが生まれ育った街バクーで生まれる。ダゲスタン自治共和国に拠点を移し、教鞭を執りながら指揮者、そしてコンポーザーとしての活動を続け、数百に及ぶ楽曲を産み落としたソ連を代表するコンポーザーの一人として、歴史にその名を刻み込んだ。まず彼のキャリアを語る上で外せないのは、同郷のジャズ・マン、ラフィク・ババーエフ（Рафик Бабаев）と共に結成した VIA、グニブ（Gunib）だろう。後にアゼルバイジャン最重要 VIA、ガヤ（Gaya）へと発展する彼らは、1965 年に 10 インチ作『Приезжайте в Дагестан（Come to Dagestan）』（33C1009-10）を残している。トライバルなパーカッションが怒号のように迫り来る、キラー・ジャズ・ヴォーカル・ナンバー「Африка」を収録しており、高い人気と希少性を誇る一枚となっている。それ以降、交響曲、弦楽四重奏、映画音楽、ミュージカル、オペラ等、多種多様なスコアを書き上げ、自身のソロ名義でも数多くの作品を残しているが、一貫して彼の音楽の軸となり続け、彼が比類なきコンポーザーとして目されるに至った理由でもあったのが、美しきストリングス・アレンジの妙だった。彼が目指した音楽の最終形ともいえる、優美なストリングスを掻き分けるようにグルーヴするサウンドは、1980 年リリースの EP『Музыка из телефильма "Чудак"（テレビ映画「チュダク」主題歌）』にて完成を迎えている。ただ、彼が長いキャリアの中で試行錯誤したアプローチの数々は、ここで紹介するには足りないほどに多種多様な魅力に溢れており、出来るだけ多くの作品に触れてみることをお勧めしたい。

ⓟ Мурад Кажлаев ❶ Миллион новобрачных

Ⓐ Murad Kazhlaev ❶ Million Newlyweds
Ⓞ LP 📷 33CM03493-4 ★★★★

北コーカサスのダゲスタン自治共和国出身のコンポーザーにして、栄誉賞号「人民芸術家」受章者、ムラド・カジュラエフ。幼き日からコンポーザーとしての英才教育を受け、20代より自らも教鞭を振るい、国営フィルハーモニーを率いる等、若くしてアカデミックな音楽的素養を修め尽くした才人。本作は、そんな彼が数多く残したカタログの中でも、エキゾ等の様々な語法を駆使し、高い人気を誇る1972年作。美しいストリングスとオルガンが空間を漂白し、ゆっくりと流れるオールドタイミーなスクリーン・ミュージックのようなA6は、多くのサンプリング・ソースとなり得る極上のベルベット・サウンドを描く。

🕐 1972 🌐 ダゲスタン自治共和国

ⓟ Мурад Кажлаев ❶ Вечерний Арбат. Джазовая и танцевальная музыка

Ⓐ Murad Kazhlaev ❶ Evening Arbat. Jazz & Dance Music
Ⓞ LP 📷 C60-09211-12 ★★★

1979年には人気作となる『Крутые повороты（曲がり角）』（33C-04535-36）をリリース。どっしりとした重心の低さと抜群の切れ味を兼ね備えた、堂々たるジャズ・ファンク・サウンドを収録しているが、それもそのはず、演奏を担当したのは、かのゲオルギー・ガラニャン率いるMelodiya Ensembleの面々。そして、1977年にはカジュラエフの音楽性の大黒柱の一つとなる「エキゾ」の要素が極まった、中期代表作となる本作がリリースされている。フルートとストリングスによるエキゾ・ファンク大名曲B1「Exotic Dance」を筆頭に、B面一面に渡って描き出すストーリーテリングは圧巻の出来。

🕐 1977 🌐 ダゲスタン自治共和国

ⓟ Мурад Кажлаев ❶ Музыка из телефильма "Чудак"

Ⓐ Murad Kazhlaev ❶ Music from TV Movie "Freak"
Ⓞ EP 📷 C62-14123-4 ★★★★★

1979年に公開されたテレビ映画『Чудак（Freak）』の挿入歌として制作された本作は、彼が多種多様なアプローチを試行錯誤した果てに辿り着いた、最終回答となるキャリア最大の代表作。快活なハンド・クラッピング、走るベース・ライン、縦横無尽に転がるピアノと美しいストリングスがコール＆レスポンスするA2、そして何よりも女性ヴォーカリスト、ゼイナブ・ハンラロヴァ（Зейнаб Ханларова）を迎え、エキゾ、ストリングス、グルーヴと、カジュラエフの三大要素が一つとなった最大の名曲B1「Увидев тебя（公式の英訳では、To See You）」を収録している。なお、本作のピクチャー・スリーヴ付は高い入手難度を誇る。

🕐 1980 🌐 ダゲスタン自治共和国

ⓟ Мурад Кажлаев ❶ To See You

Ⓐ Murad Kazhlaev ❶ To See You
Ⓞ 7" 📷 SP45-004 ★★★

カジュラエフは40作品以上の映画音楽を手掛けており、音盤化を果たしていない楽曲も多く眠っているが、本作は2017年にSpasibo Recordsの手によって初の音盤化を果たしたシングル作。A面は1979年に録音された、上記1980年EP作収録の大名曲「Увидев тебя（To See You）」のインスト・ヴァージョンを収録。B面には1971年にCzechoslovak Radio Jazz Orchestraによって録音された、ミッド・テンポ・ジャズ・ファンク名曲を収録している。なお、2019年にはRecord Store Day限定で30枚のみカラー・ヴィニール仕様が製作されている。

🕐 2017 🌐 ダゲスタン自治共和国

ディスクレビュー

Ⓟ Алексей Кузнецов　❶ Концерт в Олимпийской деревне

Ⓐ **Alexey Kuznetsov** ❶ Concert in the Olympic Village
Ⓛ LP 💿 C60 22851 000　★★

ソ連が誇るヴァーチュオーゾとして認められたピアニスト兼コンダクター、イーゴリ・ナザルク（Игорь Назарук）率いるカルテットの一員として、ジャズ・ファンク名作『Утверждение』（p.48 参照）で美しいプレイを披露したギタリスト、アレクセイ・クズネツォフ。本作はイーゴリ・ブリーリやティート・パウルスらソ連シーンきってのジャズメンと共演したライヴ録音作。本作では、彼ならではの美しくも猛々しいクリーン・トーンのギター・プレイにスポットを当て、ジャンゴ・ラインハルトやデューク・エリントン等のカヴァーを中心とした。シンプルでオーセンティックなジャズでありながらもフレッシュなグルーヴ感で魅せる一枚。

🕑 1985　🌐 ロシア連邦共和国

Ⓟ Алексей Мажуков　❶ Песни, оркестровые пьесы

Ⓐ **Alexey Mazhukov** ❶ Songs, Orchestra Pieces
Ⓛ LP 💿 Д-034233-34　★★★★

アーラ・プガチョワやソフィヤ・ロタールを始めとした、多くのアーティストの楽曲の作曲を手掛けたコンポーザーにして、美しいシンフォニー・ジャズ・オーケストラ、ВИО-66（VIO-66）を指揮した、アレクセイ・マジュコフによる 1973 年作。A面のヴォーカル・サイドはもとより、B面のインスト・サイドの存在こそ本作が特別視されるが所以。地を這う極太ベース・ライン、ダビーな感覚すら漂うディープ・エコー・ドラム、ファンキーに舞うオルガン、抑制の利いたクリーン・トーン・ギター、そしてダメ押しに美麗ストリングスが空間を覆い尽くす。シーン最大級のキラー・インスト・トラック B4 に打ちのめされよ！

🕑 1973　🌐 ロシア連邦共和国

Ⓟ Аллегро　❶ Контрасты

Ⓐ **Allegro** ❶ Contrasts
Ⓛ LP 💿 C60-14003-4　★★

KGB のオフィスでのライヴからキャリアをスタートさせ、デューク・エリントン、チック・コリア、ゲイリー・バートンら巨人達とのジャム・セッションも行い、彼らから多大なる評価を受けた凄腕ピアニスト、ニコライ・レヴィノフスキー（Николай Левиновский）率いるモスクワ発ジャズ・ファンク・アンサンブルによるデビュー作。A面2曲、B面1曲の長尺曲のみで構成され、B面のタイトル曲「Constrats」はその名の通り静と動のコントラストの効いた三部構成となっている。ウッド・ベースと軽やかなドラミングによる緩急自在のグルーヴ、そして流麗なローズやムーグの音色により洗練を極めた完成度の高い秀作。

🕑 1980　🌐 ロシア連邦共和国

Ⓟ Аллегро　❶ В этом мире

Ⓐ **Allegro** ❶ In This World
Ⓛ LP 💿 C60-17423-4　★★

アンサンブル結成後すぐに国内外より高い評価を受けた彼らは、「ベスト・ジャズ・アンサンブル」に選出。さらにニコライ自身もジャズ評論家らの投票による「年間最優秀ミュージシャン」に4度も選出されるなど、全ソを代表するアンサンブルへと急成長を遂げていく。2nd にあたる本作では前作を踏襲しつつも、オーセンティックなジャズ・スタイルからよりファンキーでアグレッシヴなジャズ・ファンク・サウンドへと歩を進めている。両面1曲ずつのクレジットながら様々な小品曲が詰め込まれ、跳ねるワウ・ベースや美麗シンセサイザー、さらに荒々しいドラム・ソロまで、スキルに裏打ちされた様々な要素が目まぐるしく繰り出される。

🕑 1982　🌐 ロシア連邦共和国

Ⓟ Аллегро ❶ Золотая середина

Ⓐ **Allegro** ❶ **The Golden Mean**
Ⓛ LP ▦ C60 21795 005 ★★

ユーゴスラヴィア、フランス、ドイツ等のヨーロッパ諸国に始まり、インドやスリランカに至るまで、広範に渡る世界の国際ジャズ・フェスティバルに参加し、世界的な知名度と人気を手中に収めていく。そんな中、キーボード、ドラム、ブラス・セクションのメンバーを増員、総勢 8 名となり、更なるサウンドの増強を目指した 1985 年作。より多層的なサウンドを奏でつつも、尖っていたエッジは丸みを帯び、ラテン・フィーリングをも援用したスムースなグルーヴを獲得することとなる。可憐に舞い散るエレクトリック・ピアノ、ブラス隊による折り重なるアンサンブルと流麗なソロ回し、そしてスピード感溢れるグルーヴによる、洗練を極めたジャズ・ファンク好作。

● 1985 ⊕ ロシア連邦共和国

Ⓟ Аллегро ❶ Сфинкс

Ⓐ **Allegro** ❶ **Sphinx**
Ⓛ LP ▦ C60 24695 003 ★★

美しいシンセサイザーを中心に構築されたアンサンブルで魅せた前作から、分厚いブラス隊を軸に据えた 1986 年作にして最終作。縦横無尽にブロウするサックス、印象的なリフレインを繰り返すダブル・ベース、転がり跳ねるピアノ、奔放に駆け回るドラム・ソロによる重量級ジャズ・ファンク名演が堪能出来る。グループ解散後、ニコライ・レヴィノフスキーは 1990 年にソロ作を発表し、アメリカ（ニューヨーク）に移住。その後も多岐にわたる活動を遂げている。また、サクソフォニストのセルゲイ・グルベロシヴィリ（Сергей Гурбелошвили）は 1985 年と 1989 年にソロ名義でフュージョン・アルバムを残している。

● 1986 ⊕ ロシア連邦共和国

Ⓟ Ленинградский джаз-ансамбль ❶ s.t.

Ⓐ **Leningrad Jazz Ensemble Under the Direction of A. Vapirova** ❶ **s.t.**
Ⓛ LP ▦ C60-07915-16 ★★★★

黒海のほとりに佇む小さな町、ウクライナのベルジャンスクで生を受け、ジャズに魅せられレニングラード音楽院へと進学。その類稀なる才で首席卒業後、獅子奮迅の活躍を遂げるも、時代の狭間で投獄の憂き目にあう「非業のテナー・サックス奏者」、アナトーリー・ヴァピロフ。本作は彼が率いたレニングラード・ジャズ・アンサンブルによる、その名を歴史に刻み込んだ傑作。縦横無尽に駆け抜けるサックスとヴァイオリン、そして狂った様に乱打されるプリミティヴなパーカッション。ここに記録されたものは、グルーヴが層の様に堆き積み上がり、もはや息継ぎ不可避となった強迫観念的ジャズ・ロック。心して対峙せよ！

● 1976 ⊕ ロシア連邦共和国

Ⓟ Анатолий Вапиров ❶ Мистерия

Ⓐ **Anatoly Vapirov** ❶ **Mystery**
Ⓛ LP ▦ C60-13575-6 ★★★★

彼がテナー・サックス奏者として崇拝したのは、かのジョン・コルトレーン。10 年に渡るビッグ・バンドでの活動に区切りを付けた彼が目指したものは、コルトレーンの精神性を継承した孤高のフリー・インプロヴァイザー。1980 年に発表したソロ名義作では、シリアスなエレクトリック・ジャズ・サウンドを探求する。大聖堂を想起させるディープ・エコーの中を回遊する荘厳なチャント、ミスティックなテナー・サックス・ソロ、そして秀抜のジャズ・ファンク・グルーヴが織りなすサウンドは、イギリスの Nucleus や Soft Machine とすらもシンクロしてみせる。この後 1982 年の突然の投獄により、彼は苦難の道を歩む事となる。

● 1980 ⊕ ロシア連邦共和国

Ⓟ Анатолий Вапиров ❸ Линии судьбы

Ⓐ **Anatoly Vapirov** Ⓣ Lines of Destiny
Ⓛ LP 📷 C60 25565 003 ★★★

先鋭性を求めたその音楽性が故、当局に警戒された彼は 1982 年に投獄されることとなる。しかし彼の情熱は冷めることなく、刑期中にもその腕を磨き上げ、1983 年には獄中アルバム『Sentenced to Silence』をイギリスのフリー・ジャズ名門、Leo Records よりリリース。その際に彼と共闘したのは、ヴァピロフが見出した 80 年代以降のロシアン・ジャズのキーマンにしてピアニスト、セルゲイ・クリョーヒン（Сергей Курёхин）。本作は彼と長く続いた蜜月の成果とも言える、孤高のフリー・ジャズ・アルバムにして Melodiya への復帰作となった。以降近年まで多数の作品を残している。

🕐 1987 ⊕ ロシア連邦共和国

Ⓟ Андрей Петров ❸ Песни и инструментальная музыка из к/ф "Служебный роман"

Ⓐ **Andrey Petrov** ❸ Songs and Instrumental Music from C/F "Office Romance"
Ⓛ LP 📷 C60-09545-46 ★★

オペラ、交響曲、バレエ音楽、TV 音楽、映画音楽と数多くのコンポジションを制作し、レニングラード作曲家同盟の長を終生にわたって務め上げ、栄誉賞号「人民芸術家」、そして最高国家賞「レーニン賞」の受章者となった、アンドレイ・ペトロフ。Melodiya 設立以前にあたる 50 年代から数多くのレコードを残した彼だが、世界中の DJ から熱い眼差しを受け続けるのは 1977 年リリースの本作。粒立ちの良いベース、クールなドラミング、饒舌なハモンド・オルガンが闇夜を闊歩する B5 は、スパイ映画のサントラ（作品自体は職場恋愛コメディー）さながらの、不穏なメイン・テーマが先導するキラー・トラック。

🕐 1977 ⊕ ロシア連邦共和国

Ⓟ Эстрадный ансамбль телевидения и радио Армении ❸ s.t.

Ⓐ **Variety Ensemble of Television and Radio of Armenia** ❸ s.t.
Ⓛ LP 📷 33Д034725-26 ★★★★★★

コンスタンチン・オルベリャンが率いた楽団と並び評される、アルメニアの頂点に燦然と輝く二大オーケストラの一角、アルメニア国営テレビ・ラジオ交響楽団。デビュー作となる本作は、その高いレアリティーと共にシーン屈指の人気を誇る完全無欠の名作。アルメニア・シーンには欠かせない女性シンガー、ザルイ・トニキャン（Заруи Тоникян）や、ライサ・ムクルチャン（Раиса Мкртчян）他をソリストとして迎え入れ、制作しているが、とりわけ強い輝きを放つのは、オルベリャンが作曲し、1977 年には自身も再演するキラー・スウィング・ジャズ・ファンク B1。終始襲い来るのはグルーヴの嵐、あなたは耐えられるか !?

🕐 1973 ⊕ アルメニア共和国

Ⓟ Эстрадный оркестр телевидения и радио Армении ❸ s.t.

Ⓐ **Variety Orchestra of Television and Radio of Armenia** ❸ s.t.
Ⓛ LP 📷 C60-07551-52 ★★★★

アート・ディレクションと指揮を務め、楽団を率いたのは、コンポーザー兼コンダクター、メリク・マヴィサカリャン（Мелик Мависакалян）。2 枚のアルバムと 1 枚のシングルと、グループ名義で残した作品数こそ少ないけれど、その濃密極まりないグルーヴは絶大な人気を誇る。2nd アルバムとなる本作では、叙情性と燻し銀ファンクが壮大なドラマを描くシネマ・ファンク A1、ロベルト・アミルハニャン（Роберт Амирханян）が作曲しザルイ・トニキャンが歌い上げる熱狂のアルメニア・グルーヴ B1 と、シーンを代表する大名曲 2 曲を収録。なお、B1 は 1980 年にアミルハニャンの作品集にて再演、また 1977 年にはオルベリャンもカヴァーしている。

🕐 1976 ⊕ アルメニア共和国

ⓟ Armenian TV & Radio Orchestra 🎵 Prelude / In the Sunlight

Ⓐ Armenian TV & Radio Orchestra 🎵 Prelude / In the Sunlight
ⓞ 7" ▭ SP45-002 ★★★

彼らは楽団として他アーティストのバッキングを務めることも少なくなく、別項（p.44 参照）でも紹介するアルテミー・アイヴァジャン（Артемий Айвазян）の 1983 年作や、Орэра（Orera）のメンバー、ヴァフタンク・キカビゼ（Вахтанг Кикабидзе）の 1981 年作『Пожелание（wish）』（C60-14809-10）等において、その素晴らしい仕事ぶりが堪能できる。また、近年にはロシアの新興レーベル Spasibo より、実に貴重な発掘音源を収録した本作がリリースされている。2nd アルバムの冒頭を飾ったシネマ・ファンク路線を押し進めたキラー・チューンを 3 曲収録、ファン必携の一枚となっている。

⏱ 2016 🌐 アルメニア共和国

ⓟ Арсенал 🎵 Джаз-рок ансамбль

Ⓐ Arsenal 🎵 Jazz Rock-Ensemble
ⓞ LP ▭ C60-12209-10 ★★

50 年代からサックス・プレーヤー、そしてコンポーザーとして活動を続けたモスクワ出身ジャズマン、アレクセイ・コズロフ（Алексей Козлов）。彼は同時代を歩んだ Mahavishnu Orchestra や King Crimson に大きな影響を受け、1973 年にソ連の始祖的ジャズ・ロック・アンサンブルを結成、そして本作でようやくのアルバム・デビューを飾る。重厚なアンサンブル、クールなパッセージ、フリーキーなブロウ、複雑なコンポージング等、先駆者としての実力を余すことなく発揮。B1 では気高くも哀感漂う英国然とした女性ヴォーカリストをも導入、最初にして最高の完成度を誇る名品となった。

⏱ 1979 🌐 ロシア連邦共和国

ⓟ Арсенал 🎵 Своими руками

Ⓐ Arsenal 🎵 Created with Own Hands
ⓞ LP ▭ C60 19285 004 ★★

1978 年開催の第 6 回モスクワ・ジャズ・フェスティヴァルの模様を収めた、4 部作となる歴史的名作『Джаз-78（Jazz-78）』。アルバム・デビュー前となる Arsenal は、『vol.2』（p.60 参照）に彼らのキャリアの中でもとりわけ印象強いジャズ・ロック大曲を 2 曲収録しているが、続く翌年のデビュー作リリース後以降、シンセサイザーを導入し一気にフュージョンへと傾倒していく事となる。そしてマウリッツ・エッシャーの絵をアートワークに据えた 2nd アルバムとなる本作では、雄弁なシンセ・サウンドと加速するグルーヴとの緩急が際立つ。B1 で大胆に導入されたシタール等、新たなサウンドへの道をも追求した。

⏱ 1983 🌐 ロシア連邦共和国

ⓟ Арсенал 🎵 Пульс 3

Ⓐ Arsenal 🎵 Pulse 3
ⓞ LP ▭ C60 23883 009 ★★

ソ連スポーツ委員会が制作する一般大衆向け「Sports & Music」シリーズ。スポーツに関する様々な場所での使用を国家により推奨された本シリーズは、各作品ごとに異なるアーティストが担当、第 3 弾作品となる本作では Arsenal が制作を手掛けている。1985 年リリースの 3rd アルバム『Второе дыхание』（C60 23369 002）より兆しを見せてはいたものの、本作ではそのコンセプトも相まってシンセ・ウェイヴ〜エレクトロへと変貌。今ではジャズ・ファン外へと強くアピールする一枚となった。この後もコンスタントに作品を発表、現在もなおスムース・ジャズの重鎮として活動を続けている。

⏱ 1986 🌐 ロシア連邦共和国

Ⓟ Артемий Айвазян　Ⓣ Песни

Ⓐ **Artemi Ayvazyan**　Ⓣ Songs
Ⓞ LP　🎵 C60-17843-44　★★★

アルメニアン・ジャズ・シーンの始祖的存在、アルテミイ・アイヴァジャン。キャリアは古く、30 年代より活動を開始。ソ連におけるディズニーと言える共産アニメの金字塔的作品『Снежная королева（The Snow Queen）』の音楽を手掛けた事により名声を得る。70 年代には数々の名作を残す The Armenian State Jazz Orchestra（後の State Variety Orchestra of Armenia）を創設、そして本作はようやく 80 年代にしてリリースされたソロ名義アルバム。オリエンタルな女性ヴォーカルに妖艶なムードをまとったパーカッションとベース・ラインが織り込まれた、ミッド・テンポ・サイケデリック・ジャズ A2 に注目。ドープ！

Ⓝ 1983　🌐 アルメニア共和国

Ⓟ Бумеранг　Ⓣ Джаз-ансамбль Бумеранг

Ⓐ **Boomerang**　Ⓣ Jazz Ensemble Boomerang
Ⓞ LP　🎵 C60-18719-20　★★★

1973 年に結成されたカザフ・ジャズ・ロック・グループ。1979 年～1982 年の間、彼らはアライ（Arai）と名を変え、国きってのヒット女性歌手ローザ・ルィムバエワ（Роза Рымбаева）のバック・バンドとして随行、大きな成功を収めることとなる。その活動の最中、アンサンブル内では並行して様々な活動が続けられており、かの Медео（Medeo）と共に派生グループとして再度独立を果たし、デビュー作となる本作をリリースすることとなる。繊細に幾重にも折り重ねられた音像、自由奔放に駆け回る至妙のアンサンブル、そして何よりも旋律や楽器（タブラ他）にセントラル・アジア・フィーリングを援用した唯一無二の名品。

Ⓝ 1982　🌐 カザフ共和国

Ⓟ Бумеранг　Ⓣ Орнамент

Ⓐ **Boomerang**　Ⓣ Ornament
Ⓞ LP　🎵 C60 21321 007　★★★

ドラマー兼リーダーのタヒル・イブラギモフ（Тахир Ибрагимов）、そしてベースのファルハド・イブラギモフ（Фархад Ибрагимов）の兄弟を中心とし、現在もなお活躍を続けるトランペッター、ユーリ・パルフョーノフ（Юрий Парфёнов）他、通算 20 名に及ぶメンバーにて構成。デビュー作ではその多層的かつミスティックなサウンドを軸に据えながらも、本 2nd アルバムでは新メンバーにピアニストを迎え、アレンジの洗練度がアップ。混沌とした要素は整理され、美しく舞い乱れるフェンダー・ローズの音色と共に緻密に構築された、隙のないフォルムでグルーヴする構築美ジャズ・ロック。

Ⓝ 1984　🌐 カザフ共和国

Ⓟ Бумеранг　Ⓣ Мираж

Ⓐ **Boomerang**　Ⓣ Mirage
Ⓞ LP　🎵 C60 22759 001　★★★★★

派生グループの Медео（Medeo）が 1985 年に、Сұңқар（Falcon）が 1986 年にアルバムをリリース。共にコズミックなサウンド・メイキングが特徴付けられる中、彼らも跡を追うようにシンセサイザーを導入したサウンドへと歩を進めていく。3rd アルバムにして最終作となる本作に収録されたのは全 3 曲。A面 2 曲は前 2 作とは異なり、極力グルーヴを排除したアンビエントの要素が垣間見えるサウンドを構築。そして B 面全てを費やした大曲 B1 では、タブラ等によるグルーヴやオリエンタルな旋律が回帰した、彼ら独自のクロスオーヴァー・ジャズが堪能出来る。なお、彼らは高音質盤で有名な MFSL 社から 1988 年に編集盤 CD がリリースされている。

Ⓝ 1986　🌐 カザフ共和国

Ⓟ Д. Голощекин　❽ Джазовые композиции

Ⓐ D. Goloshchekin　**Jazz Compositions**
Ⓞ LP　▥ C60-09669-70　★★★

ジャズ・フェスティバル Таллин-1961（Tallinn-1961）にてデビュー、1971 年にはデューク・エリントンとの共演を果たし、その実力を賞賛された男、ダヴィド・ゴロシェキン。Leningrad Jazz Ensemble を率いたことでも知られる彼がソロ作で見せたのは、真のマルチ・ミュージシャンとしての剛腕ぶり。ヴァイオリン、サックス、ギター、コントラバス、ビブラフォン、ピアノ、ハープシコード、ドラム、コンガ等々、それら全てを一人で演奏した、壁の向こう側ならずともあまりに規格外な一枚。本作最大のキラー・チューン、一人シネマティック・ジャズ・ファンク B1 はマスト・チェック！

🕐 1977　⊕ ロシア連邦共和国

Ⓟ V.A.　❽ Молодые голоса

Ⓐ V.A.　**❽ Young Voices**
Ⓞ LP　▥ C60-18315-16　★★★

決して多くの作品を輩出しなかったバシキール自治共和国の中でも、とりわけ多くのアーティストのバッキングを務め上げ、その仕事振りからも多大なる信望を集めた職人ミュージシャン集団、Дустар（Duster）。自国の若手シンガーを集め、彼らがその演奏の全てを担当したオムニバス作品となる本作では、バシキール語による独特の伝統歌唱が朗々と歌われる中、洗練を極めたクロスオーヴァー・ジャズ・グルーヴがキラリと光りを見せる。私的には、中でもこれぞギャップの極地とでも言うべき、バシキール・ライト・メロウ A2 をプッシュしたい。この他にも、同年に同傾向のオムニバス作品を 2 枚残している。

🕐 1982　⊕ バシキール自治共和国

Ⓟ Дустар　❽ Карусель

Ⓐ Duster　**❽ Carousel**
Ⓞ LP　▥ C60 19377 008　★★★

彼らがグループ名義でリリースしたアルバムは 2 枚。1st となる本作では彼ららしいクロスオーヴァー・ジャズを軸に据えつつも、エリック・クラプトン「Layla」から Village People（ないし西城秀樹）でお馴染みの「YMCA」まで、キケンな無断借用フレーズが飛び出す、ノンストップ・ディスコ的ナンバーがオープニングを飾る。また 1988 年にリリースされた 2nd『Черная река（Black River）』（C60 27509 003）では、マイルス・デイヴィス「E.S.P.」カヴァー A1 を含みつつ、民族音階の援用、ブリブリのスラップ・ベース、クールなドラミング等、抜群のスキルで奏でる流麗なグルーヴが堪能できる。

🕐 1982　⊕ バシキール自治共和国

Ⓟ Эльза Мустафа-заде　❽ Азербайджанские народные песни

Ⓐ Eliza Mustafa Zadeh　**❽ Azerbaijani Folk Songs**
Ⓞ EP　▥ C62-12431-32　★★★★

ジャズ・ムガムを創り上げた天才ピアニスト、ヴァギフ・ムスタファザデの 2 番目の妻にして、今や「プリンセス・オブ・ジャズ」の愛称と共に高い評価を得る、アジザ・ムスタファザデの実母、エリザ・ムスタファザデが唯一残したソロ作。オペラ歌手として正統教育を受け、ムガムが持つ特異な旋法構造を自在に操るエリザのシンギング、Mikhail Okun Jazz Trio の活動でも知られるタマズ・クラシヴィリ（Тамаз Курашвили）によるコントラバス、そしてヴァギフによる美しく乱れ舞うアヴァンギャルドなピアノが三位一体となり、伝統を華麗に打ち崩してみせたマスターピース。ヴァギフの諸作にも収録。

🕐 1979　⊕ アゼルバイジャン共和国

Ⓟ Ансамбль современной музыки п/у Грига Пушена 🔸 Вкус граната

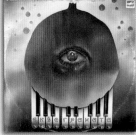

Ⓐ An Ensemble of Contemporary Music Under the Management of Greg Pushen 🔸 The Taste of Pomegranate
Ⓞ LP 💿 C60 26549 004 ★★★★★★

強固な文化的規制を強いられたソ連の中で、あまりに印象的かつ奇怪なアートワークを身にまとった、ウズベク共和国が産んだ異形のオリエンタル・ジャズ・ロック・グループによる唯一作。ウズベク・シーンを代表するグループ、ヤлла（Yalla）の初期メンバー、グリク・プシェン（Григ Пушен）が率いた事でも知られる。エスニック・スケールを用いたギター、饒舌なスラップ・ベース、変幻自在のシンセサイザー、そしてシタールとタブラが描くオリエンタリズム。時に豪胆な顔を覗かせながらも、ビジュアルとは反した清涼感溢れる流麗なサウンド・メイキングで丹念に編み込まれた、シーン屈指のレアリティーに恥じぬ名品。

🕐 1988 🌐 ウズベク共和国

Ⓟ Ансамбль современной музыки под управлением Грига Пушена 🔸 Таллинские записи

Ⓐ An Ensemble of Contemporary Music Under the Management of Greg Pushen 🔸 Tallin Recordings
Ⓞ 10" 💿 SG002 ★★

一説には 2,000 枚に満たないと言われたアルバムのプレス枚数は、ただでさえ秘匿された存在であったソ連シーンの中においてもとりわけ深く埋蔵されることとなり、現代において唯一作への到達可能性を限りなくゼロに近づけていた。そんな状況の中、新興再発レーベル Soviet Grail の尽力により現在アメリカ在住のグリク・プシェンをキャッチ、2019 年にしてようやくの再発が実現。そして、本作はその副産物として発掘された、タリンで行われたアルバム・リリース前のライヴ音源。彼らのスキルを十分に堪能できるインプロヴァイズド・サウンドは、アルバムとはまた異なる魅力に満ちている。

🕐 2019 🌐 ウズベク共和国

Ⓟ Gunārs Rozenbergs 🔸 Laura

Ⓐ Gunars Rozenbergs 🔸 Laura
Ⓞ LP 💿 C60-11229-30 ★★★

ライモンズ・パウルスと共に Latvian TV and Radio Variety Orchestra に参加し、10 年に及ぶ長きに渡り指揮者を勤め上げた、ラトヴィア出身トランペッター兼コンポーザー、グナール・ローゼンベルグがソロ名義でリリースした唯一のアルバム。針を落としたその瞬間から高速ドラム・ブレイクで幕を開け、トランペットが先導するスピード感溢れる溌剌としたグルーヴを主軸としながら、ディスコやサンバのエッセンスをも貪欲に吸収してみせる。他グループに比べでも共産色とも言うべき特有の硬さがなく、メロディアスで柔和なフリー・ソウル・フィーリングが気持ちの良い、より広く聴かれるべき名品。

🕐 1979 🌐 ラトヴィア共和国

Ⓟ Инструментальный ансамбль п/у Г. Розенбергса 🔸 Приглашение к танцу № 4

Ⓐ Instrumental Ensemble by G. Rosenbergs 🔸 Invitation to the Dance No. 4
Ⓞ LP 💿 C60-12669-70 ★★

Latvian TV and Radio Variety Orchestra による『Invitation to the Dance』シリーズの第 4 弾にあたる本作は、ローゼンベルグがコンダクターを担当した洒落っ気たっぷりのジャズ・ダンス・アルバム。コーラスには Modo のミルザ・ジヴェレを迎え、自身を始めパウルスやイヴァルス・ヴィグネルス等、同オーケストラ所属のレジェンドたちが作曲を手掛けている。印象的なイントロが先導するアダルトな雰囲気気たっぷりのディスコ・ナンバー B1、ミルザのハミングが映えるメロウ・ナンバー B4、エレクトリック・ピアノとトロンボーンの掛け合いが堪らない B5 等、中々に聴き応えのある佳作。

🕐 1980 🌐 ラトヴィア共和国

Ⓟ Сұңқар ⏺ Алтын Өлке

Ⓐ Falcon ⏺ Golden Land
Ⓒ LP　C60 26839 004　★★★★★

キエフ音楽研究所の教授でもあり、様々な肩書を持つ異能のコンポーザー、ウラジーミル・ナザロフ（Владимир Назаров）。カザフ・ジャズ・ロック・アンサンブル、Бумеранг（Boomerang）、そしてその後継グループ、Медео（Medeo）等の中核を担った彼が、さらに発展グループとして結成したコズミック・フュージョン・グループによる唯一作。Медео（Medeo）でのクールなマシーン・ビートとシンセサイザー・サウンド、Бумеранг（Boomerang）での猛々しいエスノ・グルーヴ、そのいずれの要素をもブレンド。1曲の中にも様々なドラマを描き出し、彼らの音楽的発展を見せつけるかのようにグルーヴする。

🕐 1988　🌐 カザフ共和国

Ⓟ Джазовый ансамбль Игоря Бриля ⏺ Утро земли

Ⓐ Igor Bril Jazz Ensemble ⏺ Morning of the Earth
Ⓒ LP　C60-11295-96　★★★

レイ・チャールズ、ディジー・ガレスピー、デイヴ・ブルーベック等々、多くの巨人たちとの共演を果たし、シーンの中でもとりわけ大きな成功を収めたソ連モダン・ジャズ・ピアノ界の伝説、イーゴリ・ブリーリ。世界三大音楽院に名を連ねる名門中の名門、モスクワ音楽院を卒業直後にトリオを結成しデビュー。本作はその後70年代に入り結成したジャズ・アンサンブルによるデビュー作。クールに飛び交うフェンダー・ローズやヴァイヴ、時に激情ブロウするアルト、抑制を利かせながらグルーヴするリズム・セクション等による、かのSoft Machineとも共鳴し得る一本気貫かれたエレクトリック・ジャズ。

🕐 1978　🌐 ロシア連邦共和国

Ⓟ Джазовый ансамбль Игоря Бриля ⏺ Оркестр приехал

Ⓐ Igor Bril Jazz Ensemble ⏺ An Orchestra Came
Ⓒ LP　C60-14065-66　★★

前作同様クールなエレクトリック・ピアノ使いが冴えるエレクトリック・ジャズをベースにしつつも、複雑に交差するホーン隊によってサウンドのビルドアップを果たした2ndアルバム。さらに特筆すべきは、アフロ・キューバンの語法をも取り込み、所狭しと踊り狂うトライバルなパーカッションだろう。ジョー・ヘンダーソン（ケニー・ドーハム作曲）のジャズ・スタンダード「Blue Bossa」に、猪突猛進型ファンク・アレンジを施した熱烈カヴァーA1、そして積み上げられた熱狂の渦はいよいよ最高沸点を迎え、ラストを飾るに相応しいシネマティック・ファンク・ナンバーB3等、ただならぬ密度でフロア全体を煽動する秀抜のジャズ・ファンク・アルバム。

🕐 1980　🌐 ロシア連邦共和国

Ⓟ Джазовый ансамбль Игоря Бриля ⏺ Перед заходом солнца

Ⓐ Igor Bril Jazz Ensemble ⏺ Twilight
Ⓒ LP　C60 21873 003　★★

自身がこれまで歩んできた道の延長線上にありながら、前作で放ったワイルドさは影を潜め、洗練を極めた3rdアルバム。本作では全体をシンプルな構成に組み立て直し、ブリーリによるキーボード捌きにスポットを当てている。なお、本作は米East Wind Recordsより、『Before the Sun Sets』とタイトルを変え、アメリカでも異例のリリースを果たしている。また彼はВИО-66（VIO-66）や、キャリア初期にあたる60年代中頃から、約10年間に渡って活動したトリオ等、在籍した他グループにおいても多くの名演を残している。現在はグネーシン音楽大学の教授を務め、後進の育成にあたっている。

🕐 1985　🌐 ロシア連邦共和国

ⓟ Игорь Назарук квартет ❶ Утверждение. Джазовые композиции

Ⓐ **Igor Nazaruk Quartet** ❶ Assertion. Jazz Compositions
Ⓞ LP ▦ C60-10897-98 ★★★

その偉大な足跡から、数少ないソ連が誇るヴァーチュオーゾとして認められたピアニスト兼コンダクター、イーゴリ・ナザルク。彼はベーシストのアレクセイ・イスパトフスキー、ドラマーのアンドレイ・チェルニショフ、そして数々の栄誉を手中にした名ギタリスト、アレクセイ・クズネツォフらと 1974 年にカルテットを結成。国内外のフェスティバルに積極的に参加し、その腕を存分に振るっている。そして 1978 年に唯一のリリースとなった本作は、高い練度がなし得る熟達のジャズ・サウンドをベースに、流麗なメロウ・グルーヴから、高速パッセージが交錯するバチバチのジャズ・ファンクまで、一枚の作品として隙なく完成された非凡の一枚。

🕐 1978 🌐 ラトヴィア共和国

ⓟ Игорь Назарук ❶ Коляда. Карпатское новогодье. Джазовая композиция

Ⓐ **Igor Nazaruk** ❶ The Carpathian New Year Kolyada Jazz Composition
Ⓞ LP ▦ C60 18667 003 ★★

1983 年に自身初のソロ・アルバムとなる本作をリリース。アレクセイ・クズネツォフを除き、カルテット期のその他メンバーはそのまま参加しており、新たにローズ等のエレクトリック・ピアノやムーグ等のシンセサイザーを導入。さらにはサックスをメンバーに迎え入れ、メロディー部分の拡大増強を図っている。コズミックな導入部から予感される通り、より洗練されたグルーヴとフリーキーなインプロヴィゼーションとを体現した一枚となった。1985 年にはフュージョンの影響色濃い 3rd アルバム『И пробудился лес（そして森は目覚めた）』（C60 23063 002）をリリース。ソ連崩壊後は映画やアニメ音楽のコンポーザーに転身、多くの作品を残している。

🕐 1983 🌐 ラトヴィア共和国

ⓟ Импульс ❶ Посвящение

Ⓐ **Impulse** ❶ Initiation
Ⓞ EP ▦ C62 21663 001 ★★★

テレビ・ポップ・オーケストラのアート・ディレクターを務めると共に、Орэра（Orera）や Диэло（Dielo）等への作曲提供を始め、自国グルジアにおいて華々しい経歴を歩んだコンポーザー、アレクサンドル・ラクヴィアシヴィリ（Александр Раквиашвили）。本作は彼がかつて率いたジャズ・ロック〜クロスオーヴァー・バンドがリリースした 2 曲入 EP にして、唯一の公式リリース音源。フェンダー・ローズの心地よい音色とは裏腹に、荒々しいギターやベースが走り回り、所狭しとエレクトリック・ヴァイオリンが交錯する、スピード感溢れるマッチョなジャズ・ロック・サウンドが打ち鳴らされる。

🕐 1985 🌐 グルジア共和国

ⓟ Инструментальный ансамбль под руководством Виктора Игнатьева ❶ s.t.

Ⓐ **Instrumental Ensemble Led by Viktor Ignatiev** ❶ s.t.
Ⓞ LP ▦ C60-05357-8 ★★★

レニングラード出身のコンポーザー兼トランペッター、ヴィクトル・イグナティエフ（Виктор Игнатьев）が、レニングラード・ラジオ / テレビ交響楽団のメンバーを率い結成したオーセンティック・ジャズ・ファンク・グループ。『トムとジェリー』のロシア版とも言える、人気アニメ『Hy, погоди!（ヌー、パガジー！）』のサントラを務める等、大衆性の高い演奏を軸にしながらも、本作において異彩を放つのが B1。他の曲と一線を画する妖艶なムード、先導する極太ベース・ライン、弾かれるエレクトリック・オルガン、カチカチのドラム、そして濃厚なホーン隊がまとめ上げる必殺のミスティック・ジャズ・ファンクは必聴！

🕐 1974 🌐 ロシア連邦共和国

Ⓕ Ivara Vīgnera Ansamblis ❶ Līksmībai Un Dancošanai

Ⓐ **Ivars Vīgners Ensemble** ❶ Joy and Dancing
Ⓞ LP 33CM-04413-4 ★★

ラトヴィア出身のコンポーザー兼コンダクターにして、代々に渡って音楽を生業としてきたサラブレッド、イヴァルス・ヴィグネルス（Ivars Vīgners）。ライモンズ・パウルスを筆頭に、シーンの錚々たる顔ぶれが揃った Latvian TV and Radio Variety Orchestra に参加した彼は、後に自身のジャズ・アンサンブルを率い、唯一作となる本作を発表している。オールドタイミーなジャズをベースにしながらも、先導する快活なホーンとオルガンに、濡れたフルートが絡みつくジャズ・ファンク B1、ムーディーな雰囲気を突如切り裂く、大音量ファズ・ギター・ソロが豪快な B6 等、決して侮れない一枚。

🕐 1974 🌐 ラトヴィア共和国

Ⓕ Ivars Vīgners ❶ Chile Ballade

Ⓐ **Ivars Vigners** ❶ Chile Ballade
Ⓞ EP C62-06033-4 ★★

オーケストラのレギュラー・メンバーとしての契約を終え、また自信のアンサンブルにも区切りを付けた 1974 年以降、舞台音楽の制作のかたわら、彼の音楽観はより尖鋭度を増していく。 本作は彼の初のソロ名義となる 1975 年リリースの 3 曲入り EP 作。 マルガリータ・ビルケーン（Margarita Vilcāne）をヴォーカルに迎え、彼女の妖艶な英語詞によるシンギングとサイケデリックなブルース・ギターが咆哮する B1、重厚でありながら怪奇的ですらあるオーケストラ・ファンク A1 等、彼の長いキャリアの中においてもピークと言える名品。この路線はビルケーンとの共演作『Cher Ami』（p.164 参照）へと受け継がれる。

🕐 1975 🌐 ラトヴィア共和国

Ⓕ Ivars Vīgners ❶ Mūzika uz jūras

Ⓐ **Ivars Vigners** ❶ Music Over the Sea
Ⓞ LP C60 20777 002 ★★

80 年代に入りソロ名義では初となるアルバム『Zelta Dziesma』（C60-17597-8）を 1982 年にリリース。全編オールドタイミーな劇中歌で構成されつつも、突如浮きまくりのハイスピード・ガールズ・ディスコ・ナンバー B3 を収録したりと、やはり一筋縄ではいかない作品を残す。そして続く 2nd ソロにあたる本作は、シルキーなフィーメール・ハミングによるラウンジ・ナンバー A3、フルートとエレクトロなエフェクト使いが秀逸なミッド・テンポ・コズミック・ブルース B4 等を収録した好作。この後も映画やアニメのサウンドトラックの制作や、自国のキッズ・グループ、Dzeguzīteとの活動を続けている。

🕐 1984 🌐 ラトヴィア共和国

Ⓕ Джаз-ансамбль под руководством Олега Куценко ❶ s.t.

Ⓐ **Jazz-Band Conducted by Oleg Kutsenko** ❶ s.t.
Ⓞ LP C60-11769-70 ★★

レニングラード・ミュージック・ホールの楽団を長きに渡って務め上げた、アルト・サックス奏者兼コンダクター、オレグ・クツェンコ（Олег Куценко）率いるジャズ・アンサンブルによる唯一作。セロニアス・モンク「Round Midnight」といった大定番曲のカヴァーを交えつつも、オレグの自作曲を軸に組み立てた意欲作となっている。美しく輝き放つフェンダー・ローズ、トーンが抑えられ語りかけるかのようにブロウするアルト・サックス、運指鋭いベース・ライン、3 分超のソロも交えながらグルーヴィーに駆け巡るドラム等、洗練されたスキルで優美に仕上げられたリリカル・ジャズ好作。

🕐 1979 🌐 ロシア連邦共和国

℗ Джаз-комфорт ❶ Хорошее настроение

Ⓐ Jazz-Comfort ❶ Good Mood
Ⓔ EP 💿 C62-11701-2　　★★★

レニングラード出身、ヴァレリー・コルニエンコ（Валерий Корниенко）率いるジャズ・ファンク・グループ。本作以外にはオムニバスに数曲を残すのみとなったグループだが、唯一単体名義でリリースされた3曲入りEPとなる本作に注目したい。タイトル通りのメロウなムードでたゆたうメイン・テーマを軸に、緩やかに熱を帯びていくジャズ・ファンク A1（Crusaders「Don't Let It Get You Down」カヴァー）、シルキーなチル・ソング B1、そして一転爽快な風が吹き抜ける流麗なジャズ・サンバ B2（Crusaders「Sweet Revival」カヴァー）を収録している。

🕐 1979　🌐 ロシア連邦共和国

℗ Джазовый ансамбль п/у Э.Страуме ❶ Fiesta

Ⓐ Jazz Combo Leader E. Straume ❶ Fiesta
Ⓔ LP 💿 C60-10237-8　　★★

ラトヴィア出身のコンポーザー兼サックス奏者、エギルス・ストラウメ（Egils Straume）。ソヴィエト崩壊後はロンドンへ移住し、オペラ、室内楽、現代音楽、果ては子供向け音楽まで、アカデミックなバックボーンから来る数々の作品を残した彼がかつて率いた、ジャズ・ロック・グループによる唯一作。畳み掛ける連発ホーン、縦横無尽にブロウするサックス、唾吹きフルート、天駆けるオルガン、乱打されるパーカッションによるイギリス的なサウンドは、後の移住にも納得。Neucleus～中期 Soft Machine 等のブリティッシュ・ジャズ・ロックとの親和性を感じさせながらも、よりアグレッシヴかつハイスピードに磨き上げられたグルーヴ感は見事。

🕐 1978　🌐 ラトヴィア共和国

℗ Джазовое трио ❶ Картины древнего Египта

Ⓐ The Jazz Trio ❶ Images of Ancient Egypt
Ⓔ LP 💿 C60 20651 000　　★★★

グナール・ローゼンベルグ、ノーラ・ブンビエール、アイヤ・ククレ等々、錚々たるアーティストが在籍した、Latvian TV and Radio Variety Orchestra 出身のサックス奏者、ライモンズ・ラウビシュコ（Raimonds Raubiško）を中心としたジャズ・トリオによるデビュー作。タイトルそのままに、ピラミッドやスフィンクスを冠した楽曲を収めた、古代エジプトを題材としたコンセプト・アルバム。サックス、ダブル・ベース、そしてドラムが精神世界をグルーヴするそのサウンドは、かのサン・ラさながらに宇宙とのチャネリングを試みた、まさしく壁の向こう側版スピリチュアル・ジャズ。

🕐 1984　🌐 ラトヴィア共和国

℗ Kaseke ❶ Sõnum

Ⓐ Kaseke ❶ Kaseke
Ⓔ EP 💿 C62-16185-6　　★★

かのウーノ・ナイソーの実子にして、ピアニスト兼メイン・コンポーザー、トヌー・ナイソー（Tõnu Naissoo）を中心に、エストニア・シーンを代表する Ruja と In Spe のメンバーが混成して生まれた、インストゥルメンタル・クロスオーヴァー・ジャズ・グループ。本作はロバート・フリップやジェフ・ベックから受けた多大な影響を消化し、自身の音楽性を刻み込んだ4曲入りデビューEP。クールなエレクトリック・ピアノ、咆哮するディストーション・ギター、自由に舞い乱れるフルート、奔放にグルーヴするリズム隊。凄腕揃いのメンバーが生み出す、流麗かつ豪胆なそのサウンドの数々、この手のジャンルの教本さながらの出来栄えに拍手。

🕐 1981　🌐 エストニア共和国

℗ Kaseke ✪ Põletus

🕐 1983　🌐 エストニア共和国

Ⓐ Kaseke ✪ Burns
💿 LP　🎵 C60 19829 008　　　　　　　★★

トヌー・ナイソーが脱退していく中、さらにエッジの効いたクロスオーヴァー・サウンドへと歩を進めた、最初にして最後となったアルバム作。トヌーが生んだデビュー時の基本的な音楽性は継承しつつも、アルバムとしてのレングスを考慮に入れた壮大なストーリーテリングはプログレッシヴ・ロックそのもの。なお、2018 年には彼らが残した全音源（EPx1 枚、LPx1 枚）を 2 枚の LP に収録した『Põletussõnum』がリリース。同梱された DVD には、1984 年タルトゥで行われたライヴ映像から、2014 年に開催されたフェスティバル Sõru Jazz でのリユニオン・ライヴの映像も収録されており、ファンは必見だ。

℗ Константин Петросян ✪ концерт для голоса и оркестра

🕐 1986　🌐 アルメニア共和国

Ⓐ Konstantin Petrosyan ✪ Concert for Voice and Orchestra
💿 LP　🎵 C60 24479 009　　　　　　　★★★

アルメニアのテレビ・ラジオ交響楽団のコンダクターを長年に渡って務め上げた、コンポーザー兼ピアニスト、コンスタンチン・ペトロシャンが、コンスタンチン・オルベリャンのヴォーカリストも務めた女性ジャズ・シンガー、タテヴィク・オガネシャン（Татевик Оганесян）、Ganelin Trio のウラジーミル・チェカーシン（Владимир Чекасин）を招聘し、制作したジャズ・ファンク・オーケストラ・アルバム。両面 1 曲つづの長尺曲の収録となっており、ロングトーンの絶品スキャット、そしてビック・バンドによる重厚感がありつつも、流麗なファンキー・アンサンブルを存分に堪能できる好作となっている。

℗ Latvijas Televīzijas Un Radio Estrādes Orkestris ✪ Aicinājums Uz Deju 3

🕐 1976　🌐 ラトヴィア共和国

Ⓐ Latvian TV and Radio Variety Orchestra ✪ Invitation to the Dance, Vol. 3
💿 LP　🎵 C60-05355-6　　　　　　　★★

自国ラトヴィアのみならずソ連を代表する巨匠コンポーザー、ライモンズ・パウルスとも深い関わりを持つ、ラトヴィアのテレビ局お抱え楽団。そのグループの性質上数多くの作品を残した彼らだが、本作はとりわけグルーヴ感溢れる『Invitation to the Dance』シリーズの第 3 弾。大半は TV テーマ曲と言った趣の健康優良児ビック・バンド・ジャズが収録されているが、小洒落たファズ・ギターとハモンド・オルガン、そして小気味好いベース・ラインがグルーヴィーな、ラトヴィア流モド・ダンサー・チューン B1 に注目したい。本シリーズは他作品にもキラー・トラックを収録、（p.46 参照）でも紹介しているので要チェック！

℗ О. Гоцкозик ✪ Восточная сюита

🕐 1979　🌐 ウズベク共和国

Ⓐ O.Gotskosik ✪ Eastern Suite
💿 LP　🎵 C60-13075-76　　　　　　　★★★★★

タシュケントで生まれ育ち、若き日から数々の賞を受賞した才気溢れるピアニスト、オレグ・ゴツコジク。本作は彼がソ連時代に唯一残した作品にして、ウズベク・ジャズ・シーンにその名を刻み込んだ名作。自国の伝統音楽を深く研究し、西洋文化ジャズと東洋思想をミックス。オリエンタルなムードを帯びた新たなジャズ・サウンドを創造した作品として高い評価を獲得した。本作リリース後、彼も多くの他アーティストと同様に KGBによる厳しい監視下に置かれるが、友人の助力により 1979 年に亡命に成功。その後スウェーデンを中心に活動を続け、現在は自国も含めコンポーザーや指導者としてシーンの発展に寄与している。

℗ Оркестр Олега Лундстрема 🎵 s.t.

🔴 1973 🌐 ロシア連邦共和国

Ⓐ Oleg Lundstrem Orchestra 🎵 s.t.
Ⓞ LP 🎵 33CM04293-94 ★★★

ソヴィエト・ジャズ黎明期を支えたコンダクター、オレグ・ルンドストレム（Олег Лундстрем）が率いた、ソ連初の政府公認ジャズ・バンド。結成は古く 1934 年、戦時下においては活動の拠点を上海租界に移すが、戦後はロシアへと戻りさらなる躍進を果たし、その長きに渡る活動は、「最古のジャズ・バンド」としてギネス公認のものとなった。50 年代後半より多くの作品を残す彼らだが、個人的には最もジャズ・ファンク色溢れる本作を推したい。ビッグ・バンドによるオーセンティックなスタイルを踏襲しながらも、円熟味とフレッシュさを兼ね備えたグルーヴは見事。A4 のスキャットとコントラバスによるユニゾンもまた面白い。

℗ Студіо група Петра Пашкова 🎵 Це не хеві метал рок

🔴 1991 🌐 ウクライナ共和国

Ⓐ Petro Pashkov Jazz Studio Group 🎵 This is Not Heavy Metal Rock
Ⓞ LP 🎵 C60 31311 007 ★★★

1975 年より活動を始めたウクライナ出身のピアニスト、ピョートル・パシュコフ（Петр Пашков）率いるスムース・ジャズ・ロック・グループによる唯一作。グループ結成は 1990 年。ウクライナ独立の直前に当たる 1991 年 6 月、ハンガリーのブダペストで行われた公演を皮切りに、世界中にその名を広めた。本作は洒落（ないし皮肉）を込めた「This is Not Heavy Metal Rock」というタイトルの通り、実にメロウでグルーヴィーな仕上がりの一枚。スムース・ジャズ〜フュージョン・スタイルを下地にしつつ、パシュコヴァによるシルキーなエレクトリック・ピアノのサウンドが心の隙間に染み入る、極柔の逸品となった。

℗ Эстрадный оркестр т/р Грузии 🎵 s.t.

🔴 1975 🌐 グルジア共和国

Ⓐ Georgia T/R Pop Orchestra 🎵 s.t.
Ⓞ LP 🎵 C60-06321-22 ★★★★

現在の日本でも各地域でプロの交響楽団が存在するように、かつてのソ連でも各地の国営ラジオ・テレビ局が交響楽団を保有していた。本作は Дніпро（Dnipro）や Рэро（Rero）を率いたコンポーザー、ギヴィ・ガチェチラゼ（Гиви Гачечиладзе）や、数々の国営楽団を渡り歩いたエドゥアルド・イスラエロフ（Эдуард Исраэлов）がリーダーを務めたグルジア国営交響楽団によるアルバムで、彼らが残した作品の中でも最もグルーヴィーな一枚。映画『Khanuma』のために書かれたスコアによる A 面も良いが、本命は最終曲 B6。妖艶な女性ヴォーカルを支える華麗なグルーヴは見事！

℗ Радар 🎵 Trofee

🔴 1985 🌐 エストニア共和国

Ⓐ Radar 🎵 Trofee
Ⓞ LP 🎵 C60 21713 006 ★★

エストニアのシンガー、ヤーク・ヨアラのバック・バンドとして結成。1980 年には EP『Kui Mind Kutsud Sa』（C62-13843-44）でデビューを飾り、1983 年にはヨアラを離れ、独立したフュージョン・グループとして活動を続けることとなる。独立後初のアルバムとなった本作では、ジャケットにもあしらわれている Roland 社が誇る伝説的アナログ・シンセサイザー、Jupiter-8 のサウンドを存分に活かしたテクニカルなコズミック・フュージョン・グルーヴが堪能できる。その後 1987 年には 2nd アルバム『Балтийский берег（バルト海沿岸）』（C60 25125 006）を残している。

℗ Радуга　🅜 s.t.

🕙 1983　🌐 ロシア連邦共和国

Ⓐ Raduga　🅜 s.t.
Ⓞ LP　🎵 C60 19069 006　★★

結成は 1963 年、アルカージイ・シャツキー（Аркадий Шацкий）が指揮する、ルイビンスク出身のジャズ・ファンク・グループによる唯一作。60 年代初頭に組織された非国営の独立型オーケストラで、英語名では「The Rainbow Band」。大半はオーセンティックなビック・バンド・スタイルを朗々と披露しているが、グルーヴ・ディガーは連発ホーンでアゲる、メイナード・ファーガソン「Give It One」カヴァー B1 をチェックしたい。なお、アルカージイは、栄誉称号「ロシア人民芸術家」を与えられたヴォーカリストとして現在も活躍を続ける、ニーナ・シャツカヤ（Нина Шацкая）の父でもある。

℗ Raivo Tammiku Instrumentaalansambel　🅜 Ratastel / Kahekesi Ohtul

🕙 1973　🌐 エストニア共和国

Ⓐ Raivo Tammiku Instrumental Ensemble　🅜 Wheels / Two at Night
Ⓞ EP　🎵 CM-0003913-4　★★★★

数多くの才人を輩出したエストニア・シーンきってのジャズ・ピアニスト、ライヴォ・タミックによる鮮烈なるジャズ・ファンク・シングル。名手ティート・パウルスによるギター・カッティング、エストニアの伝説的プログレッシヴ・ロック・グループ、Psycho のメンバーでもあったヘルムート・アニコによるフルートが先導する、熟達のジャズ・ファンク・ナンバー A1 は白眉の出来。同年にはもう 1 枚の極上シングル「Kallis Mari / Karjase Kaebus」（33CM-0003911-2）を残しており、2016 年には 2 枚をコンパイル した 10 インチ作『Instrumental Ensemble』（Jazzaggression Records / JA1012SJU）もリリースされている。

℗ Крыша　🅜 Новая музыка

🕙 1990　🌐 ロシア連邦共和国

Ⓐ Roof　🅜 New Music
Ⓞ LP　🎵 C60 29551 006　★★

チャーリー・パーカーへの憧憬からキャリアをスタートさせ、バッハとジョン・ケージの洗礼を受け、前衛の道へと進んだコンポーザー兼ギター・インプロヴァイザー、イーゴリ・グリゴリエフ（Игорь Григорьев）。本作はそんな彼が 1986 年に結成した、アヴァンギャルド・ジャズ・トリオによる唯一のアルバム。ギター、サックス、パーカッションの基本編成に加えシンセサイザーも酷使した、デレク・ベイリーよろしく「音楽的会話」を排除したストイックな即興絵巻。なお、同年にはベーシストを追加しカルテット体制となった、Асфальт（Asphalt）名義でもアルバム『s.t.』（C60 29793 007）を残している。

℗ Румиль Вильданов　🅜 Мелодии из кинофильмов

🕙 1982　🌐 ウズベク共和国

Ⓐ Rumil Vildanov　🅜 Movie Melodies
Ⓞ LP　🎵 M60-43849-50　★★★★★

タシュケントに居を構え、室内楽曲や交響曲、そして何よりも数多くの映画音楽をコンポージングした、ルミリ・ヴィリダノフ。1978 年には映画『Дом под жарким солнцем（The House Under the Burning Sun）』にて映画音楽賞を受賞、その一部音源を収録したソノシートのリリースを皮切りに数々の音源を残しているが、その中でもとりわけ異彩を放つのが 1982 年にリリースされた本作。本作には 1972 年〜 1980 年にかけて彼が発表した映画音楽を収録しているが、うねるワウ・ギターと性急なビートで駆け抜ける B1 こそが、グルーヴ・ディガーの心を打つキラー・チューン。自国タシュケントのみでのプレスということもあり、レアリティーも高い。

℗ Сато ❶ Эфсане

ДЖАЗ-АНСАМБЛЬ „САТО"
РУКОВОДИТЕЛЬ Л. АТАБЕКОВ
ЛЕГЕНДА

🅐 Sato ❶ Legend
💿 LP C60 24399 006 ★★★★★

90 年代以降多くのソロ作やプロジェクト等で活発な活動を続けるギタリスト、エンヴェル・イズマイロフ（Энвер Измайлов）、そしてリーダー兼ベーシスト、レオニード・アタベコフ（Леонид Атабеков）が在籍した、ウズベク共和国のフェルガナ出身のオリエンタル・フュージョン・グループによるデビュー作。リリースはソ連崩壊が忍び寄る 1986 年と遅かったものの、ウズベク共和国出身の多くの先達たちに習い、自国の伝統音楽と当時の先端サウンドとの融和を目指した。フルート、パーカッション、キーボード等が自由に舞い乱れ、伝統音楽と流線形がごときスムース・ジャズとが調和を果たした名品。

🕐 1986 🌐 ウズベク共和国

℗ Сато ❶ Передай добро по кругу

Руководитель
ЛЕОНИД
АТАБЕКОВ

🅐 Sato ❶ Pass Around the Good
💿 LP C60 25897 003 ★★★★★

前作の路線をさらに推し進めた 2nd にして最終作。フェンダー・ローズやフル・デジタル・シンセサイザー Yamaha DX-7 を駆使し、洗練度はさらなる高まりを見せている。サンバ的フィーリングをも取り込んだフュージョン・ナンバー A1、強迫観念的なグルーヴが渦を巻く、破綻寸前の狂騒ナンバー A4 等、グルーヴ面では前作をも凌駕しうる一枚。グループ解散後ソヴィエトも終焉を迎え、各個人のソロ活動は活発化。中でもエンヴェル・イズマイロフは、仏ミュージック・コンクレート作曲家、ザビエル・ガーシアとの客演を始めとした活動により大きな成功を収め、現在ではウクライナが誇る大物ギタリストとして名を馳せている。

🕐 1987 🌐 ウズベク共和国

℗ Квартет п/у Саулюса Шяучюлиса ❶ Credo

CREDO
ДЖАЗОВЫЕ ИМПРОВИЗАЦИИ

🅐 Saulius Šiaučiulis Band ❶ Credo
💿 LP C60-14569-70 ★★

リトアニア出身アーティストの中でもとりわけオーセンティックなジャズ・ピアニスト、サウリウス・シャウチューリス（Saulius Šiaučiulis）率いるジャズ・カルテットによる唯一作。ジャズ・サンバに仕立てたジョージ・ガーシュウィンによるスタンダード・ナンバー「A Foggy Day」カヴァーA1 他、ハイ・エナジーにスウィングするオーセンティックなジャズ・ナンバーを収録した A 面も魅力的だが、同郷 Oktava のギタリスト、ヴァージニアス・スヴァーバス（Virginijus Švabas）がゲスト参加したプログレッシヴ・ジャズ・ファンク・ナンバー 2 曲をたっぷり収録した B 面をレコメンド。

🕐 1981 🌐 リトアニア共和国

℗ Севиль ❶ s.t.

СЕВИЛЬ
ВОКАЛЬНО-ИНСТРУМЕНТАЛЬНЫЙ АНСАМБЛЬ

ХУДОЖЕСТВЕННЫЙ РУКОВОДИТЕЛЬ
ВАГИФ МУСТАФА-ЗАДЕ

🅐 Sevil ❶ s.t.
💿 LP C60-10157-58 ★★★★★

アゼルバイジャンにおいて最もシンボリックな存在と言える夭折のジャズ・ピアニスト、ヴァギフ・ムスタファザデ。キャリア初期の Opэpa（Orera）を初め、彼は多くのグループでの活動をしてきたが、晩年にあたる 1977 年まで率いた VIA が Севиль（Sevil）だった。アゼルバイジャン伝統歌唱を自在に操る女性ハーモニーと、美しくも鮮烈なジャズ・サウンドとが丹念に織り込まれた本作こそ、彼が生涯を賭して目指したジャズとムガムとの融合を最も体現した一枚と言えよう。縦ノリ型ムガム・ファンク A3、妖艶にグルーヴするミスティック・ジャズ A4 他、全編隙なくクオリティーは保たれ、その高い人気も頷ける名作。

🕐 1978 🌐 アゼルバイジャン共和国

℗ София 🌐 s.t.

🕐 1976　🌐 ブルガリア人民共和国

🅐 Sofia 🌐 s.t.
⊙ LP C60-07385-86　　　　　　★★

ヨーロッパ最古の都市のひとつ、ブルガリアのソフィアで生まれ、その名前を冠し、活動を始めたのは 1964 年のこと。国内外で高い評価を獲得し成功を収めるも、1971 年に起こった航空機での不慮の事故により多くのメンバーを失った、非業のジャズ・ファンク・グループ。その後メンバー再編を重ね、制作された本 2nd アルバムでは、カール・ダグラス「Kung Fu Fighting」カヴァーで幕を開け、スティーヴィー・ワンダーや Santana 等の西側カヴァーで固めた A 面、自国 VIA サウンドを軸に据えた B 面の 2 部構成となっている。中でも Steely Dan「Night by Night」カヴァー A4 が個人的ベスト！

℗ София 🌐 Рок-Н-Ролл

🕐 1980　🌐 ブルガリア人民共和国

🅐 Sofia 🌐 Rock 'n' Roll
⊙ EP C62-13229-30　　　　　　★★

1973 年デビュー・アルバム『Оркестър „София" и неговите солисти (Orchestra "Sofia" and His Solists)』（BTA1495）を始め、他多くのブルガリア出身アーティストと同じように、彼らは自国のレーベル Balkanton にも数多くの作品を残している。がしかし、Melodiya からリリースされた作品は 1976 年 2nd アルバムと数枚のシングルのみとなっているが、その期間こそが彼らの絶頂期。中でも 1980 年にリリースされた本作は、スペイン発のファンク・グループ、Barrabas の地名度を押し上げた、ファンキー・ラテン・ロック名曲『Wild Safari』を華麗にカヴァーした人気の一枚となっている。

Ⓡ Современник 🌐 Оркестр Современник

🕐 1974　🌐 ロシア連邦共和国

🅐 Sovremennik 🌐 Orchestra Sovremennik
　　　　　　　　　　　　　★★★★

チェリャビンスクが誇るジャズ・マン、アナトーリー・クロール（Анатолий Кролл）がモスクワにて結成した、至高のジャズ・ファンク・グループ。グループの名義作は 2 枚のアルバムのみとなっているが、ユーリ・アントノフやダヴィッド・トゥフマノフ（1976 年名作『On the Crest of My Memory』に参加）等、他アーティストのバッキングとしてもそのプレイを残している。デビュー作となる本作は、高速パッセージを繰り出すフルート、鋭利なビートを刻むドラム、猛烈にブロウするサックス等が交錯するハイ・スピード・ジャズ・ファンク A1 を筆頭に、ソ連産ジャズ・ファンク屈指の人気を誇る。

℗ Tauras Adomavičius 🌐 Prisiminimas

🕐 1984　🌐 リトアニア共和国

🅐 Tauras Adomavičius 🌐 Prisiminimas
⊙ LP C62 20473 002　　　　　★★★

60 年代初頭より着実にキャリア・アップを果たしてきた、リトアニア出身のコンポーザー兼トロンボーン奏者、タウラス・アドマヴィチウス。そのキャリアの多くを交響楽団の指揮者として過ごした彼が、ソロ名義で唯一残した音源となる 4 曲入 EP。キラキラと輝く水面のアートワークに誘われ、ムーグによる印象的なリフレイン、美しく降り注ぐエレクトリック・ピアノの粒、クールなトロンボーン・ソロ、そして洗練を極めたグルーヴが織りなす B1 こそ、ソ連が生んだミッド・テンポ・ジャズ・ファンクの本命曲。その他、彼が指揮した国営テレビ局お抱えオーケストラや、トロンボーンでゲスト参加した同郷 VIA、Estradinės Melodijos 等でも音源を残す。

Ⓔ Тийт Паулус Ⓗ Тийт Паулус и друзья

Ⓐ Tiit Paulus Ⓗ Tiit Paulus and His Friends
Ⓞ LP ⬚ C60-15457-8 ★★

Jaan Kuman Instrumental Ensemble においても素晴らしいプレイで魅せた、エストニア・シーンを代表するジャズ・ギタリスト、ティート・パウルスによるソロ作。同郷の異才ピアニスト、トヌー・ナイソーとタッグを組み、クリーン・トーンを用いた流麗なプレイを存分に披露。キラキラとした輝きに満ちたサウンドの粒が、天から燦々と降り注ぐような極柔のメロウ・ジャズとなった。この後も多数の作品にゲスト参加しながらも、1988 年にはアンドレイ・リャボフとのデュオ作『ジャズ Tête-À-Tête』（C60 26753 008）をリリース。近年は自身のキャリアを活かし音楽学校にて教鞭を執り、シーンへの貢献をも果たす。

Ⓝ 1981 ⊕ エストニア共和国

Ⓔ Tõnu Naissoo Trio Ⓗ s.t.

Ⓐ Tonu Naissoo Trio Ⓗ s.t.
Ⓞ LP ⬚ 33Д-26687-88 ★★★★★

エストニアン・ジャズの開祖としてその名を刻む巨匠、ウーノ・ナイソーの実子にして、早熟の天才ピアニスト、トヌー・ナイソーが率いたトリオによるデビュー 10 インチアルバム。歴史的ジャズ・フェスティバル Tallinn 67 にて弱冠 16 才でデビュー、続き翌 1968 年には本作が録音されている。繊細でありながらも力強くアブストラクトな鍵盤捌き、アートワークさながらに仄暗くピンと張り詰めた、緊張感に満ちたアトモスフィアを醸す。さらに、ジャズ・ヴォーカリスト、エルス・ヒマ（Els Himma）によるシンギングが、翳りの中で美しく輝きを放つ。その後トヌーはリーダー作や Kaseke での活動を皮切りに、今もなお現役活動中。

Ⓝ 1970 ⊕ エストニア共和国

Ⓔ Трио В. Мисаилова Ⓗ Ташкентский джаз

Ⓐ Trio V. Misailov Ⓗ Tashkent Jazz
Ⓞ LP ⬚ C60-15767-8 ★★★

1965 年 4 月にモスクワで開催されたジャズ・フェスティヴァル「Jazz 65」。その模様を収録したライヴ・アルバム『Джаз 65（Jazz 65）』（33 Д-017009-10）において、学生ながら存分にその腕を振るい名を上げたピアニスト、ヴィクトル・ミサイロフ率いるピアノ・トリオによる唯一作。リリシズム溢れるピアノに、薄くジャズ・ファンク色を纏わせたグルーヴをベースにしつつ、B1 のアントニオ・カルロス・ジョビン「イパネマの娘」、B2 チャールズ・ロイド「Sombrero Sam」、B3 チャーリー・パーカー「Now's the Time」とカヴァーを多数収録、オーセンティックなジャズへの愛が溢れる。

Ⓝ 1981 ⊕ ウズベク共和国

Ⓔ Уно Найссоо Ⓗ Mälestusi Kodust

Ⓐ Uno Naissoo Ⓗ Malestusi Kodust
Ⓞ LP ⬚ C60-09439-40 ★★★★

エストニアが誇る巨匠作曲家、ウーノ・ナイソーによるシーンを代表する至高のジャズ・ファンク・アルバム。彼の圧巻のコンポージング・スキルが産んだ楽曲の数々の演奏、そしてアレンジを手掛けたのは、エストニア・シーンを代表するトランペッター、ヤーン・クーマンが率いた伝説的ジャズ・アンサンブル。華麗な指捌きで魅せる実息トヌー・ナイソーによるピアノ、ティート・パウルスによる職人芸的クリーン・ギター、そしてヤーン・クーマンらによる連発ホーンとキラー・ブレイク満載のバチバチのドラミングが交錯する。ファン垂涎の名曲 A2、B1 を筆頭に、印象的なアートワークも含め、あまりに隙のないバルト無双の一枚。

Ⓝ 1978 ⊕ エストニア共和国

Ⓔ Валентина Пономарева ❸ Искушение

Ⓐ **Valentina Ponomareva** ❸ Temptation
Ⓒ LP 💿 C60 28293 005　　　　　　　　★★

ロシアのジプシー、ツィガーン（ロマ）を出自とした、モスクワ出身の
エクスペリメンタル・ジャズ・ヴォーカリスト、ヴァレンティナ・ポノ
マリョーヴァ。60年代より活動を始め、Ganelin Trio を始めとしたソ連
圏のアーティストを世に広く知らしめたイギリスの前衛レーベル、Leo
Records より数枚リリースする他多くの作品を残すが、本作は初期作にあ
たる 1989 年作。ドラム、クラリネット、フルート、チェロ等のバッキン
グに敏腕アーティストを招集。コンポージングよりも即興性を重視したフ
リー・ミュージックと共に塗り込められたのは、通常のシンギングとは大
きくかけ離れた「声」の可能性を追求した虚空のスキャット。

🕐 1989　🌐 ロシア連邦共和国

Ⓔ Квартет Валерия Колесникова ❸ Лирическое настроение. Джазовые композиции

Ⓐ **Valeriy Kolesnikov Quartet** ❸ Lyrical Mood – Jazz Compositions
Ⓒ LP 💿 C60-09709-10　　　　　　　　★★

ディキシーランド・ジャズからビバップまで、ウクライナきっての古典ジャ
ズの継承者として名を馳せるトランペッター、ヴァレリー・コレスニコフ。
故郷ドネツクで様々なアンサンブルのソリストを務め上げた後、ピアノ、
ギター、ドラムの熟達した職人を集め結成した、クール・ジャズ・カルテッ
トによる唯一作。オリジナル・スコアも交えながら、抑制されたクールな
トーンで各パートを丹念に織り込み作り上げた、実に堂に入ったリリカル
なモダン・ジャズ・アルバム。ソ連独特の「味」こそ希薄なれど、かえっ
てそのクセのなさが他ユーロ・ジャズ・グループと同列に語り、ソヴィエ
ト・ジャズと正面から向き合う事が出来るというもの。

🕐 1977　🌐 ウクライナ共和国

Ⓔ Вальтер Оякяэр ❸ Vastu Kerkivale Kuule

Ⓐ **Walter Ojakäär** ❸ To the Rising Moon
Ⓒ LP 💿 C60-07941-2　　　　　　　　★★★

40 年代から国営テレビ局お抱え楽団を率い、長年に渡ってシーンへの貢
献を果たした、エストニア・シーンきっての長老コンポーザー、ヴァル
ター・オヤキャール によるソロ・デビュー作。A面はマリュ・クートや
ヘイディー・タンメ等、大御所女性ヴォーカリストを招き入れた秀逸な
ヴォーカル曲を収録しているものの、注目はヤーン・クーマンが指揮を取
るジャズ・ファンク収録の B 面。中でも、決して浮つかないホーン隊と
リズム隊が、重厚感たっぷりにファンクする B3 がベスト。なお、本作の
A面のみを挿げ替え 1983 年に再リリースした、『Songs and Instrumental
Music』（C60-14461-2）も存在する。

🕐 1976　🌐 エストニア共和国

Ⓔ Вальтер Оякяэр ❸ Песни и инструментальная музыка

Ⓐ **Walter Ojakäär** ❸ Songs and Instrumental Music
Ⓒ LP 💿 C60-14461-2　　　　　　　　★★★

少し間を置いてリリースされたソロ 2nd アルバム。前作に続きヤーン・クー
マン率いる鉄壁のアンサンブルを従えた本作は、アルバム・タイトル通り、
A 面には男女によるヴォーカル・ナンバー、B 面にはインストゥルメンタ
ル・ナンバーを収録している。そして特に注目しておきたいのは B3。快
活なパーカッション、小気味良いギター・カッティング、縦横無尽のベー
ス・ライン、そして抑制の利いたホーン隊等がゆったりと縦揺れする、ファ
ンキー・オーケストラル・インスト・チューンとなっている。なお、アー
ティスト表記は「Walter」「Valter」いずれも使用されているが、本作では
前者を採用している。

🕐 1983　🌐 エストニア共和国

Ⓟ Vilniaus plokštelių įrašų studijos pramoginės muzikos orkestras ❶ Gintarinė Pora 75

Ⓐ Vilnius Record Recording Studio Entertainment Music Orchestra ❶ Amber Pair 75
Ⓞ LP ▥ C60-05699-700 ★★

ヴィリニュスのレコーディング・スタジオお抱えオーケストラが唯一残したアルバム。本作は Oktava を率いた鬼才ミンダウガス・タモシウーナス（Mindaugas Tamošiūnas）が指揮し、彼のペンによる曲が多く占めつつも、アルバムの基本路線はタンゴ、ルンバ、サンバ等ラテン・ミュージックをベースにした、アートワークそのままの優雅なスウィング・ジャズ。そんな中、白眉の出来とも言えるのが、「教授」ことテイスティス・マカチナス（Teisutis Makačinas）作曲のボッサ・チューン A6。この大ネタとでも言うべき極上シルキー・グルーヴに酔いしれてみてはいかが？

❶ 1975 ⊕ リトアニア共和国

Ⓟ ВИО-66 ❶ Музыка для отдыха

Ⓐ VIO-66 ❶ Music for Recreation
Ⓞ LP ▥ 33Д-020273-4 ★★★★

ソロにおいても数多くの名作を残した偉大なる作曲家、ユーリ・サウリスキー（Юрий Саульский）の下、選り抜きのプロ・ミュージシャンを集め結成された、ソ連の始祖的ジャズ・オーケストラ。旧来の自国のジャズのスコアに現代的アレンジを施し、世界中にそのクオリティーを紹介する大役を担った彼らが中心に据えたのは、コンダクター兼アレンジャー、アレクセイ・マジュコフ（Алексей Мажуков）。1968 年リリースの本作は、ボッサ等のリズムも導入した、綿毛のようなストリングス・アレンジが軽やかに舞う華麗なるイージー・リスニング・アルバムとなった。翌年には 10 インチ作（Д26097-8）も残している。

❶ 1968 ⊕ ロシア連邦共和国

Ⓟ Владимир Тарасов ❶ Atto II

Ⓐ Vladimir Tarasov ❶ Atto II
Ⓞ LP ▥ C60 25693 003 ★★★

Ganelin Trio での国内に止まらぬ活躍を初め、ソ連ジャズ・シーンの発展に多大なる貢献を果たした、リトアニアを拠点に活動する伝説的ジャズ・ドラマー、ウラジーミル・タラーソフ。本作は現在も続く彼のライフ・ワーク、『ATTO』シリーズの初期作にあたる第 2 弾アルバム。グルーヴやコミュニケーションを排し、個の前衛性や神秘性に強いスポットを当てることをテーマとして掲げる本シリーズ。本作でもジャズの定型に縛られず、心音のように脈打つマシーン・ビートにタブラとシンセサイザーがねっとりとまとわりつく、奇怪なムードに満ちた孤高のサウンドスケープを描き出す。2016 年には自伝本（邦訳版『トリオ』）が出版されている。

❶ 1987 ⊕ ロシア連邦共和国

Ⓟ Владимир Рубашевский ❶ В танцевальных ритмах

Ⓐ Vladimir Rubashevsky ❶ In Dance Rhythms
Ⓞ LP ▥ C60-09961-2 ★★★

ミュージカルやオペラ等の舞台音楽から、映画や子供向けラジオ番組用テーマ・ソングまで、100 以上に及ぶありとあらゆるスコアを書き連ねた、高度な音楽教育を受けたコンポーザーにして、ソ連版ディキシーランド・ジャズのパイオニアとしても知られる、アゼルバイジャン出身ウラジーミル・ルバシェフスキーによる 1978 年作。本作では女性ヴォーカリストを招請、優美な折り目正しきスウィング・ジャズ中心の一枚ながら、突如 A3 で急変。切り裂くファズ・フレーズ、転げ回るピアノ、縦横無尽のベース、パワフルなフィーメール・シンギング、そして猛烈な唾吹きフルートがバチバチに交錯する、必殺爆走型高速ジャズ・ファンクをチェック！

❶ 1978 ⊕ アゼルバイジャン共和国

Ⓟ Владимир Васильков　❶ Не болит голова у дятла

Ⓐ **Vladimir Vasilkov**　❷ Woodpeckers Don't Get Headaches
Ⓔ EP　▨ BLACK PERAL (BPR009SP)　★★

ディナラ・アサノワ監督による 1974 年公開映画『きつつきの頭は痛まない』のサウンドトラック曲。音楽好きの子供がジャズ・グループを結成する、といったあらすじに添い、映画本編では子供達が当て振りをしているシーンもあるものの、その音楽と演奏を担当したのは、ソ連ジャズ・ドラマー界最高の一人とされるレジェンド、ウラジーミル・ヴァシリコフ率いるジャズ・ロック・グループ。そのあまりにクールかつ熱狂的なグルーヴは、この映画のみならずソ連のジャズ・サウンドへの評価を世界的なものとした。当時音盤化はされていなかったものの、2019 年にファン待望となる初 EP 化が実現している。オーチン・ハラショー！

🕪 2019　🌐 ロシア連邦共和国

Ⓟ Юрий Саульский　❶ Песни. Инструментальная музыка

Ⓐ **Yury Saulsky**　❷ Songs Instrumental Music
Ⓒ LP　▨ 33C-04733-34　★★★

40 年代よりモスクワ・ジャズ・シーンで一線級の活躍を続け、栄えある栄誉賞号「人民芸術家」受章者となった、巨匠コンダクター兼コンポーザー、ユーリ・サウリスキー。50 年代末頃の SP 盤を皮切りに音源を発表、以降多くの作品を残しているが、アルバム・デビューを飾ったのは 1974 年にリリースされた本作。ムーディーなジャズ・ヴォーカルを中心とした A 面、ジャズ・オーケストラによる雄弁なプレイを捉えた B 面という 2 部構成となっている。オーセンティックなサウンドを中心としながらも、スピーディーな連発ホーンと濃密なハミングが交錯する、彼のキャリアを代表する至高のジャズ・ファンク B1 を収録した名品。

🕪 1974　🌐 ロシア連邦共和国

Ⓟ Юрий Саульский　❶ Песни из к/ф "Солнце, снова солнце" / Инструментальная музыка

Ⓐ **Yury Saulsky**　❷ Songs from the Film "the Sun, Again the Sun"
Ⓒ LP　▨ C60-09135-36　★★★

ナチス・ドイツからポーランド、ソ連に移ったユダヤ系エディ・ロズネル。「白いルイ・アームストロング」の異名を取り、東欧ジャズ史に名を刻んだトランペッター。強制収容所への投獄等時代に翻弄されたが、そんな彼が 50 年代中頃に率いた伝説的ジャズ・オーケストラのディレクションを手掛けたのが、ユーリ・サウリスキーだった。そして 60 年代末には名グループ、ВИО-66 も彼が指揮している。2nd アルバムとなる本作では、かの Melodiya Ensemble も引き連れ、グルーヴ面をアップデート。前作にも収録された代表曲「Драматический этюд」（本作では曲名を変更）のセルフ・カヴァー B3 を筆頭に、重厚なグルーヴが堪能できる横綱のジャズ・ファンク。

🕪 1978　🌐 ロシア連邦共和国

Ⓟ Юрий Саульский　❶ Джазовый калейдоскоп

Ⓐ **Yury Saulsky**　❷ Jazz Medley
Ⓒ LP　▨ C60 21107 000　★★

1981 年には彼がコンポージングした楽曲をソフィヤ・ロタールや Ариэль（Ariel）らがプレイした作品集『Ожидание』（C60-16203-04）をリリース。そして純然たる自身 3 枚目のオリジナル・アルバムとなった本作では、前作に引き続き参加した Melodiya Ensemble に加え、Аллегро（Allegro）を率いたニコライ・レヴィノフスキー、そして Современник（Sovremennik）を率いたアナトーリー・クロールらが指揮をとり、鉄壁のプレイを見せる。印象的な鍵盤のリフレインと重厚なホーン・セクションが駆け抜けるようにグルーヴする、ジャズ・ファンク A4 は必聴！

🕪 1984　🌐 ロシア連邦共和国

℗ V.A. 🎵 Джаз-78 (Пластинка 1)

🅐 V.A. 🎵 Jazz-78 (Record 1)
💿 LP 🎵 C60-11425-26 ★★

壁の向こう側で育まれてきたソ連産ニュー・ジャズの黄金期を迎えたと言える、1978 年開催の第 6 回モスクワ・ジャズ・フェスティヴァルの模様を収めた歴史的アルバム・シリーズ。全ライヴ音源からハイライト部分を 4 枚に分割してリリースしているが、第 1 作目となる本作ではオープニングを飾る A1 に注目したい。アレクサンドル・グラツキーのバックを支え、Современник (Sovlemennik) への参加、そして『きつつきの頭は痛まない』のサウンドトラック曲を手掛けた、ソ連が誇るレジェンド・ドラマー、ウラジーミル・ヴァシリコフ (Владимир Васильков) 率いるアンサンブルによる鋼鉄のジャズ・ロック・サウンドは絶品！

🕐 1978 🌐 ロシア連邦共和国

℗ V.A. 🎵 Джаз-78 (Пластинка 2)

🅐 V.A. 🎵 Jazz-78 (Record 2)
💿 LP 🎵 C60-11979-80 ★★

ソ連において最初にジャズ・ムーヴメントの絶頂を迎えたのは 60 年代後半。モスクワのコムソモールが後ろ盾となり、1965 年に開催されたジャズ・フェスティヴァル『ジャズ 65（Jazz65）』（33Д-017009-10）を皮切りに、1968 年まで毎年開催を続けていた。その後、アンダーグラウンドに身を潜めたジャズが表舞台に立ったのは 70 年代後半。本ライヴにはその 10 年の空白を一筆で塗り潰すほどの熱狂が渦巻いている。シリーズ 2 作目となる本作でのハイライトは Арсенал (Arsenal) による 2 曲で、特に B1 ではその熱狂の渦を見事に捉えたかのような、バチバチのエレクトリック・ジャズを収録。熱くならないはずがない！

🕐 1979 🌐 ロシア連邦共和国

℗ V.A. 🎵 Джаз-78 (Пластинка 3)

🅐 V.A. 🎵 Jazz-78 (Record 3)
💿 LP 🎵 C60-12813-14 ★★★★

シリーズ全 4 作の中でも最大の人気を誇り、が故に入手難度の高い 3 作目。Аллегро (Allegro) によるジャズ・ファンク A1 ～ A2、そしてソ連初の国家認定サックス奏者、アレクサンドル・オセイチュク (Александр Осейчук) 率いるアンサンブルによる雄弁なサックス・ソロを収めた A3 も素晴らしいが、本作の人気の鍵を握るのは、B 面全てに渡って収録された、ピアニストのウラジーミル・コノヴァロフ (Владимир Коновалов) 率いる伝説的ジャズ・オーケストラ。とりわけ B3 に収録されたミスティック・ジャズ・ファンク・ナンバーは、シーン屈指の名曲として燦然と輝き続ける。マスト！

🕐 1979 🌐 ロシア連邦共和国

℗ V.A. 🎵 Джаз-78 (Пластинка 4)

🅐 V.A. 🎵 Jazz-78 (Record 4)
💿 LP 🎵 C60-12815-16 ★★

最終作となる 4 作目は充実の一枚。本作にのみ音源を残したユーリー・マルキン (Юрий Маркин) 率いるアンサンブル、Шаги времени (Shagi Vremeni) による至高のフルート・ファンク A1 と快活なブラス・アレンジが光るジャズ・ファンク A2、イーゴリ・ブリーリによる熱演が聴ける A3、ベーシストのアナトーリー・バビー (Анатолий Бабий) による Squarepusher よろしく、ソ連発原初的ドラムン・ベース B3 等、名演をこぞって収録。短波放送（特にボイス・オブ・アメリカ）を傍受し、見よう見真似で腕を磨き続けてきたソヴィエト・ジャズ・マン達。不自由だからこそ音楽への渇望が爆発したその瞬間を目撃せよ！

🕐 1979 🌐 ロシア連邦共和国

Ⓟ **V.A.** ❶ Фестиваль «Джаз над Волгой»

Ⓐ **V.A.** ❶ «Jazz by the Volga» Festival
Ⓞ LP 🎵 C60-16255-6 ★★

多くの名演、そして名盤を産んだソ連ジャズ・フェスティバルの先駆的存在にして、現在も開催を続ける Jazz by the Volga の 1981 年開催時音源。極北の伝説的グループ、Архангельск（Arkhangelsk）による本作のみに収録されたミスティック・ジャズ・ナンバー A2、Радуга（Raduga）の連発ホーンでアゲるメイナード・ファーガソン「Give It One」カヴァー A4、Бумеранг（Boomerang）のカザフ・エスノ・ジャズ B1 他、当時の熱を真空パックした充実の一枚。ここに刻まれた装いようのない剥き身のスキル、シーンの高い水準を堪能あれ。

🕐 1981 ⬤ ロシア連邦共和国

Ⓟ **V.A.** ❶ Всесоюзный джаз-фестиваль "Тбилиси-78"

Ⓐ **V.A.** ❶ All-Union Jazz Festival "Tbilisi-78"
Ⓞ LP 🎵 C60-14319-20 ★★★

トビリシにて開催されたジャズ・フェスティバル Tbilisi-78 における数多くの名演が刻みこまれた歴史的ライヴ録音盤。1 分半に及ぶベース・ソロも収めた Аллегро（Allegro）による熱狂のジャズ・ロック・ナンバー B4、Ganelin Trio によるフリー・ジャズ・ナンバー B2、ヴァギフ・ムスタファザデによる舞い乱れるピアノが絶品のメロウ・ジャズ・ナンバー B1、そして本作のみに音源を残すヴァフタング・カヒゼ率いるジャズ・カルテット（Квартет Вахтанга Кахидзе）による、フルートとスキャットで紡ぐ、華麗なるハイスピード・ジャズ・ボッサ A4 等を収録。

🕐 1980 ⬤ グルジア共和国

Ⓟ **V.A.** ❶ Мелодии Армении

Ⓐ **V.A.** ❶ Melodies of Armenia
Ⓞ LP 🎵 C60-09013-14 ★★★

ジャズが「敵性音楽」として禁じられる以前の 30 年代中頃、アルメニアでジャズが産声を上げた。それから 40 年の時を経て、遂にはソ連初となるアメリカ進出グループを輩出するまでに成熟した、アルメニアン・ジャズ・シーンを一望できるオムニバス・アルバム。中でもまさにその立役者となったコンスタンチン・オルベリャン（Константин Орбелян）率いるグループによる B6、そしてメリク・マヴィサカリャン（Мелик Мависакалян）率いるグループによる B1、シーンを代表するジャズ・ファンク 2 曲を収録。共に彼らの単体作にも収録されてはいるが、入手難度は高いのでオススメの一枚。

🕐 1977 ⬤ アルメニア共和国

Ⓟ **V.A.** ❶ Tallinn 67

Ⓐ **V.A.** ❶ Tallinn 67
Ⓞ LP 🎵 33Д020843-4 ★★★

音楽的封鎖から徐々に開放されつつあった 60 年代、アメリカを始めとした国外からのジャズ・マンを招聘したライヴが各地にて開催されつつあった。本作はその潮流の頂点とも言える、1967 年 5 月 11 ～ 14 日にかけてタリンで開催された歴史的ジャズ・フェスティバルの実況録音盤。なお、同名タイトル（33Д020845-6）と 2 枚に分けてのリリースとなっている。ヴァギフ・ムスタファザデ、トヌー・ナイソー等のソ連勢はもちろんのこと、チャールズ・ロイドを始めアメリカ、スウェーデン、フィンランド、ポーランド等、幅広い国・地域から招聘したアーティストたちの名演を収めた、時代の歴史的瞬間を捉えた一枚。

🕐 1967 ⬤ エストニア共和国

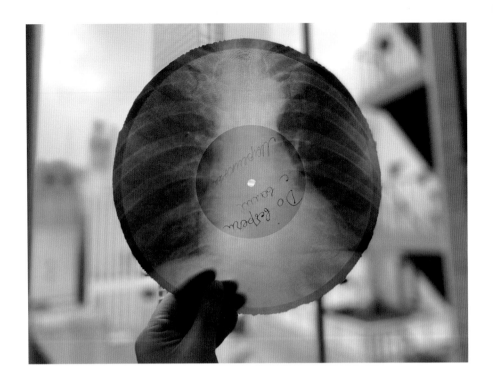

ソ連産特殊レコードの世界
壁の向こうで生まれたフィジカル・メディアの極北

　「音楽を聴く」、私たち音楽好きにとっては呼吸するぐらい当たり前のこと。さて何を聴こうかと思い悩むことはあっても、聴くという行為それ自体について、改めて思いを馳せるということはないだろう。音を記録するレコードが生まれて150年近く。実際に目の前で演奏が行われることがなくても、時や場所を超えて聴くことができるようになった音楽は、テープ、CDとメディア革新が起こるたびにより身近なものとなってきた。特に今はサブスク全盛期。世界中のありとあらゆる音楽にシームレスに繋がることができ、もはや聴く音楽の対象ですら、自分で選ばなくても良いほどの圧倒的な「自由」を私たちは享受している。ただ、その手に入れた自由を改めて実感することもなく、今ではそれが至極当たり前なこととなっているが、かつてその自由を根こそぎ奪い去った国がソ連だった。

　1948年、中央委員会書記を務めたアンドレイ・ジダーノフにより、表現の自由を制限し統制する「ジダーノフ批判」が推し進められ、それ以降、長きに渡りソ連の芸術は苦難の道を歩んだ。小説や詩などの出版物、そして音楽への制限が課されていく中で、闇市に流通したのが「サミズダート（地下出版）」であり、その一種として生まれたのが、「肋骨レコード」をはじめとする多種多様な特殊レコードだった。ポストカード・レコード、フォト・レコード、ホログラム・レコード等々、そのバリエーションは途方もなく存在したが、国家により公式に出版されたソノシート付月刊誌『クルガゾール』もまた、世界でも類を見ない特殊性を持っている。ここではそれら特殊レコードの世界の一端を紹介するとともに、その何物にも代えがたい特異な魅力に迫ってみよう。

①肋骨レコード　音楽への渇きが刻む、美しき闇レコードの世界

肋骨レコード、誕生の背景

　近年ここ日本でも認知度の高まりをみせている、ソ連が産んだ特殊レコードの極み、肋骨レコード。それは1970〜80年代にかけてモスクワ放送のアナウンサーとしてラジオDJを務めた、西野肇氏が生んだ呼称。彼は2001年にNHKでドキュメンタリー番組『地球に好奇心 追跡 幻の"ろっ骨レコード"〜ロシア・冷戦下の青春〜』を企画制作、以降国内では肋骨レコードという呼称が根付いたと思われる。X-Ray Audio、Bone Music、レントゲン・レコード、骸骨レコード等々、国内外で様々な呼称が存在するが、ここ日本でのオリジネーターでもある西野氏へのリスペクトを込めて、本稿では肋骨レコードと呼ばせていただく。

　遡ること第二次世界大戦も終わりを迎えた1940年代中頃、スターリン政権下のソ連において、全ての音楽は検閲されていた。そして、自国で認可した音楽ではない西側諸国のロック、ジャズ等は「退廃的音楽」とみなされ、タブーとして厳格に禁止されていた。しかし、たとえ禁止とされようとも、音楽への熱は古今東西同じもの。音楽への欲求、言うなれば音楽的飢餓のピークを迎えた一般大衆は、秘密裏にBBC他西洋諸国のラジオを傍受するなどして、少しずつその渇きを潤していった。しかし、やはりそれだけでは欲求を満たすには遠く及ばず、聴きたい時にいつでも聴ける、録音物としての音楽を持っておきたいという至極当然の需要が出てきたのである。あの時代、あの国で一般大衆がレコードを作る。それがどんなに高いハードルであるかは想像に難くないが、特殊な状況下で大衆の熱は臨界点突破。一部の者は危険を顧みず、アンダーグラウンドな活動に手を染めていくこととなった。

　ソ連軍は大戦中において相手国（主にドイツ軍）の戦意を削ぐようなメッセージや、歌唱を刻んだレコードを大量に製造、それらを前線上空から散布するという、現代の私たちにとってはとても奇異に映る作戦も行っていた。戦後その際に使用されたカッティング・マシーンが流れ着いた先は闇市場。程なくしてそれを入手し非合法なブートレグとしてレコードの製作、販売を発明した「密造人」が出現した。彼らは大量かつ安価に入手が可能で、素材としても適していたレントゲンフィルムに溝を刻みこみ、ハサミで丸く切り取り形を整え、センター・ホールは燻らしたタバコで穴を開ける。そうして肋骨レコードは産声を上げた。

　肋骨レコードは大量に生産・販売されたが、あくまでアンダーグラウンドな活動のため、密造人が常に抱えていたものは当局からの取り締まりのリスク。実際に検挙された密造人も多く存在し、約5年ほどの強制労働収容所グラグへの収監、俗に言うところの「シベリア送り」となる厳しい刑罰が科されていた。1960年代には国営レーベル、Melodiyaの活発化や、テープ・レコーダー等の出現により生産数は減っていったが、大量生産品としての側面を持つレコードでありながらも、用いられたものは全てが真に1点ものとなる特殊素材。そして文字通り命を懸けて製作されたというバック・ストーリーが描き出す、その音楽への熱き想い。こうした輝かしくも妖しい魅力に溢れたこの肋骨レコードは、数十年の時を超え、今現在レコードをコレクトする私たちを強く惹きつけてやまないのである。

部位により変動するプライス

　それではもう少し詳しく、肋骨レコードとはどういったものかを説明しよう。まず収録されている音源に関しては、海外のロックやジャズはもちろん、肋骨レコードにのみ音源を残した「肋骨歌手」と呼ばれる国内アーティストたちから、インド映画音楽であるボリウッドまで実に多岐に渡るが、その中でも「ロシア・タンゴの王」ことピョートル・レシェンコ（Пётр Лещенко）は、とりわけ多くの音源を残している。

　また、現代の商業ベースに乗った塩化ビニール製のレコードとは異なることも多く、回転数はSPと同じ78rpm、8インチや9インチと定格を持たない自由なサイズ感、そして多くのものは片面1曲のみの収録となっていた。元々複数回の試聴に耐え得るような素材では決してなく、あまりに脆弱だった肋骨レコードが鳴らす音楽は、今も当時も変わらず盛大なノイズの向こう側。傷付き、割れてへし曲がり、プレイ自体ままならないものも少なくない。収録された音源は資料的価値こそ高けれど、現代のレコード・コレクターである私たちが、この肋骨レコードにロマンを感じる最大の理由は、やはりその特異なビジュアル面だろう。

　肋骨レコードはその特殊性が故、今現在では一部の市場において高値で取引されているが、価値相場を決定付ける最も重要なファクターはビジュアル面、そしてその骨の「部位」である。やはり当時一番大事だったのは収録された音楽そのもの。映りや部位のビジュアル面など気にかけているはずもなく、大半はどこの部位かハッキリとしないものや、撮影前の生フィルムに刻み付けられたものが多い。それが故に、今では綺

麗に見映え良く骨が写ったものは人気を集め、その中でも希少部位はさらに高いプライスで取引されている。ここであくまで私が見てきた中でではあるが、肋骨レコードの部位を生産量別に並べてみよう。

肋骨＞肩＞背＞腰＞頭＞足先＞手

　元々は診断上必要だからこそ撮影されたレントゲン。実際に骨を折った経験のない方であっても、健康診断で胸部のレントゲン程度であれば撮ったことがあるだろう。そんなこともあり「肋骨」がやはり最も数多く存在し、西野氏がわざわざレントゲンでもなく骸骨でもなく、「肋骨」と冠に付けた理由でもある。

　また、市場価格は必ずしも希少度順という訳ではない。例えば頭蓋骨でも正面と側面では異なるように、やはりビジュアル面が重視される。とは言え、収録曲も全く無関係ではなく、「希少部位」＋「Rolling Stones」のような「いかにも」な組み合わせとなると、さらにプライスアップとなる。中でも「手」はとりわけ高い希少度と人気を兼ね備えた部位だが、それはというのも「手」がロック・ファンに想起させるもの、それは未曾有のジャーマン・ロック集団、Faust のデビュー・アルバムだろう。彼らが肋骨レコードを元ネタにしたかどうかは分からないが、そのロック史に大きな足跡を残した名作が、回り回って肋骨レコードの価値を高めることとなった。なお、私が今まで見た中でとりわけ珍しかったのは「大腸」だろうか。「肋骨レコード」ならぬ「腸レコード」。溢れ出すロマンが止まらない。

金銭目的で横行するフェイク

　最後に注意を促しておきたいのは、そんな肋骨レコードにもフェイク（贋作）が存在するということ。当時製作された肋骨レコードも、ある種フェイクみたいなものということもあり、少しおかしな話かもしれない。ただ、ここで言うフェイクとは、現代の新しいレントゲンフィルムを使って作られたもののことを指している。そして、元々がハンドメイドなので真贋の判別が難く感じると思うが、重要なポイントは 2 つ、「状態」と「商売気」である。

　すでに書いた通り、耐久性など期待できない素材が使用され、さらには当時から軽く60 〜 70 年は経過していることを鑑みると、無傷でクリーンな当時の肋骨レコードはほぼ存在しないと考えて良いだろう。またこの手のフェイクが作られているのも、あくまで金銭目的である。フェイクは eBay 等のネット・オークションを主戦場に販売されているが、このフェイク製作者自身もやはりツボは心得ているもの。「手」や「頭」等の見映えの良い部位を使用し、収録する音源にはイギー・ポップやジミ・ヘンドリクス等々、コレクター心をくすぐるようなアーティストを選んでいる。

　1960 年代初頭の闇テープの登場により根絶されたとも言われる肋骨レコード。つまり、上記のような1960 年代後半以降のアーティストの音源が収録された肋骨レコードはほぼ存在せず（ゼロとは言わない）、そのような組み合わせは、フェイク製作者の「商売気」が生んだ産物と言えるだろう。なお、実物を見ることなく個人売買が繰り返されているインターネット上において、最も重要なものは正しい知識。今どき写真なんてどうとでもなるもので、モノの真贋を予備知識なしに写真 1 枚だけで判断するという行為は、ネット売買においては無謀と言ってよいだろう。これは別にレコードに限った話ではなく、それが絵画でもバッグでも時計でも、金の成るところにフェイクは潜んでいるのである。実際に見たり触れたりしたことはないが、肋骨レコードを手に入れたい、そんなことを思っている貴方にこそ本稿を読んでいただきたい。そしてそれがフェイク被害者を減らすことに繋がれば幸いである。

ラベルが貼り付けられた肋骨レコードは非常に希少。本品は猫があしらわれているのもまた魅力的。

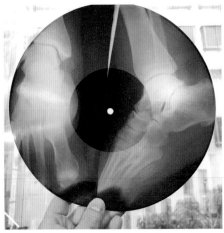

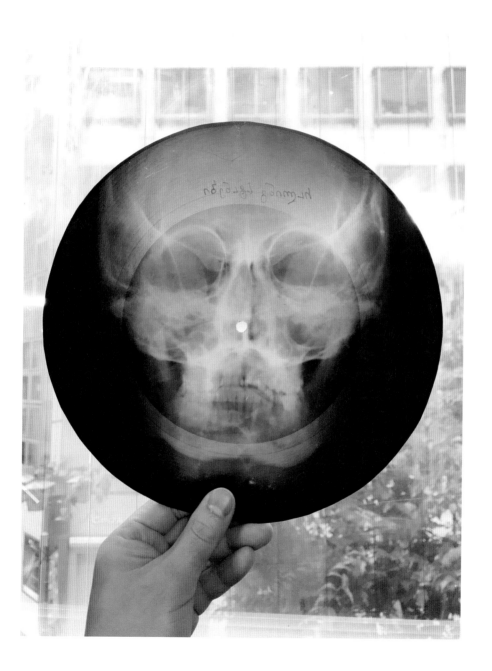

②クルガゾール　さらなる深淵へ、秘蔵音源多数収録ソノシート付月刊誌

　1964年ソ連にて創刊、30年近くに渡りソノシート（6枚）の付録をつけて毎月発行された月刊誌、『クルガゾール(Kpyrozop/Krugozor)』。当時の時代感がカラーにて真空パックされた誌面もさることながら、ここにしか収録されていない音源も多数存在するソノシートに注目したい。

　各号の6枚のソノシートには概ね収録音源の傾向があり、前半部分（ソノシート3枚程度）は伝承音楽ないしプロパガンダ演説となっているため、チェックしておきたいのは後半部分となる。アーラ・ブガチョワやソフィヤ・ロタール等の大御所ポップ歌手から、ソ連全土から選りすぐられた先鋭的なVIAまで、実に幅広いアーティストを収録しており、さらにその中にはクルガゾールのみの収録となった楽曲も少なくない。

　たとえ曲自体はアルバムやシングルの収録曲であっても、完全な別テイクや別ヴァージョンであったり、ナレーションと組み合わされた一部抜粋版であったりと、収録内容が異なることも多い。また、ソノシート後半部分（特に最終面）では海外アーティストが紹介されることも多い。

　The Beatles関連（Wingsやジョン・レノン、ジョージ・ハリスン等のソロ）、Pink Floyd、Queen、Electric Light Orchestra等のイギリスのロック・アーティストに始まり、フランスからブリジッド・バルドー、ハンガリーからLocomotiv GT、東ドイツからKarat、カナダからバフィー・セイント・メリー、キューバからオズヴァルド・ロドリゲスと、非常に幅広く世界中のアーティストが紹介されているが、アメリカのアーティストの紹介は極端に少ない（Eagles、ドナ・サマー他）。なお、ここ日本からは西城秀樹やYMOが紹介されているが、慣れ親しんだ日本の音楽をソ連製クルガゾールで聴く、その珍妙さもまた面白い。

　そのリリース量からも全てを網羅することは難しいため、重要音源に絞って入手するのも良いだろう。そして自宅で一人パラパラとめくりながら聴くのも楽しいが、クルガゾール縛りでDJなんていうのも良いかもしれない。ただ難易度はあまりに高いが……。

クルガゾールの楽しみ方

　ここではクルガゾールに付属した、ソノシートの再生方法を解説。他に例のない特殊な造りとなっているので、こちらを参考にしてお楽しみ頂きたい。

表紙。なお本品は次ページでも紹介する1975年1月号。

こちらが裏表紙

内面には収録音源の解説等が掲載

資料性の高い写真も多い

ソノシート部分。青色を基本に、赤やグレーも存在。

各号とも6枚が付属。切り離すこともできるので、欠損しているものが多い。

再生する時は、外に折り曲げて……

ソノシート面を表に出す

再生成功のポイントは、センターホールから綺麗に向こう側が見えているかをチェック

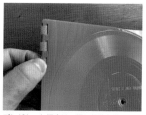

ズレがあった場合は、綴じ部分を動かして調整

ターンテーブルに載せる。反り返っている場合も多いので、水平確認が必要。

無事再生。音質は決して悪くない。

クルガゾール作品紹介

1972 年 5 月号
Дос-Мукасан（Dos-Mukasan）とカザフのフィーメール VIA、Айгуль（Aigul）、各々のクルガゾール限定曲を収録。

1977 年 12 月号
Дос-Мукасан（Dos-Mukasan）のクルガゾール限定曲を 3 曲収録。

1978 年 6 月号
Гунеш（Gunesh）のクルガゾール限定曲と完全別バージョンを収録。

1980 年 2 月号
タジク共和国の伝説的グループ、Гульшан（Gulshan）のクルガゾール限定曲を 3 曲収録。

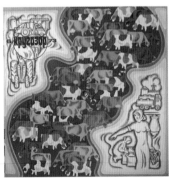

1973 年 6 月号
Иверия（Iveria）デビュー・アルバムのオープニングを飾る、サイケ・ファンク・ナンバーの別ヴァージョンを収録。

1974 年 4 月号
Поющие Сердца（Singing Hearts）のクルガゾール限定曲を 2 曲収録。

1975 年 1 月号
Red Funk 屈指のキラー・チューン「Ты моя песня」の、メリク・マヴィサカリャン・ヴァージョン（1976 年作収録）を収録。

1978 年 3 月号
Гая（Gaya）のソノシート限定曲に加え、1978 年最高難度 EP『Азербайджан』から 1 曲を収録。

1982 年 1 月号
一枚の音源も残さずに消えた、ウクライナ出身の幻のジャズ・ロック・グルーヴァー、Крок（Krok）を 2 曲収録。

1972 年 6 月号
Collage の 72 年作『Kadriko』からの一部抜粋ヴァージョンを 1 曲と、クルガゾール限定曲 2 曲を収録。

1980 年 7 月号
こぐまのミーシャを全面にあしらった一枚。オリンピック・アルバム『My Love – Sports』収録のソフィヤ・ロタールの名曲他収録。

1982 年 2 月号
国外アーティストの紹介スペースが割かれることも多いが、本号は YMO の「ファイアークラッカー」と「コズミック・サーフィン」を収録。

③その他の特殊レコード　その楽しみ方は無限大、果てなき特殊レコードの世界

　特殊レコードを代表すると言える、肋骨レコードとクルガゾールを紹介したが、ここではその他の特殊レコードを紹介させていただこう。

　ポストカード・レコード（サウンド・カード）、4インチ・レコード、12インチ・フォト・レコード、ホログラム・レコード等、様々な素材を用いながら、多様なサイズで製作されており、そのバリエーションは無数に存在する。その一例としてポストカード・レコードは、当時専用の露店が出店されており、旅先の思い出やバースデー・カード等、その用途に合わせその場でカッティングされていたという経緯もあり、膨大な数が製作されている。収録された音源も実に多岐に渡る内容となっており、ソ連歌謡、スウィング・ジャズ、プロパガンダ放送等のソ連らしいものから、The Beatlesを始めとした西側ポップス、USサーフ、カリプソ等々、ありとあらゆるものが含まれている。また、アーティスト等のクレジットはないことが多く、そのビジュアルと内容の関係性は全くない。

　そのため、全く詳細不明の音源も多いが、中には未知の素晴らしい音源が収められたものも存在する。その何が収録されているか予想がつかない、ある種「ガチャガチャ」的な楽しさが内包されているところもまた、音楽的好奇心をくすぐってやまない。なお、肋骨レコード同様、その多くは耐久性が考慮されていないことからも、現存するものの中には正常な再生が期待出来ないものも少なくない。

　他文化圏では馴染みのないソ連産特殊レコードの世界。キッチュなフィジカル・メディアとして音を楽しむも良し、雑貨的にビジュアル面だけを堪能するも良し。その楽しみ方は無限大、多様な魅力に溢れた特殊レコードの世界をご堪能いただきたい。

4 インチレコード

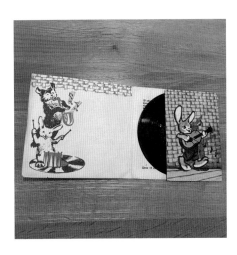

フォト・レコード

写真は The Beatles だが、収録音源は Deep Purple

こぐまのミーシャ

いずれも写真と収録音源は無関係

CHAPTER2

ここで
は広義のポップスとして、ロッ
ク、ソフト・ロック、AOR、ソウル、ファンク、
フリーソウル等から、従来のジャンルではカテゴラ
イズし難いものまで、広範な音楽を紹介する。1970 年
代に入り最盛期を迎えた VIA は、様々な要素を取り込み再
解釈を行なうことによって、独自の音楽を生んでいった。The
Ventures、The Beatles、Chicago、Earth, Wind & Fire 等、世界
的に影響力を持つ西側諸国のグループからも大きな影響を受け、
フレーズを拝借するなど直接的にその影響を現している。なお、
カヴァー曲も決して少ないわけではなかったが、アーティス
ト名等のクレジットを意図的に別のものへと変更する、
いわゆる「盗作隠し」が見られるのも、ソ連とい
う国の特殊性を物語っている。

ROCK/SOUL/POPS

VIA的サイケサウンドを体得しラトヴィアから世界的コンポーザーへ

ⓟ Raimonds Pauls

Ⓐ Raimonds Pauls

🕐 1936　🌐 ラトヴィア共和国
🔱

自国ラトヴィアの枠を遥か越え、ソ連が誇るトップ・オブ・コンポーザーとなった男、ライモンズ・パウルスの人生は、辛く苦しい少年時代から大統領選へ出馬するほどまでに駆け上がった、ピアノと共に勝ち得たサクセス・ストーリー。貧しき労働者の家庭に生まれ、父からの過度な期待を受け育った彼は、目に涙を浮かばせながらも日々ピアノの修練を積み続ける健気な少年だった。体も小さく、指も太かった彼は、時に嘲笑の対象となることもあったが、そのたゆまぬ努力と類いまれなるスキルを手に、見る見る内に頭角を現していく。20 才を迎える頃には自身のアンサンブルを率い、大きな人気を獲得。そして 1964 年には Latvian Radio Light Music Orchestra（RLMO）のリーダーに就任し、さらなる音楽的進化を遂げる。しかし、ピアノを弾き、指揮を取り、作曲を行い、さらに年間 270 を超えるコンサートを行うハードな生活に疲弊した彼は、創作に専念することを決意している。1971 年に RLMO を去ってからは、西側ロック・バンドからの強い影響も取り入れた、いわゆる初期 VIA 的サイケデリック・サウンドを体得。そして 1972 年には Modo（p.180参照）を結成し、音楽的全盛期を迎えることとなる。長いキャリアを一線で歩み続け、ラトヴィア・シーンを牽引した彼の偉大なる足跡は、国家からも多大なる評価を受け、数々の国民栄誉賞を受賞している。さらにその才は音楽だけに留まらず、1985 年には政界に進出。1993 年には文化大臣へ就任、さらに 1999 年には大統領選に出馬を果たしている。齢 80 を超えた現在もなお現役として活動を続け、2020 年にはここ日本でもその功績により、彼は旭日中綬章を受章（そのきっかけは彼の代表曲のひとつ「百万本のバラ」）しており、まさしく世界的な巨匠コンポーザーとして君臨し続けている。

℗ Raimonds Pauls ♦ s.t.

🕐 1972　🌐 ラトヴィア共和国

Ⓐ Raimonds Pauls ♦ s.t.	
ⓞ LP　▥ 33CM-03669-70	★★

60 年代中頃より始まった彼の初期キャリアでは、ピアノをメインに据えたジャズ、そしてヴォーカルを立てたポップスを奏で、大きな人気を獲得したが、1971 年に RLMO を脱退するや否や、自身の VIA, Studija（Modo の前身グループ）を結成し、本作を発表。今ではキャリア代表作と目される本作こそが、彼の音楽的最盛期の幕開けを告げる一枚となった。そしてそんな本作の中でも一際妖しく光り輝くのが A1。ドスの利いた鍵盤使い、金切り声を上げるファズ・ギター、そしてノーラ・ブンビエール（Nora Bumbiere）による猛るヴォーカル。この黄金比により生み出す、苛烈なるサイケデリック・ファンクの洗礼を浴びよ！

℗ Raimonds Pauls ♦ Melodija, Improvizācija, Ritms

🕐 1974　🌐 ラトヴィア共和国

Ⓐ Raimonds Pauls ♦ Melody, Improvisation, Rhythm	
ⓞ LP　▥ C60-05369-70	★★

続く 1973 年作『Jūras Balss』（33C-04545-46）は、朗々と歌い上げる王道歌謡スタイルをベースにしながらも、ブレイク一発転げ回るように滑走するプログレッシヴ・グルーヴァー A6、闇夜を闊歩するアシッド・ファンク B3 等を収録した秀作。そして翌年にリリースされた本作では一転、彼のピアニストとしての側面にスポットを当てた一枚となった。流麗なメロウ・ジャズから美しいピアノ・ソロまで堪能出来るが、中でも彼独自のプログレッシヴな変拍子アレンジメントと、エフェクティヴなオルガン・プレイが睨みを利かせる A2 は白眉の出来。たとえどのようなコンセプトであろうとも、どこか忍ぶのはライモンズ印。

℗ Raimonds Pauls ♦ Nekal Mani Gredzenā

🕐 1975　🌐 ラトヴィア共和国

Ⓐ Raimonds Pauls ♦ Never in My Ring	
ⓞ LP　▥ C60-05509-10	★★

アートワークにも表されているように、彼がデビュー以降最も重用した男女ヴォーカル・デュオ、ノーラ・ブンビエール＆ヴィクトルス・ラプチェノクス（Nora Bumbiere Un Viktors Lapčenoks）を改めてメインに据えた一枚。入り組んだブラス・アレンジ、美しいストリングス、クールなベース・ライン、そしてサンバからジョー・ミーク風ハンドクラップまでをも導入し、男女ヴォーカルによるポップスという定型を破り、彼ならではのワイド・レンジなアレンジ能力が存分に発揮された好作となった。巻き舌シンギングと畳み掛けるような熱狂のプログレッシヴ・グルーヴで扇動する、A5 がベスト・トラック！

℗ Raimonds Pauls ♦ Naktsputni

🕐 1978　🌐 ラトヴィア共和国

Ⓐ Raimonds Pauls ♦ Night Birds	
ⓞ LP　▥ C60-10675-6	★★

Modo が擁した若きフィーメール・シンガー、ミルザ・ジヴェレ（Mirdza Zīvere）とアイヤ・ククレ（Aija Kukule）をメインに据え、彼の屈指のヒット作となった一枚。バッキングも Modo のメンバーが担当、さらにはライモンズによるピアノ、イヴァルス・ヴィグネルス（Ivars Vīgners）が操る ARP Odyssey（米 ARP 社が誇るアナログ・シンセサイザー）等も相まって、洗練を極めたサウンドが二人の力強くも可憐なシンギングを包み込む。流麗なスキャット・ナンバーから、共産サンバ、捻くれディスコ、果てはプログレッシヴ・ファンクまで、実にセンスフルなアレンジが光る高水準な名作。

Ⓟ **Raimonds Pauls, Jānis Peters** 🔈 Māsa Kerija(Сестра Керри)

Ⓐ **Raimonds Pauls, Janis Peters** 🔈 Sister Carrie
◎ LP ▭ C60-12355-6 ★★

作家セオドア・ドライサーがアメリカン・ドリームを描いた小説『Sister Carrie』を題材にした、人気ミュージカルのために制作されたサウンドトラック作品。前作に続き、ミルザ・ジヴェレ以下 Modo のメンバーを中心に据えながら、トランペット奏者グナール・ローゼンベルグ他、ラトヴィアの一流ミュージシャンが集結。不穏なピアノによる導入部からオーケストラが一気呵成にドライヴ、息をつかせぬ怒涛のファンキー・パートへとなだれ込むキラー・チューン A1 は、ライモンズの代名詞ともいえる一曲となった。他、ライモンズの Mini Moog 使いが冴え渡る A6、A1 のエピローグ版となる最終曲 B7 にも注目したい。

🕐 1979 🌐 ラトヴィア共和国

Ⓟ **Raimonds Pauls, Jānis Peters** 🔈 Dziesmas Izrādei «Šerloks Holmss»

Ⓐ **Raimonds Pauls, Janis Peters** 🔈 Songs for the Show «Sherlock Holmes»
◎ LP ▭ C60-14381-2 ★★

前作同様、詩人ヤニス・ペテルスとの共作となった、舞台劇『シャーロック・ホームズ』のために制作されたサウンドトラック作品。本作に Modo は参加していないこともあってか、前作とは音楽性をガラリと変え、集団歌唱を中心に洗練されつつも、猥雑なディスコ・サウンドが収められている。不穏なストリングス、一糸乱れぬ強迫観念的コーラス、不気味に蠢く Moog、そして焦燥感に満ちたリズムによるソ連版「天井桟敷」的舞台曲 A1、随所に挿入されるカンフー・ヴォイスが堪らない、マフィアとの逃走劇を描くランニング・ディスコ A4、フラフラと酩酊する脱臼コズミック・ナンバー B5 等、巨匠の名に恥じぬ名品となっている。

🕐 1980 🌐 ラトヴィア共和国

Ⓟ **Raimonds Pauls** 🔈 Mans Ceļš

Ⓐ **Raimonds Pauls** 🔈 My Way
◎ LP ▭ C60-14211-12 ★★

80 年代には 20 に及ぶアルバムを残しているが、ここでは何枚かの秀作を紹介する。まず 1980 年リリースとなる本作は、フランク・シナトラの「My Way」を始め、お馴染みの名曲群をインスト・カヴァーした一枚。Bee Gees「Stayin' Alive」のコズミック・カヴァー B5 他、その一線を画す洗練されたグルーヴはお見事。そして 1984 年には『ダイアログ (Dialog)』（C60 21271 006）をリリース。感傷的歌い上げ系ヴォーカリスト、ヴァレリー・レオンティエフとの共演作でありながら、ライモンズ節は遺憾なく発揮。特にコズミック・ファンク・バラード A5 は、両者のアンバランスさがぶつかり稽古した名曲。

🕐 1980 🌐 ラトヴィア共和国

Ⓟ **Raimonds Pauls** 🔈 Mūzika No Kinofilmas «Dubultslazds»

Ⓐ **Raimonds Pauls** 🔈 Music from the Feature Film «The Double-Trap»
◎ LP ▭ C60 23291 008 ★★

1985 年には大ヒットを果たしたクライム・サスペンス映画『The Double-Trap』のサウンドトラックを手掛けている。コズミック・レッド・ブギーA1 を筆頭に、見ずしてもギャングと警察の抗争映像が頭にフラッシュバックするような、実にセンスフルな一枚となっている。本作にてビートの刻み方や音色（Yamaha DX7、Roland TR-909 他を使用）も完成を迎え、彼の 80 年代の代表作ともなった。そしてその後現在に至るまで、他アーティストの追随を許さぬほどの圧巻のカタログを残している（アルバムだけで 100 作近く！）。あくまでここで紹介した作品はごく一部、ご自身で深く掘り下げてみては？

🕐 1985 🌐 ラトヴィア共和国

℗ Nora Bumbiere Un Viktors Lapčenoks ❶ Dzied Nora Bumbiere Un Viktors Lapčenoks

ⓐ **Nora Bumbiere and Viktors Lapčenoks** ❶ Sung by Nora Bumbiere and Viktors Lapčenoks
ⓒ LP ▨ C60-05533-4 ★★

ここからはライモンズと深く関係したアーティストたちの作品をご紹介。まず本作は、先述もしたライモンズが初期作から重用し続けた、男女ヴォーカル・デュオによるソロ・デビュー作。ライモンズに加え、ラトヴィア・ロックの先駆的バンド、Katedrāle（当時は音源リリースなし）の創始者にして、Studija 〜 Modo のギタリスト、グナール・シムクス（Gunārs Šimkus）が完全バックアップ。ファズ・ベースと唄吹きフルートによる A4、複雑怪奇な長尺ナンバー B2 & B3 等、アートワークからはとても想像だにしない、アヴァンギャルドかつプログレッシヴなエクストリーム・サウンドに驚嘆すること間違いなし。

❶ 1975 　🌐 ラトヴィア共和国

℗ Nora Bumbiere Un Viktors Lapčenoks ❶ Vēl Nav Par Vēlu

ⓐ **Nora Bumbiere and Viktors Lapčenoks** ❶ Not Too Late
ⓒ LP ▨ C60-09247-8 ★★

バッキングにはラトヴィア最強グループ Modo、創設者ライモンズ、そして後継者ジグマルス・リエピンシュと顔触れが揃いも揃った 2nd アルバム。前作に比べ全体的にポップス然とした作風となるも、泣きのディストーション・ギターとドラムのフィルインが秀逸なドラマチック・ハード・サイケ B2、そして冒頭の 1 フレーズだけで瞬時に彼の曲と分からされる、ライモンズ節炸裂の暗黒サイケ・ファンク・ナンバー B4 も混入した、まさに取り扱い注意の劇薬。なお、二人は 70 年代の数年間夫婦であったこともあり、共に Modo のソリストとしても活躍を果たしていたが、本作以降は Modo を脱退し、それぞれソロ活動への道を歩んでいる。

❶ 1978 　🌐 ラトヴィア共和国

℗ Dālderi ❶ Nāc Pie Puikām!

ⓐ **Dwarfs** ❶ Come to the Party!
ⓒ LP ▨ C60 19775 005 ★★

ライモンズ・パウルスが全曲コンポージングを手掛けたプロジェクト・グループによる唯一作。ボコーダーを駆使した Kraftwerk 的ストラクチャーで構築された B1、機械仕掛けのハード・ロック・チューン A6、そして鉄のカーテンの向こう側でチルな雰囲気で揺らいで見せる哀愁レゲエ・チューン B3 等を収録。Zodiac のディレクションも手掛けたメンバー、アレクサンドルス・グリヴァ（Aleksandrs Grīva）の仕事ぶりもうかがえる、これぞライモンズ節全開の百花繚乱パーティー・アルバム。この後グループは活動を休止するも、ラトヴィア独立後の 1993 年に再始動。現在は「Dakota」と変名し、活動継続中。

❶ 1983 　🌐 ラトヴィア共和国

℗ Latvijas Televīzijas Un Radio Estrādes Orķestris ❶ s.t.

ⓐ **Latvian TV and Radio Variety Orchestra** ❶ s.t.
ⓒ LP ▨ C60 25695 008 ★★

ライモンズと共に Latvian TV and Radio Variety Orchestra に参加した、ラトヴィアきってのフリーソウル系トランペッター兼コンポーザー、グナール・ローゼンベルグとライモンズの共演作。バッキングを務めた楽団の指揮、作曲、アレンジ、そしてトランペットと、その多くはグナールが手掛けており、ライモンズは数曲の作曲を担当。リラックスしたハードのジャズ・ナンバーを中心に構成された一枚で、天からキラキラと降り注ぐかのような音色と、リノワと綿毛のようなサウンド・テクスチャーに包まれたラウンジ・ジャズ A2 は極柔の一言。なお、グナールや楽団のソロ名義作に関しては別項（p.46、p.51）を参照あれ。

❶ 1987 　🌐 ラトヴィア共和国

軍楽隊出身、コメディ映画皮切りにソ連サウンドトラック界の王に

Ⓟ Александр Зацепин
Ⓐ Aleksander Zatsepin

🕐 1926　🌐 ロシア共和国（ノヴォシビルスク）
🎵

丸ごとレジェンド・オブ・レジェンド。悠に 100 を超える映画音楽を手掛け、ソ連サウンドトラック界の王として君臨し続ける巨匠コンポーザー、アレクサンドル・ザツェーピン。1926 年、「シベリアの首都」ノヴォシビルスクに生まれた彼は、反革命罪で投獄された父との思い出は乏しく、少年の頃より母子家庭に育った。そんな彼の人生の転機は、ちょうど 20 才頃に就いた兵役。ひょんなことから軍楽隊に編入された彼は、その才も手伝い、多くの楽器を習得、退役後は交響楽団で働きながら専門的な音楽教育を受けることとなる。その後、着実にその腕は磨き上げられ、50 年代初頭より作曲活動を開始。30 代になった頃にはモスクワへと拠点を移し、コメディー映画の作曲を皮切りに活躍の場を広げ、一線級のコンポーザーとして輝かしいキャリアを歩み続けている。そんな彼は Melodiya 設立前の 60 年代初頭からレコードのリリースを始めているが、そのキャリアの中でも最盛期と言えるのは、100 を超える楽曲を共に創り上げた作詞家レオニード・デルベニョフ（Леонид Дербенёв）と蜜月の時を過ごした、70 〜 80 年代となるだろう。70 年代には自身のレコーディング・スタジオをも建設し、繰り返される音楽的実験の中でサウンドはさらにビルドアップ。その最大の成果として、アレクサンドル・グラツキー（Александр Градский）による『Романс о влюбленных（恋人たちのロマンス）』と並ぶ、映画音楽の金字塔『Разговор со счастьем（幸せとの対話）』を 1974 年にリリースした彼は、ロック、サイケ、ジャズ、ファンク、ディスコ、エレクトロ等、多種多様な国内外のトレンドを貪欲に吸収し続けながらも、自身の語法に置き換えた独自のサウンドを生み出し続け、ソ連を代表するコンポーザーとしてシーンを先導し続けた。

ⓅАлександр Зацепин ❶ Разговор со счастьем

ⒶAleksander Zatsepin ❶ **Conversation with Happiness**
ⓄLP ▭ M60-35677-8 ★★★★★

巨星の黄金期到来を告げる一枚にして、ソ連映画音楽界を象徴するレジェンド・アルバム。ソフィヤ・ロタールやヴァレリー・オボジンスキー（Валерий Ободзинский）等のヴォーカリストを据えつつ、そのバッキングを務めるのはかの Melodiya Ensemble。極太ベースと女性ハミングで雄々しくグルーヴするジャズ・ファンク B3 等の人気曲を収録しつつも、本作が伝説たる所以は、シーンを代表する名曲中の名曲 A3「Танец Шамана(Dance of the Shaman)」の存在。跳ね回るベース・ライン、嘶く電子音、転がるジャズ・ピアノ、これぞ Red Funk の雛形にして究極。

🕐 1974　🌐 ロシア連邦共和国

ⓅАлександр Зацепин ❶ Песни из кинофильма "Между небом и землей"

ⒶAleksander Zatsepin ❶ **Songs from the Motion Picture "Between Heaven and Earth"**
ⓄLP ▭ C60-07085-86 ★★★

Ариэль（Ariel）をメイン起用して制作された、1975 年公開音楽映画のサントラ作。Ариэль が生み出すサイケデリック・サウンドを軸に据え、コズミック・サイケ・ファンク A2、ハイスピード・ファズ・ファンク B3 等を収録した強力盤となった。そして 1980 年には 1978 年公開テレビ映画『31 июня（6 月 31 日）』のサントラ作をリリース。ザツェーピン・ワークスの常連組、アーラ・プガチョワやタチアナ・アンツィフェロヴァ等の女性ヴォーカリストを起用し、コズミック・ディスコ・ナンバー A3 を始め、ボードビル・スタイルをもザツェーピン流に染め上げた B2 等、その圧倒的な個性はオーチン・ハラショー！

🕐 1976　🌐 ロシア連邦共和国

ⓅАлександр Зацепин / Леонид Дербенев, Аракс ❶ Песни из к/ф "Узнай меня"

ⒶAleksander Zatsepin / Leonid Derbenyov ❶ **Songs from K/F "Know Me"**
ⓄLP ▭ C60-14995-96 ★★

盟友レオニード・デルベニョフとの連名作となった、1979 年公開映画のサントラ作。演奏は Аракс（Araks）が担当し、タチアナ・アンツィフェロヴァによる鼻にかかった甘酸っぱくキュートなヴォーカルと、ザツェーピン流エレクトロ・ディスコのトラックとが織りなす名曲 A1 を筆頭に、コズミックなミッド・テンポ・ファンク B1 等を収録した人気作。そして 1990 年には『Остров разлуки（離れ島）』（C60 30599 002）をリリース。本作においても当時の先端録音技術を駆使しながら、彼の独自性ともいえるコズミック・サウンドをサラリとヒット・ソングに落とし込んでみせている。巨星の作品にハズレなし！

🕐 1980　🌐 ロシア連邦共和国

ⓅАлександр Зацепин ❶ Песни

ⒶAleksander Zatsepin ❶ **Songs**
Ⓞ7" ▭ C62-15679-80 ★★★

彼は 60 年代初頭より数多くのシングル作をリリースしているが、中でもソロ名義シングルとしては大トリを飾る本作に注目したい。うねるコズミック・シンセサイザーで幕を開け、Bee Gees「Stayin' Alive」的ファンキーなギター・カッティングとミッド・テンポのディスコ・ビート、そして中間部の流麗なスキャットが抜群の輝きを放つロング・トラック A1、同傾向のサウンドながら、哀感漂うメロディ・ラインやブラスとエレクトリック・ピアノのアレンジが秀逸な B1、いずれも出色の出来となっている。なお、彼は珍しく日本盤もリリースしており、1970 年公開映画『赤いテント』のサントラ作を LP と 7 インチシングルで残している。

🕐 1981　🌐 ロシア連邦共和国

2億5000万枚のレコードを売ったソ連随一のポップ・クイーン

℗ Алла Пугачева
Ⓐ Alla Pugacheva

● 1949　⊕ ロシア共和国（モスクワ）
⬆

その数、実に 2 億 5000 万枚。国家、そして国民からの愛を一身に受け、途方もない数のレコードのセールスを上げ、ソ連随一の成功を手中にした希代のポップ・クイーン、アーラ・プガチョワ。5 才の頃から音楽学校に通い英才教育を受け、16 にして処女作「Робот」（未レコード化）を録音。学生ながらテレビの出演から北極圏でのツアーまでをも行い、卒業後 20 才を迎えた彼女は、サーフ・ガレージ VIA、Новый электрон（New Elektron）のソリストとしてプロ・デビューを果たす。その後、ソ連 VIA の開祖的存在、Весёлые ребята（Jolly Fellows）のソリストを務めた彼女は、1975 年にブルガリアで開催された国際歌謡コンテストにソ連代表として出場し、満場一致でグランプリを受賞、以降華々しいキャリアを歩むこととなる。彼女は 40 年に及ぶ活動の中で実に多くの作品を残しており、アレクサンドル・ザツェーピン、コンスタンチン・オルベリャン等々、名だたる巨匠コンポーザー達との共作も多く残したが、その中でもとりわけ日本人にとって馴染み深いのは、ライモンズ・パウルスのペンによる楽曲「Миллион роз」（7"/C62-18531-32）だろう。ここ日本では加藤登紀子による日本語カヴァー版「百万本のバラ」として知られている同曲は、世界中でヒットを果たし、彼女の代名詞として長く親しまれている。また、お抱えのバッキング・バンド、Ритм（Rhythm）を率いた 80 年頃を境に、彼女自身の手による楽曲が多くを占めるようになり、シンガーソングライターとしても抜群の才を見せている。2009 年の 60 歳の誕生日に引退を表明した彼女は、すでに一線を退きはしたものの、現在もなお絶大な人気を誇り、ロシアを代表するポップ・スターとして変わらず輝き、愛され続けている。

℗ Алла Пугачева ❶ Зеркало души

Ⓐ **Alla Pugacheva** ❶ The Mirror of One's Heart
Ⓞ 2LP ▭ C60-09799-802 ★★★

ソ連を代表するポップ・クイーン、アーラ・プガチョワによるソロ・デ
ビュー作。共産ファンク固有の捩れたプログレッシヴ・ファンク・グルー
ヴと、声量たっぷりのヴォーカルとが交錯する、2枚組大作にして通算
1,000万枚以上のセールスを誇る代表作。とりわけ巨匠アレクサンドル・
ザツェーピンがコンポージングを手掛けた、ソ連以外では生まれ得ない禁
断のクレイジー・ダンサー A1、そして Yes「No Opportunity Necessary,
No Experience Needed」を想起させるイントロで幕を開けるプログレッ
シヴ・ナンバー C4 がベスト。なお、本来の 2LP 版は希少だが、セパレー
ト版も存在するため容易に入手が可能となっている。

🕐 1978　⊕ ロシア連邦共和国

℗ Алла Пугачева ❶ Поднимись над суетой

Ⓐ **Alla Pugacheva** ❶ Rise above the Hustle
Ⓞ LP ▭ C60-14429-30 ★★

彼女が広く認知される契機となったのは、ブルガリアで開催された国際歌
謡コンテストでのグランプリ受賞。そのため 1976 年のアルバム・デビュー
（スプリット作）は同国のレーベル Balkanton からとなったが、その後は
Melodiya よりおよそ年 1 枚のペースで大量のアルバムをリリースし続け
ている。そんな中、本作は初の全曲自作曲となった 4th アルバム。彼女お
抱えのファンキー・グループ、Ритм（Rhythm）をバックに従えて、半ば
強制的に腰を振らす高速ファンキー・ディスコ・ナンバー A1 & B4、洗
練されたエレクトリック・ピアノ、フルート、そしてスキャットにパーカッ
ションが濃厚に絡みつく、レッド・サンバ・チューン A4 が聴きどころ。

🕐 1979　⊕ ロシア連邦共和国

℗ Алла Пугачева ❶ Как тревожен этот путь

Ⓐ **Alla Pugacheva** ❶ How Disturbing is this Way
Ⓞ 2LP ▭ C60-17663-6 ★★

デビュー・アルバムに続く 2 枚組大作となった 5th アルバム。空っぽの
アンビエンスの中、鉄壁ビートと打ち付けるピアノが響き渡るストレン
ジ・ナンバー A1、ギクシャク歪にファンクするプログレッシヴ・ディス
コ A2、シングル・カットもされたコズミック・ディスコ名曲 A3、果て
は必殺コズミック・レゲエ・チューン B4 までをも収録した、大ボリュー
ムで迫る聴き応え十分の中期代表作。なお、本作も初回盤は 2LP 仕様と
なるが、同年にはセパレート版のリリースもあり。また、本作より Ритм
（Rhythm）に代わり Рецитал（Recital）がバッキングを担当。以降、彼
女が引退する 2009 年まで、長きに渡り彼女を支え続けている。

🕐 1982　⊕ ロシア連邦共和国

℗ Алла Пугачева ❶ Ах, как хочется жить

Ⓐ **Alla Pugacheva** ❶ Ah, How I Wish to Live
Ⓞ LP ▭ C90 21357 008 ★★★

ブルガリアの国営レーベル、Balkanton と Melodiya との共同リリースと
なった通算 6th アルバム。レゲエ・フィーリング漂うレイドバック・メロ
ウ・ナンバー A1 や、シングル・カットもされた仰々しく闇夜を闊歩する
ドラマチック歌謡 B4 を筆頭に、前作までとはまた異なる新しい音楽性を
見せた秀作となった。そして翌 1985 年には、全編英語詞で歌われた『In
Stockholm』（C60 23481 002）をリリースし、以降 2008 年の最終作まで
多くの作品を残している。また、大半はアルバムからのカットが中心とな
るものの、非常に多くのシングル作も残しており、そちらもあわせてチェッ
クしておきたい。

🕐 1984　⊕ ロシア連邦共和国

アゼルバイジャンが生んだ至高のヴォーカル・カルテット

℗ Гая

Ⓐ Gaya

🕐 1961　🌐 アゼルバイジャン共和国
👤 Теймур Мирзоев、Рауф Бабаев

カスピ海を望む国アゼルバイジャンに生まれ落ちた、真紅に輝く至高のヴォーカル・カルテット。アゼルバイジャン語で「Qaya」と表記されたその名は、アゼルバイジャン東部の港町の名でもあった。彼らのキャリアのスタートは古く、1961 年にはプロとしてのステージに立つが、最初の転機を迎えたのは 1963 年、ダゲスタン自治共和国出身の巨匠コンポーザー、ムラド・カジュラエフ（Мурад Кажлаев）との出会いだった。カジュラエフへの誘いに応じた彼らは、新たなグループ、グニブ（Gunib）を結成。1965 年には 10 インチアルバム『Приезжайте в Дагестан（ダゲスタンへ行こう）』（33C1009-10）をリリース、怒号のようなパーカッションの渦と気品溢れるジャズ・コーラスが交錯する名曲「Африка（Africa）」を収録した好作となった。同年に再びアゼルバイジャンへと戻った彼らは、カジュラエフの助けを得ながら Gaya を再始動。その後コンスタントに作品をリリースし続ける中、70 年代初頭に次なる転機が訪れる。Песняры（Pesnyary）や Орэра（Orera）と共にスタジアム・クラスのライヴを開催するほどの名声を手中にした彼らは、バッキングに国内随一のミュージシャンを招き入れ、1974 年作『Гая』にて飛躍的な音楽性の発展を誇示する。さらにロック・オペラ『ジーザス・クライスト・スーパースター』への参加を受け、さらなるサウンドの増強を追求。ヴォーカル・カルテットから 6 人組の VIA へと成長を遂げ、キャリア黄金期の到来を告げている。1978 年リリースの EP『Азербайджан（アゼルバイジャン）』にて彼らが目指したサウンドは完成を迎え、1980 年のモスクワ・オリンピックにも招聘された彼らは、ソ連随一の洗練を極めたコーラス・グループとして、広く語り継がれるべき存在として輝き続けている。

Ⓟ Гая Ⓗ s.t.

● 1974　● アゼルバイジャン共和国

Ⓐ Gaya Ⓗ s.t.
Ⓞ LP　C0-04811-12　★★★★

幼き頃からエリート教育を受け、同国が誇るトップ・グループへと成長を遂げた彼らは、1969年に初期人気作となる『s.t.』(C01735-36)をリリース。可憐なスキャットやボッサ・ティストを交えつつ、洗練されたハーモニーとジャジーなバッキングで魅せるジェントルなソフト・ロックを奏でて見せたが、次作となる本作でその音楽性は劇的な飛躍を遂げる。「アゼルバイジャンの Free Design」とでも名付けるべき、洗練を極めた至妙のスタイリッシュ・サウンドに満たされた本作の中でも、ブラス隊とオルガンで幕を開け、クールなジャズ・ファンク・バッキングとパパパコーラスでグルーヴする A5 はとっておきの一曲。

Ⓟ Гая Ⓗ Государственный вокально-инструментальный ансамбль Азербайджана

● 1976　● アゼルバイジャン共和国

Ⓐ Gaya Ⓗ Azerbaijan Vocal and Instrumental Ensemble
Ⓞ LP　C60-06819-20　★★★★

自国語はもとより、ロシア語、英語、イタリア語、スペイン語等々、様々な言語を駆使したマルチリンガル・ハーモニーを武器に、1976年にリリースした傑作中の傑作。前作の路線をさらに推し進め、メンバーの増員によりサウンドの厚みは増大。民謡を下地にしつつも、西側諸国とも共鳴する洗練されたソフトロック・ハーモニーと、VIA の長所を使い切ったとも言える至高のジャズ・ファンク・グルーヴとが高い純度で融和している。The Ides of March による米ブラス・ロック名曲「Vehicle」のリファイン・カヴァー A3 等、ワールド・クラスに磨き上げられたそのセンスも相まって、類を見ない程に完成された一枚となった。

Ⓟ Гая Ⓗ Гуантанамера

● 1973　● アゼルバイジャン共和国

Ⓐ Gaya Ⓗ Guantanamera
Ⓞ Flexi　33ГД0003811-12　★★★

グループ単体名義では 4 枚のアルバムを残す彼ら。シングルは Melodiya 設立以前のレーベル Аккорд（Accord）から 1963 年にリリースした SP 盤に始まり、80 年代に至るまで数々の作品を残しているが、ここではその中から選りすぐって紹介する。まず 1974 年作『Гая（Gaya）』から先行リリースされた本作に収録されている、ファンキー・ソウル・チューンは要チェック。また、1979 年にリリースされた Aphrodite's Child のヴォーカリスト、デミス・ルソスとのスプリット・ソノシート作（Г62-07329-30）にも注目したい。中でも胸がすくようなハーモニー・ポップ・ナンバー B1 をレコメンド！

Ⓟ Гая Ⓗ Азербайджан

● 1978　● アゼルバイジャン共和国

Ⓐ Gaya Ⓗ Azerbaijan
Ⓞ EP　C62-10305-6　★★★★★

シングルのみならず全カタログ中、最も重要度の高い本作は、彼らが長いキャリアの末に導き出した、文字通りアゼルバイジャン・グルーヴの最終回答にして、Red Funk 屈指の傑作 EP。伝承音楽と躍動するようなファンキー・グルーヴが高い次元で融合しており、3 曲全て本作のみに収録、そしてその全てが極上。人気度、希少度からも Melodiya 屈指の市場価値を誇る EP となった。そして彼らの最終作となるソノシート『Танцуют все（みんな踊ろう）』（Г62-09209-10）にも注目。2 曲のオリジナル曲に加え、A1 に「Boogie Wonderland」、B1 に「Star」と 2 曲の EW&F カヴァーを収録した強力盤！

℗ Оризонт

Ⓐ Orizont

🕐 1976　🌐 モルダヴィア共和国
👤 Олег Мильштейн

ソ連においても一つの指標とされた「ファンク」の体現者、Earth, Wind & Firo（以下 EW&F）を中心に、同時代の西側音楽を貪欲に吸収し、自国モルダヴィア共和国の音楽シーンの威信を背負い、先端音楽を生むべく結成された大所帯ファンキー VIA。創設から解散まで、長きに渡ってグループを統率し続けたリーダー兼コンポーザー、オレグ・ミリシュテイン（Олег Мильштейн）は、60 年代にフォルティナ（Fortina）、70 年代には Сонор（Sonol）というアンサンブル（共にレコード・リリースはない）を率い、一定の成功を収めていたが、さらなる音楽的発展を求め、VIA の結成を構想した。EW&F も 10 名に及ぶメンバーが在籍したが、大きく 4 つのセクション（コーラス、ホーン、ヴァイオリン、リズム）にアカデミックな音楽教育を受けたトップ・ミュージシャンのみを選出し、最大 16 名と VIA らしい大人数でグループを構成。さらにステージ衣装を国内随一のファッション・デザイナーに任せる等、西側音楽との差別化を目指している。1976 年にデビューするや否や大きな成功を手中にした彼らは、自国のみならず全土でも大きな賞賛を浴び、1978 年にはソ連代表として東ドイツのテレビ番組に出演を重ね、Lift や Karat 等、同国のプログレッシヴ・ロック・バンドらとも共演を果たした。さらに同年にレコード・デビューを果たすと、各メディアより Песняры（Pesnyary）らと共に「VIA トップ 10」へと選出される等、国家からの評価をも確かなものとした。そしてそれ以降、彼らは国民的グループとして国内外での活躍を続けている。90 年代突入目前にメンバー脱退が相次ぐこともあったが、1994 年の解散までその人気が衰えることはなかった。ソ連全土の中でも先立って「ファンク」を切り開いたパイオニア的グループとして、今現在もその功績は輝きを放ち続けている。

ⓟ Оризонт ❸ s.t.

ⓐ Orizont ❸ s.t.
ⓒ LP ▥ C60-10691-92 ★★★

音楽フェスティバルやテレビ・コンテスト等で目覚しい活躍を果たし、満を持してのリリースとなった記念碑的デビュー・アルバム。モルダヴィア民謡のカヴァーを含む共産圏ポップスを下地にしながらも、EW&Fの影響下にあるファンキー・グルーヴ、そしてVIAらしい突発的な多量のワウ&ファズ・ギターをも盛り込んだ、ソヴィエト固有のプログレッシヴなアレンジがギラつく一枚。下っ腹ブチ抜くファンキーな極太ベース・ライン、貫禄たっぷりのホーン・セクション、そして男女混声によるダバダバ・コーラスが強制的に腰を振らすA3は、シーンを代表するマスト・チューン！ YouTube等で見られるテレビ出演時の映像もマスト・チェック！

🕐 1978 🌐 モルダヴィア共和国

ⓟ Оризонт ❸ Мой светлый мир = My Wonderful World

ⓐ Orizont ❸ My Wonderful World
ⓒ LP ▥ C60-17251-2 ★★

1982年には故郷モルダヴィア共和国を離れ、ロシア南部の都市スタヴロポリの交響楽団の所属となり、より活動の範囲が拡大。さらなる国内外での大きな成功も伺える、英語タイトルも併記された2ndアルバム。前作のようなドスの利いたベース・ラインが煽動するファンキー・グルーヴは後退するも、ハートウォーミングな男性ヴォーカル、抑制の利いたリズム・セクション、そして美しいキーボード捌きが誘う、A3やB1で聴けるようなブラジリアン・メロウ・スタイルはまた格別。小気味の良いホーン隊が盛り立てる、彼らお得意のファンキー・ナンバーB3も抑えつつ、鉄の味がするソ連シーンを和ませる絶品チルアウト・アルバムとなった。

🕐 1982 🌐 モルダヴィア共和国

ⓟ Оризонт ❸ Настроение

ⓐ Orizont ❸ Mood
ⓒ LP ▥ C60 18971 002 ★★

前作での成功の勢いそのまま翌年にリリース、さらに洗練されたディスコ～ファンクへと進化を遂げた3rdアルバム。必殺の女性ダバダバ・コーラスと流麗なエレクトリック・ピアノが織りなすメロウ・サンバA1、前作収録曲ながら曲名と歌詞を変更して再録音したアゲアゲ・ディスコA2、スロウ・バラードから一転、駆け抜けるようなベース・ラインと連発ホーンがグルーヴする、緩急自在のメロウ・ファンクA4、そして勇壮なホーン隊とグリッサンドする極太ベース&シンセが堪らない中期代表曲B3等、多くの人気曲を収録した充実作。その後は1991年に最終盤となる『Кто виноват?（誰が有罪か）』（C60 31383 006）をリリースしている。

🕐 1983 🌐 モルダヴィア共和国

ⓟ Оризонт ❸ Руде-попарудэ

ⓐ Orizont ❸ Rude-poparude
ⓒ Flexi ▥ Г62-07877-8 ★★★

彼らは同郷の歌姫、マリア・コドリャーヌ（Мария Кодряну）のバック・バンドとして結成されたという側面もあったため、レコード・デビューは1977年の連名ソノシート作『Кто ты?（あなたは誰?）』（Г62-06245-6）であった。そして翌年にはアルバム未収録の3曲を収めたソノシート作『Оризонт』（Г62-06567-8）等、彼らは多くのシングルをリリースしているが、本作こそが最注目の一枚だろう。翌年リリースのEP『Мотылек』（C62-15265-6）とはA1のみ収録曲が異なるが、その1曲こそが大ネタ。コドリャーヌの代表曲でもある、稀代のファンキー・ソウルをOrizont流に悶絶カヴァー！

🕐 1980 🌐 モルダヴィア共和国

初期VIAで国民的ヒットし、各国音楽賞総なめ、後年ディスコ化

℗ Самоцветы

Ⓐ Samotsvety

🕐 1971　🌐 ロシア共和国（モスクワ）
👤 Юрий Маликов

ソ連圏に数多存在した VIA の中でも屈指の人気を誇り、ソ連全土から一身に愛を受けて育まれた、モスクワきっての国民的ヒット・グループ。グループの創設者であるユーリ・マリコフ（Юрий Маликов）は、モスクワ音楽院のコントラバス科を 1970 年に卒業した後、同年に日本で開催された「大阪万博」への同行を打診され、日本での活動を送る中で VIA 結成への構想を固めている。帰国後、メンバーの選別を進める中で、自身が担当することとなったラジオ番組にてグループ名を募集。数万通の手紙の中から「Самоцветы（Gems / 宝石）」を選び、1971 年にデビューを飾っている。1973 年に『Самоцветы』にてアルバム・デビューを飾った彼らは、同作にも収録され彼らを代表するナンバー・ワン・ヒットとなった、ダヴィッド・トゥフマノフ作曲によるソ連歌謡クラシック「Мой адрес - Советский Союз（私の住所はソヴィエト連邦）」を旗印に掲げ、Весёлые Ребята（Jolly Fellows）や Песняры（Pesnyary）らと共に初期 VIA の興隆に大きく寄与する役割を担った。しかし、南米ツアーを終えたばかりの 1975 年、グループから多くのメンバーが離脱。彼らが Пламя（Plamya）結成へと動きを見せていく中、グループの大胆な再編を余儀なくされたマリコフは、新体制の構築を急ぎながらも、西側音楽の流入から来る新しい時代の潮流に応えるべく、音楽性のアップデートを試みている。80 年代以降は徐々に人気を失い始め、90 年代以降は活動停止と再開を繰り返しながらも、多くの楽曲を世に発表し続けた彼らは、近年では 2011 年にニュー・アルバムを発表している。そして今現在もなお、モスクワを代表するグループのひとつとして、国内外問わず多くの人気を集めている。

℗ Самоцветы ● s.t.

● 1973　⊕ ロシア連邦共和国

Ⓐ Samotsvety ● s.t.
Ⓞ LP　▦ 33CM04445-46　　★★

1971 年 10 月にライヴ・デビューするや否や熱狂的な人気を獲得し、ド
イツ、イタリア等の音楽祭で数々の賞を受賞。クレムリンへの招待に始ま
り、南米からアフリカまで世界を股にかけて活動し、以降国民的グループ
となる彼らが、満を持してリリースしたデビュー・アルバム。ヒット曲
B1「Мой адрес - Советский Союз（私の住所はソヴィエト連邦）」を始
め、ソ連歌謡然としたメロディーを主軸にしつつも、VIA らしいファズ＆
ワウ・ギター使いや、ロック的なビート感が織り込まれている。私的には、
男女混成ヴォーカルによる哀感漂うメロディー、バタつくドラム、そして
ギター・ワークが秀逸なサイケデリック・バラード B2 をプッシュ。

℗ Самоцветы ● У нас, молодых

● 1975　⊕ ロシア連邦共和国

Ⓐ Samotsvety ● We, Young
Ⓞ LP　▦ C60-05893-94　　★★

後のモスクワ・オリンピック時にはメインのサッカー競技場としても使用
された、ディナモ・スタジアムを始めとした巨大会場にて数万人規模のラ
イヴを頻繁に開催するも、全て即完売する国内随一のスタジアム・バンド
として成長を遂げた彼らが、1975 年にリリースした最高傑作となる 2nd
アルバム。前作で示した音楽性をさらにブラッシュアップした一枚とな
るが、兎にも角にもイントロでファズとブラス隊が火を噴く A1、そして
ワイルドなファズ・ギターが猛烈に疾走するガレージ・サイケ・チューン
A6 に注目したい。特に A1 は Hip Hop のサンプリング・ネタとしても流
用される等、Red Funk 屈指のキラー・ループとなった。

℗ Самоцветы ● Прогноз погоды

● 1983　⊕ ロシア連邦共和国

Ⓐ Samotsvety ● Weather Forecast
Ⓞ LP　▦ C60 18949 001　　★★

1975 年のメンバー再編時にはモルダヴィア共和国出身の最古の VIA のひ
とつ、Норок（Noroc）のメンバーだったウラジーミル・プレスニャコフ
（Владимир Пресняков）が加入。70 年代から 80 年代後半にかけて中心
メンバーとしてグループを支えた。1980 年にリリースした 3rd アルバム
『Путь к сердцу（心への道）』（C60-14165-6）では、シンセサイザーを
大胆に導入し、高速「Stayin' Alive」風 A2、変則的なプログレッシヴ・ディ
スコ A3 等を収録し、新境地を開拓する。そして 4th アルバムとなる本作
では、さらにディスコ化を進め、時代の潮流を追従。国民的グループとし
ての底力を見せた。

℗ Самоцветы ● Просто не верится

● 1979　⊕ ロシア連邦共和国

Ⓐ Samotsvety ● Just Don't Believe
Ⓞ EP　▦ C62-11763-64　　★★

彼らが残した 20 枚に及ぶシングル群の中から、アルバム未収録曲を中
心にご紹介したい。まずは 1973 年リリースのオムニバス EP『Я еду к
морю（私は海へ行く）』（33Д-00034703-04）には、致死量寸前のファズ
がてんこ盛りなヘヴィー・ソ連歌謡を収録。そして 4 曲全てが未収録の
本作には、クールなドラミング、一気呵成に咆哮するブラス隊、そして鋭
利なギター・カッティングが魅力のキラー・レッド・ファンク・チューン
A2 を収録。ファンは必ずチェックしておきたい。また、1981 年リリース
の『Солнечный луч（太陽の光）』（C62-16377-8）に収録の、クセ強めの
コズミック・ディスコ歌謡も併せてチェック！

ソ連式必殺の盗作隠しや民謡改変爆発のリトアニア・ファンク

ⓟ Нерия

ⒶNErija

● 1970　⬤ リトアニア共和国
● Petras Jokubauskas、Romualdas Bieliauskas、Stanislovas Ciapas、Simonas Donskovas、Aleksas Kastanavicius

バルト海とクルシュー・ラグーンを隔てるリトアニアが誇る世界遺産、「クルシュー砂州（Kuršių nerija）」
をグループ名に冠した、リトアニアで最も名を成したファンク・アンサンブル。リトアニア国立フィルハー
モニーからグループの結成が決められたのは 1970 年のこと。結成時のリーダーはペトラス・ヨクバウスカ
ス（Petras Jokubauskas）が務めたが、今現在まで活動を続けるその長いキャリアの中で、計 5 人が代わ
る代わるリーダーを歴任している。そしてその中でも最も才能に溢れ、グループを大きな成功へと導いたの
は、2 代目リーダーを務めたロムアルダス・ビエリャウスカス（Romualdas Bieliauskas）だった。1973 年
レコード・デビュー作『Nerija』よりリーダーを担当した彼は、キーボーディスト、バッキング・ヴォーカル、
コンポーザー、アレンジャーと八面六臂の活躍を遂げ、1979 年 4th アルバム『Dainų Nupinsim Pynę...』リ
リースまでの間に、グループをリトアニアを代表する存在までに押し上げることに成功する。しかし、重度
の病に冒された彼は 1979 年に急逝。創造性の中心軸を失ったグループは、以降メンバーを大きく入れ替え、
ディスコ等流行の音楽性を取り入れながら活動を継続している。現在は 5 代目リーダー、アレクサス・カ
スタナビシウス（Aleksas Kastanavicius）の下、伝統音楽をアゲアゲのユーロビート風に仕立てた音楽を中
心としたトリオとして、控えめにライヴ活動を続けている。また、同郷のコンポーザー、グラシウス・パウ
ガ（Gracijus Pauga）が 1981 年にリリースしたソロ作『Kaip Muzika Lietus...』（C60-14889-90）には、そ
の作品のみに収録された Nerija によるディスコ・ナンバーを収録している。

℗ Nerija ⓗ s.t.

🄐 **Nerija** ⓗ s.t.
🄲 LP 💿 33CM-03867-68 ★★★

ロムアルダス・ビエリャウスカスへのリーダー交代により、黄金期の到来を告げる記念碑的レコード・デビュー作。男女ヴォーカルを主軸としたベーシックな歌謡 VIA サウンドを主軸に据えながらも、中間部の転調一発、饒舌なブラスと鋭いギター・カッティングによるグルーヴが耳を引く、ロムラダス作曲による B1 等を忍ばせる。そして何よりも注目すべきは、とりわけ異彩を放つ B5。サイケデリックなギター・ワークと跳ね馬が如く連発されるブラスが奇妙奇天烈に交錯する、プログレッシヴ・ナンバーに頭も陶酔気味。なお、西側音楽のカヴァー曲も多く、B2 は英ソフト・ロック・グループ、Christie「Iron Horse」のカヴァー。

🕓 1973 🌐 リトアニア共和国

℗ Nerija ⓗ s.t.

🄐 **Nerija** ⓗ s.t.
🄲 LP 💿 C30-04815-16 ★★★

デビュー翌年にリリースされた 2nd アルバム。A 面は普遍的な VIA サウンドながら、ポップさはどこへやら、奇妙奇天烈なアレンジを施したプログレッシヴ・ファンクが並ぶ B 面は趣味嗜好が爆発。特に怪奇的なコーラスにグルーヴィーなリズム隊が絡みつく、リトアニア民謡の改変カヴァー B2 は白眉の出来。なお、B 面最終曲となる B4 のクレジットには、「A. Franklinas」つまりアレサ・フランクリンのカヴァーを示唆する記載がされているが、全くの嘘。真実はオランダ出身歌手、トニー・ロナルドによる 1971 年のヒット曲「Help (Get me some Help)」のカヴァー。これぞソ連式必殺の盗作隠し！

🕓 1974 🌐 リトアニア共和国

℗ Nerija ⓗ Užtraukim, Vyrai, Dainą!

🄐 **Nerija** ⓗ Let's Pull, Men, Song!
🄲 LP 💿 C60-10473-76 ★★★

脂が乗りに乗った最盛期とも言える、1978 年にリリースされた 2 枚組 3rd アルバム。Oktava のミンダウガス・タモシウーナスのペンによる絶品メロウ B2、突然が過ぎる The Rubettes「Sugar Baby Love」の原曲英語詞カヴァー B3、そして何よりも極太ベースとパーカッションが狂ったようにグルーヴし、聴くもの全てを熱狂の渦に巻き込む、Red Funk の印籠的フロア・キラー・チューン A1 を収録した、文句なしの代表作。そして翌 1979 年には 4th『Dainų Nupinsim Pynę...』(C60-12251-2) をリリース。グルーヴは抑制され、正統派歌謡への回帰を見せている。

🕓 1978 🌐 リトアニア共和国

℗ Nerija ⓗ Ir Mažiems, Ir Dideliems

🄐 **Nerija** ⓗ And Small, and Large
🄲 LP 💿 C60-15297-8 ★★★

ロムアルダス急逝後、リーダー変更と時代の潮流によりディスコ・サウンドへと歩み寄りを見せた 5th アルバム。シンセやディスコ・ビートを導入した B1 や B4 も聴きどころだが、やはり本作の肝は A2。一度聴けば簡単には忘れられない駆け上がりのフレーズで聴かせるベース・ライン、そして何だか熱過ぎるダミ声ヴォーカルが叩き込む、これぞソ連式漢のファンク・ナンバー。また、彼らの残したシングルにも注目したい。1974 年リリースの 3 曲入り EP『Ne, Nereikia Ašarų』(C32-04917-18) は、全てアルバム未収録。特に A2 にはファズ・サウンドが鳴り響く好サイケ・ナンバーを収録している。

🕓 1981 🌐 リトアニア共和国

ディスクレビュー

Ⓟ ABC ● s.t.

🕐 1975　🌐 ユーゴスラヴィア連邦

Ⓐ ABC ● s.t.
Ⓞ LP ▦ C60-05811-12　　　★★

東ドイツ、ブルガリア、ポーランド他、多くの国で人気を博したユーゴスラヴィア随一の人気グループ、Kvintet A-B-C（セルビア語名）。デビューは 1962 年と古く、自国レーベルの PGP RTB から数枚のシングルをリリースするも、1971 年のアルバム・デビュー以降は Melodiya からのリリースとなる。2 作目となる 1975 年リリースの本作は、Doobie Brothers の「Long Train Running」カヴァーも含みつつ、ハイ・スピード・サイケデリック・ジャズ・ファンク A2、劈くファズ・ギターと男勝りなフィーメール・ヴォーカルによるサイケデリック・ロック・ナンバー B5 等を収録した強力盤。

Ⓟ ABC ● Ансамбль Ангела Владковича "ABC"

🕐 1981　🌐 ユーゴスラヴィア連邦

Ⓐ ABC ● Angel Vladković Group ABC
Ⓞ LP ▦ C60-15383-4　　　★★

The Beatles、Manfred Mann、Sam and Dave 他、カヴァー曲を軸としたモッド・スタイルを奏でた 1st アルバム、サイケデリックの煙をまとった 2nd アルバム、そして本作は前 2 作から一変した 3rd アルバム。時代の空気を目一杯に吸い込んだ大胆なディスコ・サウンドを導入し、よりポップさに磨きがかけられた一枚となった。とりわけ英ディスコ・ガールズ、ティナ・チャールズのヒット・ナンバー「Disco Fever」のカヴァー A5 に注目。ブラス隊をクラヴィネットに置き換え、BPM を上げてさらにアゲアゲなミラーボール・ディスコ仕様にアップデートしたその出来栄えは、軽く原曲越え。Super Funky!!

Ⓟ Аиси ● s.t.

🕐 1975　🌐 グルジア共和国

Ⓐ Aisi ● s.t.
Ⓞ LP ▦ C60-06235-6　　　★★★★★

マリンバを囲み、笑顔を向けた洒落たアートワークに包まれながらも、目の奥底に満ちるのはサイケデリック・ヴァイブス。グルジア出身のガールズ・サイケ・グループによる唯一作。ハーモニーやスキャットを自在に使いこなし、女性グループならではの清涼感を含みつつも、そこかしこに劇物が混入。その正体は、重量級のロウなビートを皮切りに、一転うねるギター・カッティングが猛進するグルジア民謡カヴァー B4、そして漂うアシッド・フィーリングと勇壮活発なドラマチック・ストラクチャーによる民謡「Оровела（Orovela）」のカヴァー A2。VIA75 の絶品カヴァーでも知られる本曲だが、彼女らとはまた大きく異なるアレンジメントも秀逸。

Ⓟ Аида Ведищева ● Если любишь ты

🕐 1968　🌐 タタール自治共和国

Ⓐ Aida Vedishcheva ● If You Love
Ⓞ Flexi ▦ ГД0003883-4　　　★★★

タタール自治共和国のカザン出身の女性シンガー、アイーダ・ヴェディシチェヴァ。60 年代初頭の活動初期には数多くのオーケストラ、そして Голубые гитары（Blue Guitars）のシンガーとしてキャリアを積み、70 年代初頭にはソ連を代表するミリオン歌手として数多くの成功を収めた。しかし、その高いクリエイティヴィティーとポピュラリティーから当局の弾圧対象となり、コンサートの禁止やテープの廃棄等の迫害を受け、活動は著しく制限。1980 年には彼女は自由を求めニューヨークへと全てを捨てて亡命する。本作は彼女の活動初期にあたる一枚で、ユーリ・アントノフのペンによる快活なポップ・ナンバー A1 をレコメンド。

Ⓟ Аида Ведищева ⬤ s.t.

Ⓐ **Aida Vedishcheva** ⬤ s.t.
Ⓒ LP ▭ C60-05165-66　　　　　　　　★★★★★

単なる大衆音楽を脱却すると共に、音楽的ピークの到来を告げた一枚。彼女の歌唱はもとより、本作をとりわけ特別なものにしているものは至妙のバッキング・アレンジメント。A3 の The Beatles「Something」、A5 の石田あゆみ「砂漠のような東京で」等のカヴァー・ナンバーも、独自のテイストが盛り込まれた極上の仕上がり。そしてその頂点を迎えたと言えるオリジナル曲 B4 の存在こそが、本作が今もなお語り継がれるが所以。ファンキー・ブレイク、極太のベース・ライン、メロウなジャズ・ピアノ、そして力強くもアンニュイな歌唱。自由を懸けた戦いの最中だからこそ産み

⏱ 1974　🌐 タタール自治共和国　　落とされた名曲、やはり Red Funk シーンは面白い！

Ⓟ Aleksandrs Kublinskis ⬤ Estrādes Dziesmas

Ⓐ **Aleksandrs Kublinskis** ⬤ Variety Songs
Ⓒ EP ▭ 33Д-00024473-74　　　　　　　　★★

「ソ連のシナトラ」ことアゼルバイジャン出身男性シンガー、ムスリム・マゴマエフ（Muslim Magomayev）や同郷の女性ポップ・シンガー、ラリーサ・モンドルス（Larisa Mondrus）等、多くの大物アーティストたちのコンポージングを手掛けたラトヴィア出身の巨匠作曲家、アレクサンドルス・クブリンスキスによるデビュー・シングル。本作では後に大きな人気を獲得する男女混成グループ、エオリカ（Eolika）をバックに従えてレコーディングされている。ヒットを記録した曲は A1 だが、タイトル通り洒落たソフトロック・サウンドが魅力の A2「Miniskirt」をレコメンド。

⏱ 1969　🌐 ラトヴィア共和国

Ⓟ Aleksandrs Kublinskis ⬤ Ilonija

Ⓐ **Aleksandrs Kublinskis** ⬤ Ilonija
Ⓒ EP ▭ 33CM-0004089-90　　　　　　　　★★

デビューの翌年となる 1970 年には、Eolika の別働隊にあたる Baltijas balsis を結成。Eolika らと共に収録されたオムニバス EP『Jūrmalas Suvenīrs』(33Д-00032183-4) に音源を残す。その後、メンバーは徴兵により活動を休止せざるを得なくなったため、休止期間中の 1973 年に 2nd ソロ・シングルとして本作がリリースされている。注目は女性ヴォーカルを起用し、印象的なファンキー・ホーン・イントロと唾吹きフルートで一気呵成にファンクする、フランス・ギャル・ライクなキラー・チューン A2。この後ソロとしては 1982 年に最初で最後のフル・アルバムを残している。

⏱ 1973　🌐 ラトヴィア共和国

Ⓟ Алиони ⬤ Детский джаз-рок ансамбль «Алиони»

Ⓐ **Alioni** ⬤ Children's Jazz Rock Ensemble "Alioni"
Ⓒ LP ▭ C50 25065 004　　　　　　　　★★★★★

出身地グルジア、否、ソ連が誇る史上最高のキッズ・グループによる唯一作。10 〜 13 才の可愛い子供達（裏ジャケットに掲載）だけが集められたグループながら、そのサウンドのクオリティーは末恐ろしや。ソフト・ロック、フリー・ソウル、AOR、ファンク、サイケ……どこで修練を積んだのか抜群のスキルで乗りこなし自由自在。劈くファズ＆ワウ・ギターと爽やかなキッズ・コーラスによるタンデム・キッズ・ヘヴィー・サイケ・ナンバー A1、流麗なギター・カッティングが先導する極上の哀愁メロウ・ソフト・ファンク・チューン A2 等々、例を挙げればキリがなし。曲のクオリティーも 120 点、世界屈指のキッズ・グループに認定！

⏱ 1987　🌐 グルジア共和国

Ⓟ Ансамбль Амабано　🎤 Говорящий попугай

Ⓐ **Amabano Ensemble**　🎤 Speaking Parrot
Ⓒ LP　C60 26407 009　★★★★★★

ルワンダやタンザニアと国境を隣接する、東アフリカに位置するブルンジ共和国。自国の音楽を世界中に広めることを目指した彼らは、ヨーロッパにおいて高い評価を得ると共にソ連へと流入、ソ連で初めて紹介されたアフリカン・グループとなった。郷愁漂うメロディー・ライン、うねり巻き込むディープ・グルーヴ、か細く囁くシンセサイザー、充満するサイケデリック・ヴァイブスがブレンドされた、ブルンジアン・ファンク・サウンドを余すことなく収めた本作は、彼ら唯一の作品ながらリリースはソ連でのみ。すこぶる高いレアリティーを誇る一枚だが、2019 年にアートワーク変更の上、再発 LP がリリースされている。グッド・ジョブ！

🕐 1987　🌐 ブルンジ共和国

Ⓟ Анатолий Кальварский　🎤 Мелодии и песни Анатолия Кальварского

Ⓐ **Anatoly Kalvarsky**　Melodies and Songs of Anatoly Kalvarsky
Ⓒ LP　C60-10809-10　★★★★

50 年代後半よりピアニスト兼コンポーザーとして活躍を続け、最初の全ロシア作曲家コンクールのグランプリ受賞者でもある、アナトーリー・カルバルスキーによる唯一のソロ名義作。ソロ歌手のミハイル・ボヤルスキー（Михаил Боярский）から、自身が指揮者を務めたレニングラード・ラジオ・アンド・テレビ・オーケストラまで、自身の楽曲を様々なアーティストにプレイさせているが、いずれも実にセンスフル。早弾きエレクトロ・ギターで幕を開けるソウル・ナンバー B1、現代的なサウンド・メイキングで魅せるフィーメール・トリッピー・バラード B5 を筆頭に、ボッサからビック・バンド・ジャズまで、名曲で溢れ返った名品。

🕐 1978　🌐 ロシア連邦共和国

Ⓟ Инструментальный ансамбль под управлением Саши Суботы　🎤 s.t.

Ⓐ **Instrumental Ensemble Conducted by Sasha Subota**　🎤 s.t.
Ⓒ LP　C60-07839-40　★★

セルビア出身の男女混成ソウルフル・アンサンブルによる 2nd アルバム。ユーゴスラヴィアのレーベル「PGP RTB」にも数枚のシングルを残しているが、他セルビア出身アーティストと同様に多くの作品は Melodiya でのリリース。また、アートワークもソ連向けとユーゴ向けの 2 種存在している。最高のしわがれソウルフル・シンガーが歌い上げるキラー・レッド・ファンク・チューン B3、アイザック・ヘイズ「Shaft」カヴァー B5、そして彼らなりのアンサー・ソング A4 と、カヴァー曲中心ながらセンス溢れる選曲も手伝って聴きどころ満載、腰振りもトマラナイ！

🕐 1976　🌐 ユーゴスラヴィア連邦

Ⓟ Апельсин　🎤 s.t.

Ⓐ **Apelsin**　s.t.
Ⓒ LP　C60-07809-10　★★

タリンにて結成、グループ名は「オレンジ」の意を持つ、カントリー・グループによるデビュー作。お馴染みのド定番、ハンク・ウィリアムス「Jambalaya」の直球カヴァーも含めつつ、平々凡々とアメリカン・カントリー・スタイルを全編に渡って収録。そんな中、ディープ・エコーに浸かりきった印象的なメイン・テーマと、湧き出るギター・ソロとが白日夢を描き出す B7 が異彩を放つ。サンプリング・ソースとしても機能し得るこのたった一曲の存在が、本作を特別なものにする。本作リリース以降もポップ・フィールドにてコンスタントに作品を発表し続け、現在もライヴを中心にマイペースな活動を続けている。

🕐 1976　🌐 エストニア共和国

℗ Акварели ⬤ Рыжее лето

Ⓐ Aquareli ⬤ Red-headed Summer
Ⓔ EP 🎴 33C62-05561-62 ★★★

Поющие сердца（Singing Hearts）、そして Ария（Aria）を産んだレ
ジェンド、ヴィクトル・ヴェクシュテイン（Виктор Векштейн）と、
リーダーを務めたアレクサンドル・タルタコフスキー（Александр
Тартаковский）によって結成された、モスクワ出身 VIA によるデビュー
作となる 4 曲入 EP。サックス、トランペット、トロンボーン等、分厚い
ブラス・セクションをメインに据えたサウンドが特徴の彼ら。快活なポッ
プスながらプログレッシヴなイントロとの落差が秀逸な B2、ブラス隊が
ソウルフルに嘶くキラー・チューン A2 & B1 他収録。

⬤ 1974 🌐 ロシア連邦共和国

℗ Акварели ⬤ s.t.

Ⓐ Aquareli ⬤ s.t.
Ⓔ LP 🎴 C60-05997-98 ★★

デビュー・イヤーには全ロシアのコンテストにて最優秀賞を受賞し、続
けざまにデビュー・アルバムをリリース。デビュー EP に収録された 4 曲
を主軸に、同傾向のプログレッシヴ・イントロから駆け抜ける A4、歪む
ファズ・ギターが先導する暗鬱なヘヴィー・バラード B4 等も収録した充
実作。この後、後に Пламя（Plamya）を結成し、近年では Самоцветы
（Samotsvety）のリード・シンガーを務めたヴァレリー・ベリャニン
（Валерий Белянин）がテコ入れにより加入。より大衆的ポップス志向
を強めた 2 枚のアルバムをリリースするも、1988 年のタルタコフスキー
の死によりバンドは解散している。

⬤ 1975 🌐 ロシア連邦共和国

℗ Арай ⬤ Песня утренней зари / Аруана

Ⓐ Arai ⬤ Song of the Morning Dawn / Aruana
Ⓔ EP 🎴 C62 20577 007 ★★★

アルマ・アタの伝説、Бумеранг（Boomerang）からの派生グループとし
て 1979 年に結成。翌年にナギマ・エスカリエワ（Нагима Ескалиева）
のバッキングを務め、音源デビュー。その後は大物女性歌手ローザ・ルィ
ムバエワ（Роза Рымбаева）のバック・バンドとして、長きに渡り活躍
を続けている。彼ら唯一のソロ名義でのシングル作となった本作は、美麗
ハミングと確かな技術に裏打ちされたバッキングを綿毛のようなアンビエ
ンスで仕上げた、極上シルキー・スムース・ジャズを B 面に収録した秀作。
（p.129 参照）でも紹介しているオムニバス作『Parade of Ensembles – 2』
にも収録。

⬤ 1984 🌐 カザフ共和国

℗ Араик Бабаджанян ⬤ За поворотом

Ⓐ Araik Babajanyan ⬤ Behind the Turn
Ⓔ EP 🎴 C62-13179-80 ★★★★

50 年代から 70 年代にかけて活躍、数々の栄誉賞を受賞した巨匠ピアニス
ト兼コンポーザー、アルノ・ババジャニャン（Арно Бабаджанян）を父
に持ち、映画俳優としても名を残した、エレヴァン出身のシンガー、アラ
イク・ババジャニャン。アルバムこそ残さなかったものの、ビター・ス
ウィートな声色を持つ正統派男性シンガーとして、コンスタントに数枚の
シングルをリリースした彼に異変が発生したのは、1979 年に残した 4 曲
入り EP となる本作。ミッド・テンポのメロウ・ナンバーを倒錯気味のモー
グ・シンセサイザーが一刀両断する B1 は、知る人ぞ知る名曲（迷曲）と
してひっそりと愛され続けている。

⬤ 1979 🌐 アルメニア共和国

ⓟ Arnis Mednis Un Grupa "Odis"　ⓢ Sātana Radītā

ⒶArnis Mednis and Group "Odis"　ⓗ Create by Satan
ⓞLP　C60 28997 002　★★

2001 年には「ユーロビジョン・ソング・コンテスト」に自国ラトヴィア
の代表として選出されるなど、後にメジャー・シーンでも大きな成功を収
めることとなるラトヴィア出身コンポーザー兼シンガー、アーニス・メド
ニス率いるグループ、Odis によるデビュー・アルバム。通常のバンド編
成に加え、シンセサイザーやプログラミングされたドラム等、MIDI コン
トローラーを導入した事により緻密なスタジオ・ワークでのサウンド構築
を実現。期せずしてサザン・オールスターズ『KAMAKURA』と呼応する
かのような、耽美派デジタル・ロック・サウンドが持ち味。気のせいかヴォー
カルすらも桑田スタイル。お色気ジャケもナイスな出来。

ⓛ 1989　⊕ ラトヴィア共和国

ⓟ Аскер Махмудов　ⓢ Свет в окне

ⒶAsker Mahmudov　ⓗ Light in the Window
ⓞLP　C60-17609-10　★★

ウズベク共和国で生まれながら、そのキャリアの大半をロシア南部、カフ
カーズ地方の北オセチアで育んだヴォーカリスト、アスケル・マフムドフ。
ウラジーミル・ヴィソツキーやムスリム・マゴマエフ等、一流アーティス
トたちと行動を共にした彼が残したアルバム 2 枚の内、1982 年リリース
の 2nd アルバムとなる本作は、折り目正しきソ連歌謡アルバム。笛やピ
アノによる清涼感溢れるメロウ・グルーヴが印象的な A3、不似合いな劈
くアナログ・シンセで幕を開ける B1、そしてコーラス、ピアノ、ブラス、
ストリングス等のバッキングとフィーメール・ヴォーカルの掛け合いが秀
逸な、ファンキー・チューン B2 をチェック！

ⓛ 1982　⊕ 北オセチア

ⓟ Аттракцион　ⓢ s.t.

ⒶAttraction　ⓗ s.t.
ⓞLP　C60 26243 004　★★

現在では YouTube チャンネルを開設し、「Askra World」と名付けた謎の
世界観と、奇妙奇天烈なポップ・サウンドを世にドロップし続ける生粋の
導師、アレクサンドル・シュクラトフ（Александр Шкуратов）。本作は
彼の初お披露目となったグループのデビュー作にして、早くもコンピュー
ターによるプログラミングを導入し、異端振りを発揮した一枚。ぶっ飛び
アレンジを組み込んだ、元気ハツラツなシンセ・ポップ・ナンバー A1 を
筆頭に、既に「型破りという型」が仕上がっている。本作で 150 万枚のヒッ
トという成功を収め、シュクラトフはソロ活動へと移行。（とにかくヘン
な）彼のホームページも要チェック！

ⓛ 1987　⊕ ロシア連邦共和国

ⓟ Синяя птица　ⓢ От сердца к сердцу

ⒶBlue Bird　ⓗ Heart to Heart
ⓞLP　C60-10865-66　★★

ソ連全土でも数々の賞を受賞し、キャリアで残したレコードの販売総数は
悠に 100 万枚を超えると言われる、ベロルシア共和国出身のベスト・ヒッ
ト VIA。1977 年にアルバム・デビューを飾った後、1991 年の解散までに
通算 7 枚のアルバムを残すが、本作は彼らの代表作との呼び声高い 2nd
アルバム。ジェントルなコーラス・ワークを軸としたポップ・ソング然と
していながらも、極太ベース・ラインと四つ打ちを刻むバス・ドラム、そ
して空を自由に舞うフルートがファンクする A1、変拍子による脱臼グルー
ヴが堪らないプログレッシヴ・ポップ A5、脈絡のない連打ドラムが異様
なストレンジ・ポップ B1 等、多くの好曲を収録した一枚。

ⓛ 1978　⊕ ベロルシア共和国

℗ Синяя птица ● Ты мне не снишься

Ⓐ Blue Bird ● I Don't Dream of You
Ⓒ EP ▭ C62-08213-14 ★★

彼らの音源デビューは 1976 年にリリースされた 4 曲入り EP『Слова（言葉）』（C62-06809-10）。以降アルバム同様、数多くのシングルもリリースしているが、中でも注目すべきは 2nd シングルとなった本作。VIA らしい王道歌謡曲スタイルながら、冒頭からワウ＆ファズ・ギターが火を噴く、アルバム未収録曲となった A1 は要チェック。随所に混入するセンス溢れるオブリガードもまた魅力の一枚。その後 1991 年にアメリカ・ツアーを終えた彼らは、それぞれのソロ・キャリアを追求するためグループは解散。そして 2000 年代に入ると各々のメンバーにより再結成が行われたため、現在では同名義で複数のグループが存在している。

◐ 1976 ⊕ ベロルシア共和国

℗ Голубые гитары ● Преддорожная

Ⓐ Blue Guitars ● Preterm Birth
Ⓒ EP ▭ C62-07249-50 ★★

1969 年結成、Весёлые ребята（Jolly Fellows）と共にモスクワにおけるVIA 黎明期を支えた、イーゴリ・グラノフ（Игорь Гранов）率いる VIA。誰よりも早く The Beatles のカヴァーをプレイし、1970 年のデビュー EP（Д-00028657-8）では The Ventures「Walk Don't Run」カヴァーを収録し、シーンを先導した。1975 年には Весёлые ребята（Jolly Fellows）とЦветы（Flowers）のメンバーが加入し、ビルドアップされたグループは、翌年に本作をリリース。ワイルドなドラムと強靭なファズ・ギター・ソロが火を噴くソ連歌謡ガレージ A1 は、彼らの音楽的躍進を現したシンボリックな一曲。

◐ 1976 ⊕ ロシア連邦共和国

℗ Голубые гитары ● Красная шапочка, серый волк и голубые гитары

Ⓐ Blue Guitars ● Little Red Riding Hood, Gray Wolf and Blue Guitars
Ⓒ LP ▭ C60-12287-8 ★★

60 年代後半、長い全米ツアーの最中のイーゴリ・グラノフを VIA 結成へと導いたのは、かのルイ・アームストロング。名前の由来ともなった揃いの青いギターを携えて 7 年、彼らはミュージカルの世界へと歩を進める。本作は 1976 年から公演を始めた同名ミュージカルを題材としたコンセプト・アルバム。中間部にキラー・ブレイクを仕込んだジャズ・ロック・ナンバー B3、上り詰めるオルガン、跳ね回るベース、トグロを巻くギター、そして変則ビートが交錯する、Red Funk を構成するあらゆる要素が凝縮されたキラー・チューン A4 は必聴。この後グループは Синтез Труппа（Sintez Truppa）と改名、ヘヴィー・メタル・サウンドを模索し始める。

◐ 1979 ⊕ ロシア連邦共和国

℗ Браньо гронец саунд ● s.t.

Ⓐ Braňo Hronec Sound ● s.t.
Ⓒ EP ▭ C62-09413-4 ★★

チェコスロヴァキアの先駆的オルガニスト、ブラノ・フォロニック率いるソフト・ロック～ファンキー・ソウル・グループ。キャリアの大半は自国のレーベル、Opus や Supraphon から作品をリリースし続けるも、本作は時代的背景からも Melodiya でのリリースとなった 3 曲入り EP。B 面に収録された、キュートな歌声とセンスあるミックス感覚を発揮したノンストップ・ビートルズ・カヴァーも魅力だが、やはり注目は A 面。虫声とコケコッコーのいななきで幕を開け、パッパラー・コーラスとスロウなディスコ・ビートが生み出す不条理なストレンジ・ダンス・ナンバー A1 は、一度耳にしてしまえば脳内リフレイン必至の迷曲。

◐ 1977 ⊕ チェコスロバキア社会主義共和国

℗ Б. Янівський и В. Ільїн 🎙 Эстрадные песни

Ⓐ B.Yanivsky and V.Ilyin 🎙 Pop Songs
Ⓛ LP 🎵 C60-07849-50 ★★★★

交響曲から TV 音楽まで、数多のスコアを残したウクライナきっての職人コンポーザー、ボグダン・ヤニフシキー（Богдан Янівський）とヴァディム・イリン（Вадим Ільїн）がタッグを組んだ一枚にして、「ウクライナで最もサンプリングされたレコード」の異名を取るネタの宝庫的名品。ミスティックなストリングスとフルートに、サイケデリックなギター・ワークとオーセンティックなフィーメール・ヴォーカルが絡み付くアシッド・ヴァイブス満点の A1、そして美麗ピアノが爪弾かれる中、極太ベースが地を這いファンクする A3 が肝。バッキングには同郷のレジェンド VIA、Кобза（Kobza）も一部参加。

🕐 1976 🌐 ウクライナ共和国

℗ Чаривни гитары 🎙 s.t.

Ⓐ Charivny Gitary 🎙 s.t.
Ⓛ LP 🎵 C60-14911-12 ★★

モスクワ発の VIA、Голубые гитары（Blue Guitars）のメンバーを中心に構成、ウクライナ初のビック・ヒットを果たし、多くのフォロワーを産んだ、メロウ・ソウル・グループによる唯一のアルバム。グループ名は英訳すると「Magic Guitars」。レオ・セイヤー等のカヴァーを含みつつも、完成度の高い自作曲を軸とした極上ホワイト・ソウルの数々が並ぶ。アンニュイなムードで横ノリするメロウ・バラード A1、そしてそれを打ち破るかのように弾けるディスコ・ビートが光る A2、即戦力サンプリング・ソース的な最高のブレイクで幕を開ける A5 他、これぞ Red Funk の模範解答的傑作。マスト！

🕐 1980 🌐 ウクライナ共和国

℗ Чаривни гитары 🎙 Добрый дождик

Ⓐ Charivny Gitary 🎙 Good Rain
Ⓔ EP 🎵 C62-07409-10 ★★

1973年に結成され、アルバム・リリース後の 1980 年に Красные Маки（Red Poppies）へと合流するまでの間に、1 枚のアルバムと 3 枚のシングルを残した彼ら。本作はその中でもデビュー作にあたる 1975 年リリースの 4 曲入り EP。全曲アルバム未収録となっており、中でもフリーキーな高速オブリガードが冴える Red Funk チューン A1 は秀逸。なお、ソノシート版（Г62-04933-4）も存在する。その他、1978 年リリースのシングル（Flexi: Г62-07201-2 / 7":C62-11851-52）も、アルバムへの布石となるファンキー・ソウル・ナンバーを収録しており、ファンであれば見逃せない。

🕐 1975 🌐 ウクライナ共和国

℗ Чаровницы 🎙 s.t.

Ⓐ Charovnicy 🎙 s.t.
Ⓛ LP 🎵 C60-1063-64 ★★★★

1988 年に開催されたソウル・オリンピックへの対抗心を燃やした北朝鮮は、翌 1989 年に平壌への誘致に成功した「世界青年学生祭典（通称平壌祭典）」を開催する。そんな中、白ロシアことベロルシア共和国から「文化芸術プログラム」への参加を唯一許されたグループにして、女性だけで組織されたことからも「魔女」の意味をその名に持つエリート VIA。彼女たちのデビュー作にして唯一のアルバムとなった本作では、ベロルシア民謡をベースにした情感たっぷりのバラードを含みつつも、持ち味は躍動するファンキー・グルーヴ。踏み込むワウ・ギター、縦横無尽の運指で魅せるベース・ライン等で叩き出す、男勝りの歌謡ファンク・サウンドを喰らえ！

🕐 1978 🌐 ベロルシア共和国

Ⓔ Чаровницы 🎵 Музыка

Ⓐ **Charovnicy** 🎵 **Music**
Ⓞ EP ▓ C62-18751-52 ★★★★★

ソ連内の各都市を皮切りに、東ドイツを始めとした国外でのツアーも成功させた彼女たちは、アフガニスタンに派遣されていたソ連の特殊部隊に招かれるほどの国家的 VIA へと成長を遂げていく。最終作となる本 EP では、前作のサウンドを踏襲しつつも、さらに西側諸国とすらもシンクロするヒップなグルーヴを見せつける。キュートなコーラスと爽快感溢れるグルーヴでひた走る A1、NHK『おかあさんといっしょ』等で日本人にとってもお馴染みなロシア民謡「一週間」をモダン・ディスコ・ブギー風（！）に仕上げた A2 他、極上キラー・チューンがてんこ盛りの名品となっている。彼女たちは 2011 年に華麗に復活、今もなお可憐に活躍中。

🕐 1982 🌐 ベロルシア共和国

Ⓔ Коллаж 🍎 s.t.

Ⓐ **Collage** 🍎 **s.t.**
Ⓞ LP ▓ 33Д-028231-32 ★★★★

ポーランド出身グループ、Novi Singers と共に語られる東欧ソフトロック・シーンのシンボルにして、単なるポップスとはかけ離れたインテリジェンス溢れるハーモニーを紡ぐ、ソ連を代表する異能の混声合唱グループ。エストニア、タリンの学生たちによって結成されたのは 1965 年、以降クラシック、ジャズ、ポップス、そしてエストニア民謡までをも咀嚼し、飛躍的な進化を遂げていく。デビュー作となる本作は、オーセンティックなサウンドを前衛度の高い複雑なアレンジによって解体再構築した、すでにポップスの向こう側を予見させる傑作。クインシー・ジョーンズ「Soul Bossa Nova」の人気カヴァー B1 も収録！

🕐 1971 🌐 エストニア共和国

Ⓔ Коллаж 🍎 Kadriko

Ⓐ **Collage** 🍎 **Kadriko**
Ⓞ LP ▓ 33CM-02821-22 ★★★★

彼らのハーモニーを支える美しきバッキングを奏でたのは、トヌー・ナイソー率いる Tõnu Naissoo Trio や、その父にしてレジェンド、ウーノ・ナイソーらエストニアの凄腕たち。1974 年にリリースされた 2nd アルバムとなる本作では、前作を踏襲しつつもさらに音楽的深化が加速。アートワークにも滲み出る、エクスペリメンタルかつサイケデリックですらあるテクスチャーをまとった一枚となった。陰りを帯びた静寂の中、身の毛もよだつ程に美しい必要最小音数によるバッキングが囁き、ジャズやポップスの枠を一足飛びに飛び越えた、無二のハーモニーが空間を満たす。これぞバブルガムとは真逆に位置するソフト・ロックの最深部。

🕐 1974 🌐 エストニア共和国

Ⓔ Коллаж 🍎 Käokiri

Ⓐ **Collage** 🍎 **Käokiri**
Ⓞ LP ▓ C60-08739-40 ★★★★

エストニア伝承音楽を昇華した前衛ポップスの道へと進んだ彼らは、バッキングに同郷の VIA、Apelsin を迎え入れることにより、バンドが放つ特有のグルーヴを手中に収める。そして 3rd にして最終作となった本作では、グルーヴを排したかのような禁欲的なサウンドを脱却。ミニマルなハーモニーとその底で脈打つ極上のファンクネスが紡ぐ、彼らの文句なしの最高傑作にして、エストニアン・ポップのランドマークとして燦然と輝き続ける一枚となった。なお、1970 年には唯一の EP『Collage』（Д 00028399-400）をリリースしている。収録の 4 曲はいずれもアルバム未収録となっているため、ファンは要チェック。

🕐 1978 🌐 エストニア共和国

℗ Контемпоранул ⓘ s.t.

🕐 1977　🌐 モルダヴィア共和国

Ⓐ Contemporanul ⓘ s.t.
Ⓞ LP　C60-09707-08　★★★★

60 年代末に活動を始め、僅か数枚のシングルで全土に名を馳せる存在となりながら、「イデオロギーの健全性の欠如」等を理由とし国家の手により解散を余儀なくされた、ミハイ・ドルガン（Mihai Dolgan）率いるモルダヴィア・シーンの伝説的 VIA、Noroc（Noroc）。その後 1974 年にはグループ名を変更すると共に女性ヴォーカルを加入させ再始動、本作は彼のひとつの到達点とでも言うべき、モルダヴィアン・レッド・ファンク・グループによるデビュー作。モルダヴィア民謡をベースに、エフェクティヴなオルガン・サウンドと咆哮するアルト・サックスがユニゾンする、強靭なプログレッシヴ・サウンドを配合した唯一無二のスタイルをみせている。

℗ Контемпоранул ⓘ s.t.

🕐 1981　🌐 モルダヴィア共和国

Ⓐ Contemporanul ⓘ s.t.
Ⓞ LP　C60-14795-96　★★

1981 年にリリースされた 2nd アルバム。前作で見られた攻撃的なプログレッシヴ・フィーリングは影を潜めるも、情感たっぷりのバリトン・シンギングの背後に、暗く仄めくアシッド・ファンク・アレンジを施した A4 のような彼らしさも垣間見せている。1983 年には 3rd アルバム『Карнавал（カーニヴァル）』（C60-17967-8）をリリース。その他数枚のシングルのリリースやクルガゾールへの収録等のキャリアを歩んだ彼らは、軽く 50 名以上のアーティストが関わった本名義での 10 余年の活動を終え、グループは再度 Noroc と名乗る事を許される。その後ミハイ・ドルガンが他界する 2008 年までの長きに渡り活動は続けられた。

℗ Экипаж ⓘ Группа "Экипаж"

🕐 1982　🌐 ロシア連邦共和国

Ⓐ Crew ⓘ Group "Crew"
Ⓞ Flexi　Г62-09395-6　★★

モスクワにおいて最古かつ最大となるコンサート運営国家機関「モスコンツェルト」に属し、大物歌手ヴァレリー・オボジンスキー（Валерий Ободзинский）のバック・バンドを務め、実に正統なキャリアを積んだ、80s ポップ・グループが唯一残した音源となるソノ・シート EP。それはまるでブリティッシュ・モダン・ポップ・バンドとの狭間で彷徨うシンクロニシティ。エレクトロ・ブギー・ライクなベース・ラインの上をご機嫌に跳ねる極上モダン・ポップ・ナンバー A2、哀愁漂うマイナー・キー AOR ナンバー B1 他、充実の全 4 曲を収録している。この後一部メンバーは Акварели（Aquareli）へと加入する。

℗ Диэло ⓘ s.t.

🕐 1975　🌐 グルジア共和国

Ⓐ Dielo ⓘ s.t.
Ⓞ LP　C60-05555-56　★★★★

グルジア伝統の多声音楽ポリフォニーを正統継承しながらも、世界の様々な音楽を独自の解釈で奏でてみせた、トビリシ出身のヴォーカル・カルテット。結成は 1962 年と古く、後に Рэро（Rero）を率いるアミラン・エブラリゼ（Амиран Эбралидзе）を中心に多くの作品を残すが、本作は彼らのサイケデリック期にあたる代表作。ディープなエコー処理が施されたジャズ・コーラスを軸に据え、日本のサイケ観とも呼応するドープなアシッド・サイケ・ナンバー A2、ワウ&ファズ・ギターが先導するサイケデリック・ジャズ・ファンク B1、そして B4「Sunny」のカヴァーも収録された、紛うこと無き名品中の名品。

ⓟ Диэло ⓢ s.t.

🕐 1976　◉ グルジア共和国

Ⓐ Dielo ⓢ s.t.
◉ LP　▥ C60-08043-4　　　　　　　★★★

1975 年作に収録された「Sunny」を始め、彼らは伝統歌唱を尊重しながらも、多くの西側音楽カヴァーも取り入れている。そして 1976 年にリリースされた通算 6 作目となる本作では、ソ連では珍しい Crosby, Stills, Nash & Young「Down by the River」カヴァーを披露している。なお、1972 年作『s.t.』(33CM03409-10) では、ゲストに女性ヴォーカルを招き、Blood, Sweat & Tears「Spinning Wheel」カヴァーを収録。さらに変わり種ではイギリスのブラス・ロック・バンド、The Greatest Show on Earth もカヴァーしている。なお、未音盤化とはなるが、YouTube 等で Santana「Soul Sacrifice」のカヴァーも確認できる。

ⓟ Elektra ⓢ Keegi

🕐 2014　◉ エストニア共和国

Ⓐ Elektra ⓢ Keegi
◉ EP　▥ Frotee / FRO004　　　　　★★★

ガールズ・ヴォーカルを主軸としたグループとして、60 年代中頃にタリンにて結成。長い時間を掛けながらメンバーが変遷していく中、指揮者マート・ハント（Märt Hunt）の実娘、カドリ・ハント（Kadri Hunt）が所属していたグループ、Kooli-prii を吸収合併する形でラインナップが確定。本作はようやく初の録音に漕ぎ着けた 1981 年音源ながら、2014 年に Frotee によって発掘再発されるまで秘蔵されていたシングル作。ランディ・クロフォード「You Might Need Somebody」、ステイシー・ラティソウ「Jump to the Beat」の 2 曲を軽快にエストニア語訳カヴァー！

ⓟ Elektra ⓢ Pilk Avatud Väravate Taha

ansambel
elektra

🕐 1985　◉ エストニア共和国

Ⓐ Elektra ⓢ A Look at the Open Gates
◉ EP　▥ C62 21665 006　　　　　　★★★

カドリはエストニアが誇るリビング・レジェンド、フィーメール・シンガーのマリュ・クート（Marju Kuut）に手解きを受けていたこともあり、最も影響を受けていたのはソウル・ミュージックだったが、シーンの流れに呼応し、徐々に音楽性は変化していくこととなる。長いキャリアの中でようやく初のリリースとなった本作は、最初で最後の作品となった 4 曲入り EP。ここではすでに黒い要素は一切排除され、シンセを前面に押し出したポップ・サウンドとなっている。なお、カドリが学生時代に結成していたガールズ・グループ、Kooli-prii の音源は Frotee によるコンピ作『Valgusesse』に収録されている。

ⓟ Квартет "Электрон" ⓢ Танцевальные ритмы

🕐 1967　◉ ロシア連邦共和国

Ⓐ Electron ⓢ Dance Rhythms
◉ EP　▥ Д00019119-20　　　　　　★★

The Ventures が産んだサーフ・ギターの遺伝子は世界中に伝播、壁の内側ソヴィエトの地にもその種は蒔かれていた。本作は 1963 年結成のモスクワ発インスト・サーフ・バンドによる 4 曲入り EP。バンド名そのままにエレクトーンを使いこなし、小粋にアメリカン・サーフ・サウンドとブレンド。60 年代のソヴィエトにあっても、小気味良く楽しげなフィーリングに満ちた一枚となった。Elektron は 1967 年までの間に多くのシングルを残し解散するも、1968 年には New Elektron (Новый электрон) と名を変え再始動、アーラ・プガチョワもソリストを務めている。

℗ Эльвира Трафова ◐ Поёт Эльвира Трафова

Ⓐ **Elvira Trafova** ◐ Elvira Trafova Sings
Ⓔ EP 🔲 C62-11081-82 ★★★

ダヴィド・ゴロシェキン（Давид Голощекин）率いる Leningrad Jazz Ensemble のソリストを務めた、レニングラード出身フィーメール・ヴォーカリスト、エリヴィラ・トラフォワによるソロ・シングル。ドスが利いた印象的なイントロから高速コンガがドライヴ、そして彼女特有の鼻にかかったアンニュイなヴォーカルがスウィングする、最高に洒落たガールズ・ポップス名曲 A1 がミソ。なお、途中でその名を連呼するコーラスからも分かるように、本曲はデューク・エリントンの「Caravan」カヴァー。その後、ヨーロッパを始め、アメリカやブラジル等でもライヴ経験を積み、現在もなお現役活動中。

🕐 1979　🌐 ロシア連邦共和国

℗ Фантазия ◐ Откликнись

Ⓐ **Fantasy** ◐ Respond
Ⓔ EP 🔲 C62-15263-4 ★★★

ソ連初のガールズ・グループ、Девчата（Girls）を率いるフセスラフ・ラブロフ（Всеслав Лавров）が 1975 年に結成した男女混成ポップ・グループ。彼らの 1982 年まで続いた活動の中で、残された音源は本 EP のみ。ここ日本でもお馴染み、ドイツ発のディスコ・グループ、Bonny M のカヴァーからキャリアを始めたということもあり、本作でもディスコ・サウンドをベースに制作されている。性急なストリングスとシンセ・サウンドが追い立てるアッパーなディスコ・チューン A2、ウェットなピアノとフィーメール・ヴォーカルによるバラードから一転、キュートにはしゃぐラヴリー・ポップ・ナンバー B2 等を収録。

🕐 1981　🌐 ロシア連邦共和国

℗ Фламинго ◐ s.t.

Ⓐ **Flamingo** ◐ s.t.
Ⓔ 10″ 🔲 Д30743-44 ★★★

1966 年結成、チェコスロヴァキア出身のレディー・ソウル・ジャズ・グループが、ソ連でのコンサート・ツアー中に録音、Melodiya よりリリースされることとなった 10 インチアルバム。Shocking Blue「Never Marry a Railroad Man」カヴァー A1、ダスティー・スプリングフィールド「Spooky」カヴァー A4 等、チェコ語による名曲カヴァー中心の構成となっていながらも、センス溢れる味付けは実にクール。そんな中でも注目はオリジナル曲。流麗なオルガン、天真爛漫にブロウするサックス、そして何よりも極太ベース・ラインが秀逸な、インスト・ジャズ・ファンク B4 はとりわけグルーヴィー！

🕐 1971　🌐 チェコスロバキア社会主義共和国

℗ Девчата ◐ Опаздывает поезд

Ⓐ **Girls** ◐ Late Train
Ⓔ EP 🔲 C62-14355-56 ★★★

VIA に恋い焦がれ、モスクワの少女たちが手にしたものはエレクトリック・ギター。少女たちはミニスカートやフレアパンツを身にまとい、ライヴ活動を志す彼女たちのその「熱」は当局からも認められ、ソ連初のガールズ・グループとして、1971 年にデビューを果たす。レコード・デビューは 1973 年、まだまだオーセンティックなポップス然としたスタイルに過ぎなかった彼女たちが、その才能を開花させたのは 2 枚目の EP となった本作。A 面ではシンセサイザーや各種エフェクトを大胆に導入し、80 年代 VIA サウンドのひとつの好形とも言える、コズミック・ファンクへとアップデートを果たしている。なお、本作はソノシート版も存在する。

🕐 1980　🌐 ロシア連邦共和国

Ⓟ Гульджан Хуммедова　Ⓢ Поёт Гульджан Хуммедова

Ⓐ Guldzhan Hummedova　Ⓢ Sings Guldzhan Hummedova
Ⓞ LP　💿 C60-15735-36　★★★★★

「ビロードの声」を持つシンガーとして 50 年代より活躍。トルクメン共和国フィルハーモニーのソリストを務め上げ、その大きな功績は「名誉芸術家」の称号と共に国家公認のものとなった、稀代のフィーメール・シンガー、グルジャン・ハメドワによるソロ代表作。中でも Gunesh のシャマメド・ビャシモフ（Шамамед Бяшимов）が音楽を手掛け、16 分で刻むハイハットと共に迫り上がる劇場型ストリングス、ファンキーなギター・カッティング、そしてミスティックな伝統歌唱が織り成す、トルクメン・シネマ・ファンク B4 は必聴。その他、自国の TV/ ラジオ・オーケストラ名義の『Арманым』（C60 23017 004）にも好曲を残す。

Ⓒ 1980　⊕ トルクメン共和国

Ⓟ Heidy Tamme, Tiit Paulus　Ⓢ Suvi

Ⓐ Heidy Tamme, Tiit Paulus　Ⓢ Summer
Ⓞ EP　💿 Frotee / FRO006　★★

エストニア・シーンを代表するジャズ・ギタリスト、ティート・パウルスが同郷のフィーメール・ヴォーカリスト、ハイディ・タメを招き、1982 年に録音した未発表音源。2015 年に Frotee よりシングルとして発掘リリース。ロバータ・フラック「What a Woman Really Means」（作曲：ダニー・ハザウェイ）のエストニア語訳カヴァーでありながらも、天から燦々と降り注ぐようなエレクトリック・ピアノ、クリーン・トーンを用いた流麗なギター・プレイ、そして息をのむほどに美しいヴォーカルが織りなす、極柔のサンセット・メロウ・チューンに昇華。B 面には翌 1983 年に録音されたインスト・ヴァージョンを収録。

Ⓒ 2015　⊕ エストニア共和国

Ⓟ Игорь Лученок　Ⓢ Песни и инструментальная музыка

Ⓐ Igor Luchenok　Ⓢ Songs & Instrumental Music
　　　 C60 20279 007　★★

50 年代から音楽教師（後にベロルシア共和国音楽院の教授兼学長）として後進の育成に尽力し、同郷のレジェンド VIA、Песняры（Pesnyary）の 1979 年作『Гусляр』では全曲の作曲を手掛けたコンポーザー兼シンガー、イーゴリ・ルチェノクによるソロ・アルバム。彼の曲を Песняры（Pesnyary）を始めとした様々なアーティストがプレイするオムニバス的な一枚で、優美なオーケストレーションで包み込んだ折り目正しいポップ・ソングを中心としつつも、美しいピアノ・フレーズ、16 ビートで刻むハイハット、ファンキーなギター・カッティング、そして饒舌なトランペット・ソロが織りなすグルーヴィー・ナンバー B2 は要チェック！

Ⓒ 1983　⊕ ベロルシア共和国

Ⓟ Ингури　Ⓢ s.t.

Ⓐ Inguri　Ⓢ s.t.
Ⓞ LP　💿 C60-17595-6　★★★★★

グルジアとアブハジアの境界を流れる川、イングリ川より名前を取ったグルジア出身 VIA による唯一作。アーバンなワウ・ギターを効果的に使用した異色のトラッド・ファンク・ナンバー A1、キュートな女性ヴォーカルと弾けるようなテンポ・チェンジが秀逸なソフト・ロック・ナンバー A3、一度聴けば耳に焼きつく印象的なイントロが魅力のエスノ・ファンク A5、高速フルートと猛烈なドラム・ソロが炸裂するプログレ・チューン B6 等、ありとあらゆる要素が盛り込まれた、これぞ至高のソヴィエト・ファンク。なお、彼らはムラド・カジュラエフの 1972 年作『Миллион новобрачных（百万の新婚夫婦）』への参加でも知られている。

Ⓒ 1983　⊕ グルジア共和国

ⓟ Вдохновение ❶ Наша песня

🕐 1976　🌐 ロシア連邦共和国

Ⓐ Inspiration ❶ Our Song
Ⓞ Flexi　💿 Г62 5501-02　★★★★

90 年代のソロ・キャリア以降、アーラ・ブガチョワやソフィヤ・ロタールと並ぶほどの人気を獲得した女性歌手、イリーナ・アレグロワ（Ирина Аллегрова）が若き日に在籍した VIA。全 3 枚のシングルを残しているが、本作はソノシートのみのリリースとなった 4 曲入りデビュー EP。ファンキーなドラムが秀逸な A2、ホーン・セクション、ファズ・ギター、パーカッションが三位一体となったキラー・ドラム・ファンクにして大本命曲 B1 を収録。その後、1978 年には『s.t.』（C62-10605-06）、1983 年には『Моя глубинка』（C62 19875 006）をリリースしている。

ⓟ Jaak Joala ❶ Laulab Jaak Joala

🕐 1972　🌐 エストニア共和国

Ⓐ Jaak Joala ❶ Singing by Jaak Joala
Ⓞ EP　💿 Д00032531-2　★★

ミュージシャン一家に育ち、60 年代中頃より若くしてエストニアの伝説的ビート・バンド、Kristallid と Virmalised（共に当時は音源未発表、後に編集盤リリースあり）に在籍した、親露派である揶揄も込めて「クレムリンのナイチンゲール」の異名を取るエストニアのシンガー、ヤーク・ヨアラ。アレクサンドル・ザツェーピン、ライモンズ・パウルス、Stas Namin Group 等々、数多くのアーティストと作品を残すが、本作が彼のソロ・デビューとなるシングル作。バッキングは Laine が A 面、Collage が B 面を担当。強いビート感、ブリブリのブラス隊、Collage によるハーモニーが冴え渡る B1 をプッシュ！

ⓟ Яак Йоала, Группа Стаса Намина ❶ Фотографии любимых

🕐 1980　🌐 ロシア連邦共和国

Ⓐ Jaak Joala,Stas Namin Group ❶ Photos of Darlings
Ⓞ LP　💿 C60-13501-02　★★

1973 年のデビュー・シングルは 700 万枚のセールスを記録し、The Beatles とも比較されたソ連におけるロックのパイオニア的グループ、スタス・ナミン（Stas Namin）率いる Цветы（Flowers）。その影響力が故、国家による解散命令、そして名義変更を余儀なくされた彼らが、エストニアのシンガー、ヤーク・ヨアラと共に録音したオムニバス作品。まどろむようなフィーリングに包まれた極上 AOR ナンバー A2、綿毛のようなフィーメール・コーラスが印象的な B4、そしてまんま Eagles の「Hotel California」インフルエンスドな A4 等、美しくも気高い曲の数々が収められた名品。

ⓟ Jaak Jürisson ❶ s.t.

🕐 1984　🌐 エストニア共和国

Ⓐ Jaak Jürisson ❶ s.t.
Ⓞ EP　💿 C62 21283 002　★★

80 年代にシングルを 1 枚ずつ残して散ったグループ、Contor と Monitor に在籍したタリン出身のキーボーディスト、ヤーク・ユーリソンによるソロ 4 曲入り EP。エストニア・シーンのトップ・ミュージシャンを従え、確かなテクニックが織りなすサウンドに、毒っ気のあるユーモアがふんだんに盛られた楽曲は、取りつく島もない脱臼気味ストレンジ・ポップ風味。なお、Monitor は別項（p.111 参照）に譲るが、Contor が 1983 年にリリースした 5 曲入り EP『Kontor』（C62 19411 007）には異例中の異例と言える、Talking Heads の「Psycho Killer」カヴァー（！）を収録している。

Ⓟ Jaak Jürisson ❶ s.t.

Ⓐ Jaak Jürisson ❶ s.t.
Ⓞ LP ▭ Frotee / FRO005　★★

ソロとして Melodiya に残した音源はシングル一枚のみ。90 年代以降は映画音楽や劇音楽の作家として活躍を果たし、2015 年には自国内で空前のヒットを記録し、エストニア映画史に名を刻んだ、ナチス・ドイツと赤軍のエストニア戦線を描いた戦争映画『1944』を手掛けている。そんな彼が 1990 年にタリンの国営ラジオ局のスタジオに残した音源が発掘されたのは、2015 年になってのこと。彼が当時導入したばかりだった、KORGのシンセサイザーを試行錯誤するためにレコーディングした音源のようだが、そこに収録された曲は Pink Floyd 的モチーフをも援用した、端正かつ雄弁な高品位なスムース・ジャズとなっている。

🕐 2015　🌐 エストニア共和国

Ⓟ Джаз-хорал Александра Киладзе ❶ s.t.

Ⓐ Jazz Choral by Aleksandr Kiladze ❶ s.t.
Ⓞ LP ▭ C60 26343 003　★★★★★

原盤はグルジア屈指の入手難度を誇る、男女混声ジャズ・コーラス・グループによる唯一作。モノクロームなフォトがあしらわれた素っ気ないアートワークとは裏腹に、カラフルなコーラス・ワークと小粋なジャズ・サウンドとを自在に操る、実にスタイリッシュな一枚。類似グループとしてエストニアの Collage も挙げられるが、前衛的であった彼らに比してより洒落たポップ性を持ち合わせたそのサウンドは、多くの音楽ファンのハートに届き得る名品だろう。リーダーのアレクサンドル・キラゼ（Александр Киладзе）は、1975 年に自身の名義で同路線の曲を収めた 4 曲入 EP（Г62-05379-80）も残している。

🕐 1987　🌐 グルジア共和国

Ⓟ Kauno «Elektros» Gamyklos VIA ❶ Vokalinės Ir Instrumentinės Jaunimo Grupés

Ⓐ Kauno «Elektros» Gamyklos VIA ❶ Vocal and Instrumental Youth Groups
Ⓞ LP ▭ C60 20067 008　★★★

ソ連下で作られた以上、ある種避けようのない「共産臭」。本作はそんな呪縛から解き放たれた数少ない作品の一つにして、リトアニア発の二つの若手バンドによるスプリット作。A 面はポップ・コンテスト「Vilniaus bokštai」の 1982 年度の優勝者でもある Kauno «Elektros» Gamyklos VIA を収録、B 面はコンポーザー、アレナス・ナバカス率いるアンサンブルを収録。赤が転じて真っ白に漂白されたかのような、キュートな女性ヴォーカルを軸に据えたソ連産ネオアコ（！）最高峰とも言える A3 は必聴。B 面は全曲インストながらモダン・ポップ的な B1 〜 B2、カルロス・サンタナに影響を受けたとされる B3 〜 B4 を収録。

🕐 1984　🌐 リトアニア共和国

Ⓟ Keeris ❶ Öö Ja Päev

Ⓐ Keeris ❶ Night and Day
Ⓞ EP ▭ Frotee / FRO002　★★

エストニア屈指のリゾート地であるパルヌにて 1977 年に結成、地元をこよなく愛するローカル・ヨット・ロック・グループ。約 10 年の活動の中で残された音源は、唯一のグループ名義となる 1985 年リリースの EP『Vihmane Päev』（C62 23019 001）、そして 1984 年リリースのオムニバス作『Pärnaõis』（C60 21681 004）への参加のみ。そんな中、2013 年に Frotee の手によって発掘リリースされた 2 曲入シングルの本作には、彼らが残した数少ない音源の中でもベストと呼べる、否、エストニアン・ヨット・ロック最大の名曲のひとつでもある「Öö Ja Päev」を収録。ブリージン！

🕐 2013　🌐 エストニア共和国

Ⓟ Кобза　❶ s.t.

Ⓐ **Kobza**　❶ s.t.
Ⓞ LP　🎵 33CM-03069-70　　　　　★★★

キエフ音楽院で古楽器「コブザ（またの名をバンドゥーラ）」を修めた学生達によって結成された、ウクライナを代表するVIAによるデビュー作。ピアノとギターを掛け合わせたかのような、独特の美しい音色を持つコブザを用いた伝承音楽をベースにしながらも、彼らがエレクトリック・コブザを発明したことによってサウンドは一挙ジャンプアップ。ギターに代わりかき鳴らされるエレクトリック・コブザ、沈み込むようなエレクトリック・ベース、クラシカルな男性ハーモニー、そして哀感に満ちたフルートによって丹念に織り紡がれたサウンドは、超自然的なサイケデリック・フィーリングを醸し、聴き手を幻惑する。

🕐 1971　🌐 ウクライナ共和国

Ⓟ Кобза　❶ Кобза II

Ⓐ **Kobza**　❶ Кобза II
Ⓞ LP　🎵 C60-10941-42　　　　　★★★

デビュー作で大きな成功を収めた彼らは、ウクライナを飛び出し、ソ連全土をも代表するVIAへと成長を遂げる。1974年にはキーボーディストのオレクサンドル・ズエフ（Олександр Зуєв）はカリナ（Kalina）結成のためグループ脱退となるも、彼らはその後もメンバーの増強を続けながら、1978年にようやく2ndアルバムをリリース。本作では、自らの得手でもある古楽器コブザを操りながらも、ファズ・ギターから口琴までをも操る傾奇者振りを発揮。フリーキーなワウ＆ファズ・ギター、ボリューミーなベース、風変わりなハーモニーが迫り来る、プログレッシヴ・ファンク・ナンバーB5をチェック！

🕐 1978　🌐 ウクライナ共和国

Ⓟ Кобза　❶ Волшебница

Ⓐ **Kobza**　❶ Enchantress
Ⓞ Flexi　🎵 ГД0002913　　　　　★★★

彼らは数枚のシングル作を残しているが、注目したいのはグループ初期作となる本ソノシート作。コブザと低音ハーモニーによる彼らの専売特許的A面、さらにひらひらと舞い上がるフルートを加えボッサ・フィーリングで仕上げたインスト・ナンバーB面、共にソノシートのみの収録となっている。その後も彼らはソ連全土津々浦々を行脚し、年間200本以上のライヴを敢行、そして遂には国外へも進出を果たしている。イタリア、ドイツ、チェコスロヴァキアに始まり、キューバやカナダ、そして1985年には来日もしている。なお、カナダ・オンリーでライヴ・アルバム『Canadian Tour 1982』（YFP1018）もリリースされている。

🕐 1972　🌐 ウクライナ共和国

Ⓟ Коробейники　❶ Дай ответ

Ⓐ **Korabeiniki**　❶ Give Me the Answer
Ⓞ EP　🎵 M62-37721-2　　　　　★★

モスクワ内全土の音楽やバレエ等のコンサートの企画・調整を行った連邦国家コンサート機関「ロスコンツェルト」。そんな国家機関によって集められた彼らは、Поющие сердца（Singing Hearts）、Голубые гитары（Blue Guitars）、Синяя птица（Blue Bird）等、後に大きな成功を収めるアーティストを多く輩出した随一の人気プロ集団だったものの、文化省との折り合いはつかず数枚のシングルのみのリリースで終わっている。そんな中でも注目したい本作では、哀愁を帯びたメロディーと高水準なバッキングが織りなす、VIAの王道を歩む秀逸な歌謡ファンクを堪能できる。

🕐 1974　🌐 ロシア連邦共和国

Ⓕ Лада 🅱 Листья закружат

Ⓐ **Lada** 🅱 **Leaves Spin**
Ⓞ EP 🎵 C62-04855-56 ★★★

Самоцветы の最初期メンバーでもあったエドゥアルド・クローリク（Эдуард Кролик）を中心に活動、サーフ / ガレージの影響下にあるようなサウンドで人気を博したモスクワ発の VIA。音源デビューは 1971 年のオムニバス EP『Солисты оркестра Олега Лундстрема（オレグ・ルンドストレム・オーケストラのソリストたち）』（33Д-00030085-6）、本作はその後初のバンド名義作となった 4 曲入 EP。乾き切ったギターによるクールなカッティング、縦横無尽に走るベース・ラインがグルーヴするソ連歌謡ガレージ B1 がベスト。また、この頃はスヴェトラーナ・レザノワ（Светлана Резанова）のバックも担当している。

🔊 1974 🌐 ロシア連邦共和国

Ⓕ Лада 🅱 Горячая любовь

Ⓐ **Lada** 🅱 **Hot Love**
Ⓞ EP 🎵 C62-07475-76 ★★★

同年に 2 曲目となる EP『Северная песня（北方の歌）』（M62-36287-8）をリリース後、少し間をあけて 1976 年に 3 曲目の EP となる本作をリリース。ファンキーな要素を強めつつも、物憂げな煙をくゆらせるアシッド・バラード B2 も収録、その音楽的深化が見て取れる一枚に仕上がっている。そして 1978 年には最終作となる EP『Песни Павла Аедоницкого（パーヴェル・アエドニツキーの歌）』（C62-10425-26）をリリース。ロシアのフォークロア的アプローチを目指した一枚でありながら、特異なアレンジで魅せるプログレッシヴ・ファンク・ナンバー B2 に注目したい。なお、1st ～ 3rd はソノシート版も存在している。

🔊 1976 🌐 ロシア連邦共和国

Ⓕ Laine 🅱 Эстрадный ансамбль "Лайне"

Ⓐ **Laine** 🅱 **Variety Ensemble "Line"**
Ⓞ 10" 🎵 33Д25025-6 ★★

エストニア発ピアニスト兼コンポーザー、ゲンナージイ・ポドルスキ（Gennadi Podelski)が率いたガールズ・コーラス・グループによるデビュー 10 インチアルバム。あくまでベースとなるサウンドは、碧に染められた女性 8 人による健やかなハーモニーを活かした、折り目正しき西側諸国の 60s ガールズ・スタイル。そんな中、注目したいのはアルバムの中で一際異彩を放ち倒す A2。イタリアのプログレ・バンド Area のデメトリオ・ストラトスよろしく、ヴォーカリゼーションの限界に挑戦とばかりに、バリ島の呪術合唱ケチャとモンゴル伝統歌唱法ホーミーをブレンドしたかのような、アブストラクトなコーラスのみで組み立てられた迷曲。

🔊 1969 🌐 エストニア共和国

Ⓕ Laine 🅱 s.t.

Ⓐ **Laine** 🅱 **s.t.**
Ⓞ LP 🎵 C60-18905-6 ★★

デビュー作発表後ポドルスキは脱退、1972 年には『Estraadiansambel Laine』（33Д031337-8）をリリース。ジャケット裏面に「The Laine Girls and Their Band」と添えられているように、ガールズ・ハーモニーだけではなく、男性ヴォーカルも導入したバンド・サウンドへと接近。そしてさらに経ること 10 余年、また新たなリーダーの元リリースされた本作では、時代の空気を目一杯吸い込んだハイエナジー・ディスコ・サウンドへと変貌。ニューヨーク発のミュータント・ディスコ的キラー・チューン A1 を収録しつつも、相変わらずのアカペラも収録。そのブレなさこそ一級品。

🔊 1983 🌐 エストニア共和国

Ⓟ Лариса Долина   ❶ Затяжной прыжок

Ⓐ **Larisa Valley**   ❶ Long Jump
Ⓛ LP   ▦ C60 23925 000   ★★

ロシア版グラミー賞「Овация（Ovation）」を始めとした華々しい受賞歴を持ち、コンスタンチン・オルベリャン（Константин Орбелян）率いるアンサンブルでもソリストを務めた、アゼルバイジャン出身女性ポップ・シンガー、ラリーサ・ドーリナによるデビュー作。アーバンなギター・カッティングとブラス・アレンジが織りなす哀愁ファンク A1、グッと抑えたヴォーカルと細かいハット刻みやシルキーなバッキングがたまらない極上メロウ・チューン A2、長めのバラード・タイムをブチ破る猪突猛進型ハイ・テンション・ディスコ B4 等、彼女のパワフルな歌声と 80s の旨味成分のみを抽出したアレンジメントの妙で魅せる好作。

❶ 1986   ⊕ アゼルバイジャン共和国

Ⓟ Лейла Шарипова   ❶ Песни народов мира

Ⓐ **Leila Sharipova**   ❶ Songs of the World Peoples
Ⓛ LP   ▦ C60-15137-8   ★★★

アルメニア、トルクメン、トルコ、ペルシャ、アフガニスタン他、実に多くの伝統歌唱を習得したマスター・シンガーにして、「東洋のナイチンゲール」の異名を取るタジク共和国出身シンガー、レイラ・シャリポフ。様々なアンサンブルのソリストを歴任し、60 年代初頭よりソロ活動をスタート。1980 年リリースとなる本作でも純度 100% の伝統音楽をベースにしつつも、随所にファンキーなアレンジを忍ばせた B1 に代表されるように、西洋音楽にはない異国情緒溢れるバッキングのグルーヴ感は捨ておけない。なお、彼女はタジク共和国の伝説的アンサンブル、Гульшан（Gulshan）の初代アート・ディレクターも務めている。

❶ 1980   ⊕ タジク共和国

Ⓟ Лейся, Песня   ❶ Ласточка

Ⓐ **Leisha, Pesnya**   ❶ Swallow
Ⓕ Flexi   ▦ Г62-04905-06   ★★★

2 枚のアルバムと 10 数枚に上る多くのシングルを残し、巨大なセールスを記録したモスクワ出身の大御所 VIA。1974 年に結成し、活動初期はダヴィッド・トゥフマノフによる歴史的名作『По волне моей памяти（On the Crest of My Memory）』にもヴォーカルとして参加したイーゴリ・イワノフ（Игорь Иванов）がソリストを務めるも、1975 年末にはグループは分裂。イワノフをはじめとしたメンバーは同年に Надежда（Hope）を結成することとなる。本作は分裂前にリリースされた 4 曲入ソノシート作で、ファンキーなアレンジを導入しつつも、派手に踏み込んだワウ・ギターや覆うエコー・サウンドにはサイケデリックの残り香が漂っている。

❶ 1975   ⊕ ロシア連邦共和国

Ⓟ Лейся, Песня   ❶ Наше Лето

Ⓐ **Leisha, Pesnya**   ❶ Our Summer
Ⓔ EP   ▦ C62-10315-16   ★★

メンバー・チェンジを繰り返しながらもすぐに体制を立て直した彼らは、コンスタントにシングルをリリース。アルバム・リリース前夜となる 1978 年に制作された本作では、より強化されたリズム隊と哀愁漂うホーン・アレンジも織り交ぜた、初期作の延長線上にありながらもより洗練されたファンキー・グルーヴを打ち出している。その後 1979 年には大ヒット・アルバム『Шире круг（より広い円）』（C60-12057-8）を発表、1982 年の 2nd アルバム『Сегодня и вчера（今日と昨日）』（C60-17149-50）ではディスコへと急接近する。名実共にビック・バンドとなった彼らは、VIA のひとつのロールモデルとして躍進を続けていく。

❶ 1978   ⊕ ロシア連邦共和国

℗ Леван Лазаришвили и детский ансамбль Лахти 🔆 s.t.

🅐 Levan Lazarishvili and Children's Ensemble Lakhti 🔆 s.t.
🅒 LP ▦ C60 24831 007 ★★★

VIA-75 と共演しヒットを果たした、キッズ・シンガーによる唯一のソ
ロ・アルバム。本作でも VIA-75、そして Orera のリーダー、ロベルト・
バルジマシヴィリが全面プロデュース。バッキングもキッズ・グループ、
Лахти (Lakhti) が務めている。声変わり前のあどけない声質なのに紳士
的なメロディを歌い上げ、フルートやエレクトリック・ピアノでたゆたう
メロウ・バラードから、弾けるようなサンシャイン・ポップ、そしてプロ
グレ風ポップまで、流石の VIA-75 サウンドでまとめ上げた好作。この親
にしてこの子あり、今では彼の息子たちも、少年ながらグルジア版「The
X Factor」等、表舞台で美声を披露している。

🕐 1986 🌐 グルジア共和国

℗ Лира 🔆 s.t.

🅐 Lira 🔆 s.t.
🅒 LP ▦ C60-09245-46 ★★

仄かにサイケデリックが香り立つバンド・サウンドからディスコを経由、
そしてヘヴィー・メタルへと繋がる、ある種のソ連 VIA 的王道を歩んだ
グループでありながら、ほぼ異なる二つのグループがその名を継いだレニ
ングラード出身相続型 VIA。結成は古く 1965 年。The Beatles のカヴァー
を中心としたカレッジ・バンドであった彼らに舞い込んだのは、一枚の赤
紙。そのスキルの高さから軍直轄アンサンブルとして活動を続け、動員解
除後は数枚のシングルを発表し躍進を続けるも、1977 年に解散している。
第 1 期メンバーによる唯一のアルバムとなった本作に収録されたドラマ・
ファンク A1 は、彼らの 10 年余りの活動の成果の一つ。

🕐 1977 🌐 ロシア連邦社会主義共和国

℗ Лира 🔆 Прыжок

🅐 Lira 🔆 Bounce
🅒 EP ▦ C62 19845 007 ★★

バンド解散の翌年、最初期メンバーの一人だったユーリ・セミョーノフ
（Юрий Семенов）はバンド名を継承。一からメンバーを集め、再始動を
果たした彼らは、世の潮流となっていたディスコ・サウンドを大胆に導入
する。1980 年シングル『Солнечной дорогой（太陽の道）』（C62-13665-6）
では、アンニュイで陰りを帯びた不条理ディスコを会得。そして最終作と
なった本作ではさらに歩を進め、コズミック・ハード・プログレへと傾倒
する。その中でもとりわけ奇妙なコズミック・パンク A2 は、ちょっと他
所では味わえない珍味にまで磨き上げられている。この後、彼らはヘヴィー・
メタル・バンド、Статус（Status）へと発展し、活動を継続する。

🕐 1984 🌐 ロシア連邦社会主義共和国

℗ Lietuviška Estrada 🔆 Mano Miestas

🅐 Lithuanian Estrada 🔆 My City
🅒 EP ▦ C62-07683-84 ★★★

30 人からなるメンバーで編成、ラジオ局やテレビ局の資金調達のた
めに多種多様な演奏を手掛けてきたリトアニアの国営オーケストラ、
Lithuanian Radio Variety Orchestra が演奏を務めた 4 曲入り EP。本作で
は 3 人のアーティストのバッキングを務めているが、注目は正体不明の
女性シンガー、Ž. Laurikietytė による B1。パワフルなシンギング、厚みの
ある大編成ブラス隊、派手に刻みつけるベース・ライン、サイケデリック・
フィーリングを持ちながらもタイトなファズ・ギター・ソロ、そして何よ
りも強烈なインパクトを残す、のたうち回るイントロが先導するビート感
が堪らない名品。

🕐 1976 🌐 リトアニア共和国

℗ Людмила Артеменко ⊕ Крылья удачи

Ⓐ **Lyudmila Artemenko** ⊕ Wings of Good Luck
ⓄLP ▭ C62-13865-6 ★★

Смеричка（Smerichka）でシンガーとしてデビューを飾り、後に Водограй（Vodogray）のソリストも務めた、フィーメール・ヴォーカリスト、リュドミラ・アルテメンコ。ウクライナを代表する二つの VIA に参加した輝かしい経歴を持つ彼女が、唯一残したソロ音源となるシングル作。ヴォーカル・スタイルやソングライティング自体は普遍的ポップ・スタイルをベースとするも、やはり注目は Водограй（Vodogray）が担当するバッキングのグルーヴ感。A1 や B1 で随所に見られる、サイケデリックに縦ノリするような特有のレッド・ファンク・グルーヴこそが彼らの仕業。

🕐 1980 🌐 ウクライナ共和国

℗ Маргарита Суворова ⊕ Поёт

Ⓐ **Margarita Suvorova** ⊕ Sings
ⓄLP ▭ C60-07589-90 ★★★★

イベントの企画運営に加え、多数のアーティストのマネジメントも手掛けた、モスクワ最大のコンサート運営国家機関「モスコンツェルト」に所属した、「4 オクターヴの声」を持つ女性シンガー、マルガリータ・スヴォーロワによる唯一作。伝承音楽から西側インフルエンスドなポップスまで幅広い音楽性を歌い上げる中で、最も重要なキーを握ったのは、バッキングを務めた Melodiya Ensemble のグルーヴ。口琴（中間部のソロは必聴！）と伝統歌唱法が宙を舞い、ベースとワウ・ギターがファンクする、本作最大のキラー・チューン A1、ウクライナ語による快活なモッドガール風ポップ・ナンバー A6、この 2 曲が抜群の存在感を誇る。

🕐 1976 🌐 ロシア連邦共和国

℗ Мария Кодряну ⊕ s.t.

Ⓐ **Maria Kodrianu** ⊕ s.t.
ⓄLP ▭ C60-05767-68 ★★★★

モルダヴィア共和国の小さな村で輝き放った才能は国家により発見され、レニングラード出身 VIA、Дружба（Droujba）への参加でプロ・デビューを果たす、女性ギフテッド・シンガー、マリア・コドリャーヌが唯一残したソロ・アルバム。最高のオブリガードで魅せる A1、ブレイクが素敵なモルダヴィア産ムード歌謡 A4、連発ホーンと共に疾走する A6、そして Red Funk の美味しいところが凝縮されたサイケデリック・ファンキー・ソウル B2 はマスト・チューン！　なお同郷の VIA、Оризонт（Orizont）は彼女のために結成されたという経緯もあり、彼女の 1978 年 EP 作『Кто ты?（あなたは誰）』（C62-09213-14）が初録音となっている。

🕐 1975 🌐 ロシア連邦共和国

℗ Marju Kuut & Uno Loop ⊕ s.t.

Ⓐ **Marju Kuut Ja Uno Loop** ⊕ s.t.
ⓄLP ▭ CM02589-90 ★★★★

60 年代より活動を続け、90 年代には実息にしてシンセサイザー奏者、ウク・クート（Uku Kuut）と結成した親子鷹ブギー・グループ、Zuke でも活躍する、フィーメール・ジャズ・シンガーのマリュ・クートと、後期 Collage にも参加していたシンガー兼ギタリスト、ウノ・ループの二人による、ハートウォーミングな暖色系ボッサ・アルバム。A1 に収録された大定番「Só Danço Samba」を筆頭に、アントニオ・カルロス・ジョビンのカヴァーを主軸に据えつつ、B3 にはエストニアが誇る巨匠作曲家、ウーノ・ナイソーのペンによる溌剌としたジャズ・ボッサ・ナンバーも収録。美しいアートワークもまた魅力的。

🕐 1971 🌐 エストニア共和国

℗ Марк Минков 🎵 В порту

🅰 **Markh Minkov** 🎵 **In the Port**
💿 10" 💿 33C4711-12　　　★★★

1969 年に『ブレーメンの音楽隊』の初アニメ化を手掛けたことでも知られる、女性アニメ監督イネッサ・コワレフスカヤ（Инесса Ковалевская）。本作は彼女による 1975 年公開のアニメ映画『В порту』のサウンドトラック作。音楽を手掛けたのは映画や舞台音楽畑を歩んだマルク・ミンコフ（Марк Минков）。あまりに愛くるしいアートワークそのままに、収録された音楽は小気味良くキャッチーなキッズ・ミュージックだが、A1 冒頭の汽笛をかき分けて疾走するリズム隊を筆頭にやけに切れ味が鋭い……。それもそのはず、演奏を手掛けたのはかの Melodiya Ensemble。Boom!!

🕐 1974　🌐 ロシア連邦共和国

℗ Мичел 🎵 Поёт Мичел(Испания)

🅰 **Michel** 🎵 **Sings Michel**
💿 LP 💿 C60-14499-500　　　★★

1965 年に The Beatles のスペイン公演のオープニング・アクトを務めたスペイン出身シンガー、Michel（本名:Miguel Samper Peiró）。キャリア開始以来、早々に国内で大きな成功を収めた彼は、60 年代末にソ連での活動という冒険の旅に出ることとなる。当局からも大きな評価を得た彼の約 20 年に渡るソ連でのキャリアでは、複数枚のアルバムとシングルをリリースしているが、ここでは本 1981 年作に注目したい。メロウ＆ファンキーな曲が並ぶ中、最終曲 B5 に収録されたラテン大定番「ベサメ・ムーチョ」のカヴァーが出色の出来。ジェントルなヴォーカルと美しいエレクトリック・ピアノの掛け合いが素晴らしい。

🕐 1981　🌐 スペイン王国

℗ Мзиури 🎵 Мышеловка

🅰 **Mziuri** 🎵 **Mousetrap**
💿 LP 💿 C50-18775-6　　　★★★

選りすぐられた子供たちが音楽やスポーツ等の課外活動を行っていた、いわばソ連版ボーイ（ガール）・スカウト、ピオネールが使用した施設、ピオネール宮殿。主要都市を中心に設立されたが、トビリシの施設から選出されたМзиури（Mziuri）は、女の子たちだけで組織されたグループだった。そして 1971 年結成以降、世代交代を繰り返しながら積んだキャリアの中でも、本作は最も高い音楽性をみせている。サイケ、ソフト・ロック、ディスコ、ファンク、グルジア民謡等、雑多な音楽が全編継ぎ目なく詰め込まれ、玩具箱をひっくり返したかのような、愛らしくも先鋭的なキッズ・オペラ名作となった。なお、彼らは 1981 年頃に来日、NHK テレビロシア語講座で歌を披露している。

🕐 1982　🌐 グルジア共和国

℗ Monitor 🎵 Maailm,Ärka

🅰 **Monitor** 🎵 **World, Wake up**
💿 EP 💿 C62 22667 005　　　★★

Contor やソロでの活動でも知られるキーボーディスト兼ヴォーカリスト、ヤーク・ユーリソン（Jaak Jürisson）も在籍した、エストニア発ニューウェーブ・バンドによる唯一作となる 4 曲入り EP。骨太なバンド・サウンドを持ちながらも、ヤークによるシンセサイザーのサウンドが流れるようなスムーズさも加味、そしてその形が最も良い形で結実した AOR ナンバー A1 こそが本作のミソ。洒落っ気たっぷりに跳ねる裏打ちリズム、アーバンなシンセサイザーのバッキング・リフ、The Beach Boys ライクなハーモニー、ファンキーなギター・カッティング、そしてエストニア語による低めのおっさんヴォイスが堪らない！

🕐 1985　🌐 エストニア共和国

℗ Надежда ○ Карусель счастья

Ⓐ Nadezhda ○ Carousel of Happiness
◎ EP ▦ C62 22133 004 ★★

ソ連という統制国家において、グループ組織、コンサート企画、テレビ出演等を手掛けた数少ない音楽プロデューサーの一人にして、Весёлые ребята（Jolly Fellows）、Самоцветы（Samotsvety）、Лейся,Песня（Leisha, pesnya）といった数々の伝説的 VIA の仕掛人でもある、ミハイル・プロトキン（Михаил Плоткин）が率いたグループによる 4 曲入 EP。注目曲は B1。Red Funk の雛形とでも言うべき、極太ファズ・ベースと変則ドラムのユニゾンによる、歌謡ファンク・サウンドはインパクト十分。同傾向の 1977 年デビュー・シングル『Это только начало（これは序章に過ぎない）』（C62-09625-6/Flexi も存在）もチェック！

🕐 1985 　🌐 ロシア連邦共和国

℗ Насиба Абдуллаева и инструментальный ансамбль "Самарканд" ❶ s.t.

Ⓐ Nasiba Abdullaeva and Instrumental Ensemble Samarkand ❶ s.t.
◎ LP ▦ C60 20637 001 ★★★★

抜けるような空の色を特徴とし「青の都」と呼ばれるウズベク共和国、サマルカンド出身のヴォーカリスト、ナシバ・アブドラエヴァ。本作は彼女をソリストに据え、その地名から名を取ったアンサンブル、Самарканд（Samarkand）による 1983 年作。ウズベク民謡を始め、アゼルバイジャン、イラン、トルコ等、幅広い伝統歌唱を駆使する彼女の美しいシンギングを支えるのは、電化した伝統楽器、そしてドローンを生み出すシンセサイザー等によるコズミック・エスノ・サウンド。この後 1990 年にナシバは『Айрылык』（C60 29819 005）にてソロ・デビュー、今もなお現役活動中。

🕐 1983 　🌐 ウズベク共和国

℗ Наталья Нурмухамедова ○ Малиновый сироп

Ⓐ Natalia Nurmukhamedova ○ Raspberry Syrup
◎ LP ▦ C60 27169 006 ★★★

60 年代後半「スター誕生」的オーディションで発掘された、ウズベク共和国出身女性シンガー、ナタリヤ・ヌルムハメドヴァ。長いキャリアを持ちつつも 30 代後半にして新たな音楽を吸収、1988 年作となる本作で彼女が自国の音楽（特にメロディー）と融合して見せたのは、時代の先端を行くニュー・ジャック・スウィング。Ялла（Yalla）をバッキングに従え、ヒット曲となった A5 を収録しつつも、例のスキャット、スリラーなベース・ライン、そしてアートワークやミュージック・ビデオ（YouTube を要チェック！）含めてまんまマイケル・インフルエンスドな B5 こそが本命。このバッタもん感がタマンナイ！

🕐 1988 　🌐 ウズベク共和国

℗ Наво ❶ Поёт Мансур Тошматов

Ⓐ Navo ❶ Sings Mansur Toshmatov
◎ EP ▦ C62-09349-50 ★★★★

ウズベク・レア・サイケの至宝、Синтез（Sintez）の後進として誕生したグループによるデビュー EP。まずは何と言ってもカール・ダグラスの世界的ヒット・チューン「Kung Fu Fighting」の英詞カバー B2 に心奪われる。他曲も前身グループのサイケデリックな質感を仄かに漂わせながらも、極上のファンクネスとドラム・ブレイクを刻み込んだ文句なしの代表作。他にはオリエンタル口琴ディスコを A1 に収録した 1980 年 EP 作（C62-14327-28）や、エソン・カンドフ（Эсон Кандов）のバックを務め、ダーク・シンセ・ファンク B2 を収録した 1984 年 EP 作（C62 20053 008）を残している。

🕐 1977 　🌐 ウズベク共和国

ⓟ Назарій Яремчук ⓥ Незрівнянний світ краси

ⓐ Nazariy Yaremchuk ⓥ The Unmatched World of Beauty
ⓞ LP ▥ C60-13947-48 ★★★

60 年代より Смерічка（Smerichka）のソリストを務め、80 年代にはリーダーとしてバンドを牽引し、数々の栄誉を授かった、稀代のヴォーカリスト、ナザリー・ヤレムチュークによるソロ・デビュー作。四つ打ちに裏打ちのハイ・ハット、そして美麗ハミングが淀みなく踊る極上シルキー・メロウ A1、アイザック・ヘイズ「Shaft」よろしく、ギター・カッティングとブラス隊のせり上がりが魅せる劇場型ナンバー A5、クールなベース・ラインが冴え渡る B3 等々、トラディショナルな見た目とは相反するアーバンなセンスに満ちた傑作。1995 年に他界するまでに多くの若き才能を助け、シーンへの多大なる貢献も果たしている。

🕐 1980　⊕ ウクライナ共和国

ⓟ Назифа Кадырова ⓥ s.t.

ⓐ Nazif Kadyrova ⓥ s.t.
ⓞ LP ▥ C60-17995-96 ★★★★

およそ 50 年の時をバシキール・フィルハーモニー協会に捧げ、その献身的な活動により「人民芸術家」の栄誉称号を授かった、女性伝統歌手、ナジフ・カディロワが唯一残したアルバム。実直な伝統歌唱を紡ぎつつも、そのバッキングは実にアーバンでスタイリッシュ。それもそのはず、彼女のバックを支えたのは、同郷のフュージン職人集団、Дустар（Duster）。シンセが囁くプログレッシヴなイントロが耳を引く A2 & B1、そして何よりも綿毛のようなシルキー・メロウ・イントロが極柔のフィーリングを描く B2 は特上の出来。1980 年にはシングル『Мой белый парус（私の白い帆）』（M62-42560）も残している。

🕐 1982　⊕ バシキール自治共和国

ⓟ The Soul Surfers ⓥ Soul Rock!

ⓐ The Soul Surfers ⓥ Soul Rock!
ⓞ LP ▥ UBIQUITY (URLP350) ★★

ニジニ・ノヴゴロドから現れた、現代に Red Funk の遺伝子を受け継ぐ最右翼的ファンク・グループによるデビュー・アルバム。ドラマーを務めるイーゴリ・ジュコフスキーは、Melodiya の有数のコレクターにして、マッド・リブ、カット・ケミスト等名だたるアーティストのソ連シーンへの水先案内人。そんな彼の深い知識と、ジェイムス・ブラウン等のファンクへの愛を惜しみなくミックス、あの時のフィーリングはそのままに現代版 Red Funk へとアップデートされたデビュー作にして名作。本作以外にも数多くのシングルをリリースし、活発に活動を続けている。これからの活躍に期待しよう！

🕐 2015　⊕ ロシア連邦共和国

ⓟ Орэра ⓥ Песни народов мира

ⓐ Orera ⓥ Songs of the Nations of the World
ⓞ LP ▥ Д-029741-42 ★★★

結成は 1961 年。「ビートルマニア」よろしく、全土に渡って実にセンセーショナルな人気を獲得、1967 年には国家を代表しモントリオール万国博覧会でも演奏を行った、出身地グルジアのみならずソ連を代表するコーラス・グループ。50 年を超えてもなお活動を続け、その膨大なキャリアから数ある VIA の中でも最多級の作品数を誇っている。そんな中でも推薦盤となる本作は、グルジア民謡と世界のポップスのカヴァー集。全体的にジェントルなコーラス・ソングが並ぶ中、注目すべきはジョージ・ガーシュウィンのオペラ・ソング「Summertime」カヴァー A4。原曲なんて無視無視、ブッ飛ばすぜキラー・ソウル・グルーヴ！

🕐 1971　⊕ グルジア共和国

℗ Орэра 🎵 s.t.

🅐 **Orera** 🎵 s.t.
💿 LP 📀 33C-04737-38 ★★★

彼らが多くの人気と高い評価を獲得したのも、伝統的なグルジア民謡と現代的なバンド・アンサンブルとのハイブリッドを実現したからこそ。1974年発表の本作においても、人気曲 A1 や A4 を筆頭にアクの強い伝統歌唱をバンド・グルーヴで彩り、高次元で融合した民謡ファンクを鳴らしている。なお、ディレクション、ヴォーカリスト、ギタリストと八面六臂の活躍を遂げ、リーダーとして格別の存在感を放ったロベルト・バルジマシヴィリ（Роберт Бардзимашвили）は、グループ脱退後に VIA 75 を結成。他にもメンバーのヴァフタンク・キカビゼ（Вахтанг Кикабидзе）は多くのソロ作を残している。

🕐 1974 🌐 グルジア共和国

℗ Ориони 🎵 s.t.

🅐 **Orioni** 🎵 s.t.
💿 LP 📀 C60-08135-36 ★★★★

全連邦レーニン共産主義青年同盟、コムソモール系のグルジア出身青年団によるレッド・ファンク・グループのデビュー作。折り目正しい男女混成グルジア・フォークをベースにしつつ、独自のファンク色をブレンド。トグロを巻くようなグルーヴが印象的な B2、そして何よりも B1「Гимн солнцу（太陽賛歌）」の鈍器で殴りつけるような怒号ビートは彼らの専売特許。1978年には1枚に彼らの新録を、もう1枚にはイベリア（Iveria）、オрэра（Orera）等の同郷グループの音源を収録した、変則2枚組 2nd アルバム『Мы - молодежь Грузии（我ら若きグルジア人）』をリリース。そこでも彼ら特有のビート・センスは健在。

🕐 1978 🌐 グルジア共和国

℗ Полад Бюльбюль оглы 🎵 Песни Полад Бюльбюль оглы

🅐 **Polad Bul-Bul Ogly** 🎵 Songs of Polad Bul-Bul Ogly
💿 LP 📀 33CM04387-88 ★★★

アゼルバイジャン伝承音楽をポップスに落とし込み、瞬く間に全土へとその人気を広げていったシンガー兼コンポーザー兼俳優にして、のちにアゼルバイジャンの文化大臣として政治の世界でも奮闘した才人、ポラド・ビュルビュル・オグル。60年代後半のデビュー以来、彼のコンポーザーとしての才が開花したとも言える本作は、A面は自身が歌い、B面は Гая（Gaya）等のアーティストが演奏を担当している。折り目正しいポップスをベースにしながらも、能天気な辺境サーフ・チューン A3、ファンキーなリズム隊とブロウするサックスが腰を振らすキラー・レッド・ファンク・チューン B6 等、七三分けなアートワークらしからぬ実に骨太な一枚。

🕐 1973 🌐 アゼルバイジャン共和国

℗ Полад Бюльбюль оглы 🎵 Песни из кинофильма "Не бойся, я с тобой !..

🅐 **Polad Bul-Bul Ogly** 🎵 Songs from the Movie "Don't Be Afraid, I'm With You! .."
💿 LP 📀 C60 20559 003 ★★★

ポラド・ビュルビュル・オグルが出演、そして作曲を担当した、1981年公開の TV アドベンチャー映画『Don't Be Afraid, I am Here for You!』のサントラ作である本作で大きな存在感を示したのは、バックを務めた Stas Namin Group と Melodiya Ensemble。スウィングするファズ・ギター、男汗飛び散るヴォーカル、そして白いハチマキを巻いて繰り出すカンフー・シャウトによる、ソ連流キラー・クンフー・ファンク A1 は必聴！　その他、同じく Melodiya がバックを務めた 1981年作『Поёт свои песни』（C60-15987-88）も要チェック。

🕐 1981 🌐 アゼルバイジャン共和国

Ⓟ Радуга Ⓣ Веселая наездница

Ⓐ Raduga Ⓣ Funny Rider
Ⓞ EP ⫿ C62-12201-2 ★★★★★

バシキール自治共和国にある都市、ステルリタマク出身 VIA によるデビュー EP。バシキール語による男女混声ヴォーカルをメインに据え、クールなインスト・メロウ・ファンク A1、本命ディスコ・ファンク・チューン A2、中央アジア音階を用いた印象的なイントロが光る B1 等を収録。なお、高い入手難度を誇るオリジナル・ピクチャー・スリーヴ付は、コレクターズ・アイテムとしても名を馳せている。1984 年にはもう 1 枚の EP『Возвращайся（帰ってきて）』(C62 20063 004)をリリース、女性ヴォーカルをメインに据えたディスコ・ポップスとなっている。

🕐 1984 🌐 バシキール自治共和国

Ⓟ Ренат Ибрагимов Ⓣ Все вернется

Ⓐ Renat Ibragimov Ⓣ Everything Will Come Back
Ⓞ LP ⫿ C60-13541-2 ★★

全ソ歌謡コンテスト「Красная гвоздика（Red Carnation）」で優勝し高い評価を受けた、タタール自治共和国出身シンガー兼俳優、レナート・イブラギモフによる 2nd アルバム。彼はアカデミックな音楽教育を受け、オペラ歌手としてキャリアをスタートさせている正統派歌謡歌手。本作でそんな彼のダンディズム溢れる低音シンギングとブレンドされるのは、真逆のファンキー・エレクトロ・ディスコ・サウンド。裏打ちのビート、ファンキーなブラス隊、クリーンなバッキング・ピアノ、そして何よりもイントロを回遊するビュンビュンと弾く口琴があまりにドープな、ディスコ・ファンク・チューン B1 がベスト！

🕐 1980 🌐 タタール自治共和国

Ⓟ Рэро Ⓣ s.t.

Ⓐ Rero Ⓣ s.t.
Ⓞ LP ⫿ C60-08187-88 ★★★★

創立は古く 1957 年。グルジア国立オーケストラとして誕生し、70 年代にはウクライナで活動したジャズ・バンド、Дніпро（Dnipro）を率いたグルジア出身コンポーザー、ギヴィ・ガチェチラゼ（Гиви Гачечиладзе）がリーダーを務め、活動を活発化させている。アルバム・デビューとなる本作では、男女混成によるゴージャスなハーモニーとビッグ・バンドによる快活なソフト・ロック・サウンドをベースにしているが、The Beatles「Here Comes the Sun」カヴァー B3、そして Iveria のデビュー作でもお馴染みのトラッド・カヴァー B6 に渦巻く、超高速グルーヴは悶絶モノ！

🕐 1976 🌐 グルジア共和国

Ⓟ Рэро Ⓣ Государственный эстрадный оркестр Грузии „Рэро"

Ⓐ Rero Ⓣ Variety Orchestra of Georgia "Rero"
Ⓞ LP ⫿ C60-15105-06 ★★★

2nd にしてラスト・アルバムとなる本作では、Диэло（Dielo）のリーダー、アミラン・エブラリゼ（Амиран Эбралидзе）へとグループは引き継がれ、より洗練された音楽性へと変貌を遂げる。Earth,Wind & Fire「Getaway」のイントロを丸まま拝借したトビリシ・ファンク・クラシックス A1、日本ジャズ史にその名を刻むピアニスト秋吉敏子のペンによる、女性ヴォーカルが穏やかに舞うスムース・メロウ・ファンク・ナンバー A3、メイナード・ファーガソンによるクール・ジャズ・ファンク名曲「L-Dopa」の 10 分余りに及ぶ長尺カヴァー B1 等、聴きどころ満載の定番にして名盤。

🕐 1980 🌐 グルジア共和国

Ⓟ Рапсодия Ⓢ Спешу к любви твоей

Ⓐ **Rhapsody** Ⓣ **I Hurry to Your Love**
Ⓞ LP 🎵 C60-12195-96 ★★

モスクワ・フィルハーモニー管弦楽団のエリート・ミュージシャン達が集った、ウラジーミル・ペトレンコ（Владимир Петренко）率いる男女混声ソフト・ロック～ジャズ・ファンク・アンサンブル。本作は彼らの 1st アルバムにして文句なしの代表作。オリジナル曲となる爽快感溢れるボッサ・ソフト・ロック B1、鬼気迫るファンキー・グルーヴと各パートのソロ回しが秀逸な、ガーシュウィン「Rhapsody in Blue」の長尺ジャズ・ファンク・カヴァー B2、キュートなガールズ・ヴォーカルと決め台詞のエコーが堪らない、ボビー・ヘブ「Sunny」のディスコ・カヴァー B4 等を収録した、大充実の一枚。

🕐 1979 🌐 ロシア連邦共和国

Ⓟ Рапсодия Ⓢ Когда рождается музыка

Ⓐ **Rhapsody** Ⓣ **When Music is Born**
Ⓞ LP 🎵 C60 21461 000 ★★

VIA ではなく VIO（ВИО/Vocal Instrumental Orchestra の略）であった彼らの一番の特徴は、西側諸国ポップスからの影響を背景にしつつ、大所帯によるグルーヴィーなバッキングで華麗に料理してみせるそのアレンジ・スキル。2 枚目にして最後のアルバムとなった本作では、シンセサイザーを大胆に導入し、オリジナル曲を中心としたプログレッシヴなアレンジを披露。A 面ではキース・エマーソン（Emerson, Lake & Palmer）のカヴァーも含めた叙情プログレ的な展開を見せつつも、Instant Funk「Wide World of Sports」のフュージョン・ディスコ・カヴァー B1 を皮切りにブチ上がる一枚！

🕐 1985 🌐 ロシア連邦共和国

Ⓟ Рапсодия Ⓢ Алые струны

Ⓐ **Rhapsody** Ⓣ **Scarlet Strings**
Ⓞ EP 🎵 C62-14659-60 ★★

彼らは多くのシングル作もリリースしているが、チェックしておきたい作品は 2 枚。まず全曲アルバム未収録曲となった本作では、洒落たグルーヴを奏でたアルバムとは趣を変えて、全編に渡って酩酊したかのような幻惑的なフリーキー・ギターが混入。加えてサイケデリックかつアヴァンギャルドなアレンジが施され、変形ジャズ・ファンクとして仕立てられた A 面のサウンドは秀抜の出来。そしてもう 1 枚は同年にリリースされた、アメリカのディスコ・ガール、The Ritchie Family とのスプリット・ソノシート（Г62-07835-36）。ソノシートのみに収録されたミッド・テンポ・ファンク・ナンバー B1 は、縦ノリ必至の名曲！

🕐 1980 🌐 ロシア連邦共和国

Ⓟ Римма Ибрагимова Ⓢ Уйлану

Ⓐ **Rimma Ibragimova** Ⓣ **Reflections**
Ⓞ LP 🎵 C60 23401 001 ★★★

タタール自治共和国初のプロ女流作曲家、サラ・サドゥコヴァ（Сара Садыкова）に師事し、弱冠 17 才にしてタタール自治共和国国立交響楽団に所属。その後、約 30 年に渡りソリストを務め上げた、カザンが誇る女性ヴォーカリスト、リンマ・イブラギモヴァによるソロ・デビュー・アルバム。本作にて彼女のバックを支えたのは、ジャズ・ムガムを創り上げた天才ピアニスト、ヴァギフ・ムスタファザデ率いるジャズ・アンサンブル、Mугам（Mugham）。疾走感溢れるファンキー・メロウ・ナンバー A5、夜が似合う AOR ライクなバッキングが光る B2 等、中央アジアらしい伝統歌唱法との対比が際立つ、洗練を極めたバッキングが秀逸な好作。

🕐 1985 🌐 タタール自治共和国

Ⓟ Роберт Амирханян Ⓢ Песни

Ⓐ **Robert Amirkhanyan** Ⓢ Songs
Ⓒ LP ▦ C60-13909-10 ★★★★

アルメニア出身の作曲家、ロベルト・アミルハニャンの曲を様々なシンガー
が歌い上げた作品集。バックを務めたのはレジェンド、メリク・マヴィサ
カリャン（Мелик Мавискалян）率いる Armenian TV and Radio Variety
Orchestra。本作において一際妖艶に光り輝くのは、ザルイ・トニキャン
（Заруи Тоникян）が歌うアルメニア・グルーヴ至高の名曲 B1。同曲は
マヴィサカリャンによる 1975 年版、コンスタンチン・オルベリャンによ
る 1977 年版、そして本作の計 3 種のヴァージョンが存在。いずれもトニ
キャンがヴォーカルを務めているが、三者三様のアレンジの妙が味わえる。

◔ 1980 ⊕ アルメニア共和国

Ⓟ Рок-Ателье Ⓢ Распахни окно

Ⓐ **Rock-Atelie** Ⓢ Open the Window
Ⓒ Flexi ▦ Г62-09305-6 ★★★

アフトグラフ（Autograf）でもその腕を振るうキーボーディスト、クリス・
ケリミ（Крис Кельми）によって 1980 年に結成。自身を前面に押し出し
ながら、時代の空気をたっぷりと吸い込んだポップ・サウンドは評価を獲
得、解散後はソロへと転身している。そんなキャリアの中でもデビュー作
となる本作は、唾吹きフルートとダミ声ヴォーカルによるプログレッシ
ヴ・ファンク A1、一転美しい鍵盤捌きとメロウなコーラスが響き渡るチ
ル・ソング B1 を収録した好作。カザフ人によるトライバルなパーカッショ
ンが冴えるサンシャイン・ディスコ・ナンバーを収録した『Взлет』（C62
25733 006）もチェック！

◔ 1981 ⊕ ロシア連邦共和国

Ⓟ Руслан Горобец Ⓢ Звездный дилижанс

Ⓐ **Rouslan Gorobets** Ⓢ Star Stagecoach
Ⓒ EP ▦ C62 26131 003 ★★★

80 年代から 90 年代にかけて、15 年近くに渡りアーラ・プガチョワ
（Алла Пугачёва）のバック・バンドとして帯同した職人グループ、
Рецитал（Recital）のキーボーディストによるソロ・デビュー・シングル。
本作でも Рецитал（Recital）のメンバーを従えて録音、80s ポップスの
雛形的 A 面に対して、B 面曲は彼の国では異例の必殺レゲエ・チューン。
1992 年にリリースされたソロ・アルバム『Ни о чем не жалей（何も後
悔しないで）』（C60 32555 007）にも収録されたその名曲は、彼がフェイ
バリットに挙げるアーティスト、スティングやスティーヴィー・ワンダー
からの影響が確かに息づいている。

◔ 1987 ⊕ ウクライナ共和国

Ⓟ Ройял Найтс Ⓢ Вокальный квартет "Ройял Найтс"

Ⓐ **Royal Knights** Ⓢ Vocal Quartet "Royal Knights"
Ⓒ LP ▦ 33Д-028407-08 ★★

結成は 1959 年、東京芸大出身の日本人グループながら、満洲生まれで母親
がロシア人のメンバーのニキータ山下は、後にかのゴルバチョフの同時通訳
を務めるほどにロシア文化、そして何よりもロシア民謡に精通。そして満を
持して本国ソ連に渡るや否や、全土に渡って広く成功を収めた、和製ヴォー
カル・カルテットによる 1970 年作。全編潔い日本語詞による歌謡コーラス
曲が並ぶ中、異彩を放ち輝くは A3「Рай и ад（天国と地獄）」。ファズ＆ワウ・
ギターによる Red Funk 版グループ・サウンズという、何とも珍妙かつキラー
なサウンドは歌謡ファンのハートをブチ抜くこと間違いなし！ Kraftwerk
ライクな（もちろん彼らよりも先んじた）アートワークも抜群！

◔ 1970 ⊕ 日本

⑫ Времена года　⑪ Долгие дни

Ⓐ The Seasons　⑪ Long Days
Ⓓ EP　　С62-14653-54　　　　　　　★★

ゴーリキーで 1975 年に結成、アレクサンドル・コロトコフ（Александр
Коротков）とその妻である、リュドミラ・コロトコフ（Людмила
Коротков）を中心に活動を続けた VIA。2 枚の EP と 1 枚のオニバス EP
に音源を残しているが、本作はデビューとなる 4 曲入り EP。中でも、ピ
アノとブラス隊による暗鬱としたムードを掻き分けるかのように走る、タ
イトなドラミングが印象的な A1 がベスト・トラック。1989 年にはリーダー
を変更の上、出身地のニジニ・ノヴゴロド（Нижний Новгород）にグルー
プ名を改名するも、わずか数年の活動で終止符を打つこととなる。

⏱ 1980　🌐 ロシア連邦共和国

⑫ Шатлык　⑪ Для Тебя

Ⓐ Shatlyk　⑪ For You
Ⓓ LP　　С60 20449 001　　　　　　★★★

中央アジアの経済を支える巨大天然ガス田を保有する都市、シャトルクの
名を冠した、アジアン・インストゥルメンタル・ソウル・グループによ
る唯一作。VIA ではなく Instrumental Ensemble である彼らは、多くの男
女ヴォーカリストを招聘し、本作を制作。アジア歌謡をベースにした様々
なタイプの曲を収録しているが、とにかく注目は A2「Дикие гуси（Wild
Geese）」。一度聴けば頭から離れないほどに過度のビブラートを用いた、
伝統歌唱を駆使する超高音フィーメル・ヴォーカルと、実に印象的かつ
洗練されたファンキー・トラックとが融合。このアンバランスさこそが
Red Funk の一つの旨味。

⏱ 1983　🌐 トルクメン共和国

⑫ Поющие гитары　⑪ s.t.

Ⓐ The Singing Guitars　⑪ s.t.
Ⓓ 10"　　Д24317-18　　　　　　　★★★

時はブレジネフ書記長政権下、共産党官僚による支配は強まりを見せ、
閉塞感漂う市民生活の中に差し込んだ一筋の光。ソ連において初めてプ
ロとしてステージでロックを掻き鳴らし、「VIA」という概念を生み出し
た開祖的存在にして、現象ともいうべき圧倒的な人気を誇った「ソヴィ
エトのビートルズ」こと、Поющие гитары（The Singing Guitars）。The
Ventures のようなサーフ・バンド、そして何よりも The Beatles の多大な
る影響下にあった彼らは、唯一の（ミニ）アルバムとなった本作において
も、The Shadows「Apache」や The Tremeloes のカヴァーを軸に据えた
内容となっている。

⏱ 1969　🌐 ロシア連邦共和国

⑫ Поющие гитары　⑪ Саласпилс / Тихо течет Неман

Ⓐ The Singing Guitars　⑪ Salaspils / Neman Quietly Flows
Ⓓ Flexi　　ГД0003793-4　　　　　★★★

80 年代には Аракс（Araks）とソロ作で大きな成功を収めた、ユーリ・アン
トノフ（Юрий Антонов）を始めとした多くのミュージシャンが参加し、
時代と共にグループの音楽性も大きく変化を遂げて行く。彼らはフル・ア
ルバムこそ残さなかったものの、多くのシングル作を残しており、本作は
その中でもとりわけ高い音楽性を示した一枚。片面 1 曲ずつのロング・
トラックで構成されており、複雑に編み込まれたドラマ性、サイケデリッ
クなサウンド・テクスチャー、そしてプログレッシヴなアレンジが織りな
す、真に先進的な至高の名曲を収録している。なお、ジャケットなしの 7
インチシングル版（33Д-00035145-6）も存在する。

℗ София Ротару ⓘ s.t.

● 1974　⊕ ウクライナ共和国

Ⓐ **Sofia Rotaru** ⓘ s.t.
Ⓒ LP　C60-05035-36　★★

歌手生活50年を超える長いキャリアを誇り、出身国であるモルダヴィア、ウクライナを超え、アーラ・プガチョワと共にソ連全土を代表する国民的歌手として輝き続ける、ソフィヤ・ロタール。1972年に『Червона рута（赤いヘンルーダ）』(33CM03641-2)でデビュー、そして本作はキャリア初期作となる1974年作。本作で自身のお抱え楽団、Червона рута（Chervona Ruta）と共にバッキングを務めるのは、最強ジャズ集団、Melodiya Ensemble。艶っぽいヴォーカル、連発するホーン隊、転がり回るピアノ、奔放な運指で弾くグルーヴィーなベース・ライン等が折り重なる、ファンキー・チューンA2をレコメンド！

℗ София Ротару ⓘ s.t.

● 1976　⊕ ウクライナ共和国

Ⓐ **Sofia Rotaru** ⓘ s.t.
Ⓒ LP　C60-07083-84　★★

自身の音楽性に更なる独自色を取り込んだ1976年作にして、文句なしのキャリア最高傑作。良曲が立ち並ぶ中、本作の中でもとりわけ高い人気を集めるのは、ビートメイカーの間ではある種の大ネタとして崇められる、ウクライナ伝承音楽「Маричка」のカヴァーとなるB4。ドテッ腹撃ち抜くベース、吹きすさぶリコーダー、クールなギター・カッティング、そして何よりも鬼気迫るバイオリンが迫り来る、伝承音楽を解体再構築し、唯一無二のファンクネスを手中に収めた名曲中の名曲。この後80年代には時代を反映したディスコ路線を歩みながら多くの作品を残し、現在もなお一線級のアーティストとして活動している。

℗ Светлана Резанова ⓘ Поёт

● 1974　⊕ ロシア連邦共和国

Ⓐ **Svetlana Rezanova** ⓘ Sings
Ⓒ LP　C60-04979-80　★★

Современник（Sovremennik）を率いたことでも知られるアナトーリー・クロール（Анатолий Кролл）や、VIA代表格Весёлые ребята（Jolly Fellows）での活動でも知られる女性シンガー兼女優、スヴェトラーナ・レザノワ。アレサ・フランクリンやエラ・フィッツジェラルドに影響を受け、シンガーを目指した彼女は、1972年にブルガリアで行われた国際的な歌謡コンテスト「The Golden Orpheus」において結果を残し、名声を得る。唯一のアルバムとなった本作は、国際派らしくドイツ語曲を収録しつつ、パワフルなシンギングと腰の強いバッキングが魅力の一枚。個人的な推しは、優雅なフルートの音から始まるソウル歌謡B1！

℗ Тамбурин ⓘ s.t.

● 1988　⊕ ロシア連邦共和国

Ⓐ **Tambourine** ⓘ s.t.
Ⓒ LP　C60 27217 009　★★

レニングラード出身フォーク・ロック・グループによるデビュー作。デビュー音源となる1988年オムニバス作『Ленинградский рок-клуб（Leningrad Rock Club）』(C60 26573 002)ではダーク・ウェイヴ・サウンドを打ち鳴らすも、本作での持ち味は伝承音楽とロックとのミックスを目指した、鉄の味が薄い柔和なメロディー・ライン。シロフォンとクラリネットが描く儚くも力強いフォーク・ロック・ナンバーB3、フルート、スキャット、そしてシンセサイザーが織りなす不思議な浮遊感が秀逸なA2等、オールド・ロックの持つ骨太さはそこそこに、同時代のネオアコ的サウンドとの融合性すら感じるポピュラリティーの高い一枚。

ⓟ Татьяна Кочергина ❶ Звездный час

❶ 1979 🌐 ウクライナ共和国

Ⓐ Tatyana Kochergina ❶ Finest Hour
Ⓞ LP C60-12129-30 ★★★

ソロ・シンガーとしてキャリアをスタートさせるや否や、瞬く間にソヴィエト・フリー・ソウル・ディーヴァとしての地位を得るに至った才女、タチアナ・コチェルギーナ。女性だけで結成されたVIA、Чайки（Chayki）（1984年オムニバス作『Песни о Симферополе（シムフェロポリの歌）』に1曲のみ残す）でキャリアをスタート、アレクサンドル・ズエフ率いるКалина（Kalina）でソリストを務めた後、ソロへと転向する。自身が結成したグループ、Звездный час（Finest Hour）を従えて制作されたデビュー・アルバムとなる本作は、シルキーな極上メロウ・チューンを連発した好作。とりわけ縦揺れ必至のファンク・ナンバーB2をレコメンド！

ⓟ Татьяна Кочергина ❶ Уроки музыки

❶ 1980 🌐 ウクライナ共和国

Ⓐ Tatyana Kochergina ❶ Music Lessons
Ⓞ LP C60-15857-8 ★★★

ソロ・デビュー翌年にリリースされた2ndアルバム。前作に続き自身のグループ、Звездный час（Finest Hour）をバッキングに従えつつも、本作ではКобза（Kobza）がゲスト参加し、よりアレンジメントの幅が拡張している。半拍遅れで決まるスネアが心地良いレッド・ブギーA4、実にフレッシュなイントロで幕をあける至高のフリー・ソウル・チューンB1等、名曲目白押しの不朽の名作。また、この頃には3曲入ソノシート『s.t.』（Г62-07875-6）と4曲入EP『Уроки музыки（音楽のレッスン）』（C62-15293-94）の2種のシングルをリリース。全曲アルバム収録曲となるが、名曲はシングルでも押さえたい。

ⓟ Татьяна Кочергина и XX век ❶ Татьяна Кочергина и рок

❶ 1988 🌐 ウクライナ共和国

Ⓐ Tatyana Kochergina and 20th Century ❶ Tatyana Kochergina and Rock
Ⓞ LP C60 26723 009 ★★

8年という間を空けてのリリースとなった3rdアルバムにしてキャリア最終作は、突然のメタル・アルバム。彼女がハード・ロック・グループ、XX BEK（20 Century）のヴォーカルを務めるという形で1年間活動を続け、短い期間ながら国内外のロック・フェスティバルへと精力的に参加、本作はその成果として制作されている。前作までの音楽性とは全く異なり、振り絞るようなヴォーカル、けたたましいディストーション・ギター、そしてライヴではレーザーを用いた演出も行っていたという、フューチャリスティックなアレンジが交配されて産まれたものは、今もなおフレッシュに響くコズミック・スラッシュ・メタル・サウンド。

ⓟ Театрон ❶ Берегите любовь

❶ 1984 🌐 グルジア共和国

Ⓐ Teatroni ❶ Cherish the love
Ⓞ LP C60 20605 008 ★★★★

美しくも気高い極上のメロウネス。グルジアのTV ラジオ・オーケストラに端を発しながらも、ジャケット等にその存在をクレジットされずに秘匿された、文字通り幻のVIAによる唯一の作品。伸びやかなロングトーン・ギター、慈愛に満ちたシンセサイザー、抑制の利いたグルーヴ、そして儚く繊細でありながらも力強く歌い上げるヴォーカリゼーションが織りなす、メロウ・ブラジリアンにも通じ得る桃源郷が如きサウンドは極上の一言。そして最大の名曲A3に、思わず涙腺が緩むのも無理はなし。1987年にリリースされたオムニバス作『Пою тебе, Тбилиси（トビリシよ、おまえを歌う）』（C60 26465 002）にも1曲の好曲を残している。

ⓅТрижды три ❸ s.t.

ⒶThree Times Three ❸ s.t.
ⒸEP 💿 C62-13101-2 ★★

Лада（Lada）やВесёлые ребята（Jolly Fellows）に在籍した女性シンガー兼女優、ヴァレンティーナ・イグナティエヴァ（Валентина Игнатьева）を中心に据えた、ロシア南東部クイビシェフ交響楽団発、男女混成ファンキー・カルテットによる唯一作となる4曲入りEP。印象的なイントロと後ろノリの溜めの効いたグルーヴが秀逸なミッド・テンポ・ファンキー・チューンA2、やけに切れ味鋭いドラミングが気持ち良いサンシャイン・ポップB2、そしてカチカチの硬質ギター・カッティングと単純明快な下っ腹打ち抜くベース・ライン、そして「アイ・アイ・アイ」のコーラスが強制的に腰を振らす、ハイライト・ナンバーA1こそが聴きどころ。

🕐 1980 🌐 ロシア連邦共和国

Ⓟ Тынис Мяги / Валерий Леонтьев ❸ Олимпиада80 / Красные маки

Ⓐ Tõnis Mägi / Valery Leontiev ❸ Olympics-80 / Circles Disks
Ⓒ EP 💿 C62-13447-48 ★★

数十年に渡るキャリアの大半の作品がミリオン・ヒットを果たし、ソ連解体以降には国民的歌手となったヴァレリー・レオンティエフ（Валерий Леонтьев）、そして Ultima Thule でもヴォーカルを務めたエストニア出身ロック・シンガー、ティーニス・ミャーギ（Tõnis Mägi）によるスプリット・シングル。A面には同年開催のモスクワ・オリンピックのシンボルともなった、ミャーギ最大のヒット曲でもある売れ筋ディスコ・ポップスを収録。そしてB面にはレオンティエフによるアーバン・ディスコ・ナンバーを収録。こちらもポップス路線ながら、ファンキーかつアーバンな音色使いのシンセサイザーがピリリと味を利かす。

🕐 1980 🌐 エストニア共和国

Ⓟ Tõnis Mägi & Muusik-Seif ❸ s.t.

Ⓐ Tõnis Mägi & Music-Safe ❸ s.t.
Ⓒ EP 💿 C62-16913-4 ★★★

ソロ活動以前にティーニス・ミャーギが率いたグループ、Muusik-Seif。1982年リリースの唯一のアルバム『Mäe Kaks Nõlva』（C60 19439 002）では、ハードなロックンロール・スタイルからたっぷりとしたバラードまでを収録した、まさに80s王道ロックのど真ん中といった作品。そんな中、同年にリリースされている4曲入EPに注目したい。全曲アルバム未収録となるものの、特にA1はまさに極上の出来。クールにキメた上物、跳ねる指弾きベース・ライン、そしてしゃがれ声がピタッとハマるメロディ・ラインが夜を踊り明かす、白のスーツがお似合いな腰直撃のキラー・アーバン・チューン！マスト！

🕐 1982 🌐 エストニア共和国

Ⓟ Tornaado ❸ Instrumentaaltsükkel "Regatt"

Ⓐ Tornado ❸ Instrumental Cycle "Regatta"
Ⓒ 10" 💿 Frotee / FRO001 ★★★

モスクワ・オリンピックを2年後に控えた1978年、セーリング競技の会場に選出され湧くタリン。その千載一遇のチャンスを物にすべく、文字通りヨット・ロックをテーマに結成されたグループ、Tornaado（セーリングのクラス、トルネード級から命名）。本作は1979年に録音されながらお蔵入り、2013年にFrotteeよりリリースされた発掘音源集。全編インストながら、ディスコ、ファンク、ジャズ、レゲエ等、様々な要素をシームレスに織り込んだ流麗なグルーヴは見事。1983年には唯一のEP『Tiivad』（C62 19797 008）をリリースしているが、ヒットには恵まれずグループは終焉を迎えている。

🕐 2013 🌐 エストニア共和国

Ⓟ Мастерок　Ⓢ Детский ВИА п/у М. Некрича

Ⓐ **Trowel**　Ⓣ Children's VIA by M. Nekrich
Ⓞ LP　💿 C50-16639-40　★★★★

グルジア出身のレジェンド Алиони（Alioni）、同じくグルジアの女の子だけで結成された Мзиури（Mziuri）等、ソ連下においても存在したプロフェッショナル・キッズ・グループ。本作は 7 才〜 13 才の子供達で組織された、ウクライナ発のキッズ・グループによるデビュー作。愛らしいキッズ・コーラスを軸にしたポップ・ソングでありながら、フルートを吹き、シロフォンを打ち鳴らし、ドラムはグルーヴし、ファズを豪快に踏み込んでみせるその仕事ぶりは、まさにプロフェッショナル。その後、2 枚のアルバムをリリース、ソ連内に止まらずドイツ、イタリア、スペイン他広く国外もツアーで巡り、人気を博している。

🕐 1981　🌐 ウクライナ共和国

Ⓟ Uldis Stabulnieks　Ⓢ Neskaramam Nepieskaros

Ⓐ **Uldis Stabulnieks**　Ⓣ Neskaramam Nepieskaros
Ⓞ EP　💿 C62-05823-4　★★

合唱団や演劇の世界をバックボーンにしながらもジャズの素養をも携え、長きに渡り管弦楽団のコンサートマスターも務め上げた、ラトヴィア出身シンガー兼ピアニスト兼コンポーザー、ウルディス・スタブルニエクス。舞台音楽を主題にしたアルバム他、数枚の EP やアルバムを残しているが、中でもデビュー作となる本 4 曲入 EP に注目したい。かの Procol Harum よろしく、ブリティッシュ・ロック特有の哀感を漂わせるメロディー・ラインで魅せるロック・バラードを収録した A 面、サイケデリックな音像、猛るフリーキーなサックス、そして弾むジャズ・ロック・グルーヴが冴え渡る B 面、全 4 曲それぞれの魅力が光る好作。

🕐 1975　🌐 ラトヴィア共和国

Ⓟ Валерий Леонтьев / София Ротару　Ⓢ Спасибо, любовь / Бессоница

Ⓐ **Valery Leontiev / Sofia Rotaru**　Ⓣ Thank You, Love / Insomnia
Ⓞ EP　💿 C62-18139-40　★★

ソ連きってのミリオン・ヒット・シンガー 2 人によるスプリット・シングル。共にアルバムには未収録となるが、ファンにとっては外せない好曲揃い。ヴァレリー・レオンティエフによる A 面には、千鳥足でゆらゆらと奇妙なリズムを刻むストレンジ・シンセ・ポップ・チューンを収録。1985 年にはヤーク・ヨアラ（Яак Йоала）によるヴァージョンを収録した EP（C62 22955 000）もリリースされている。また、ソフィヤ・ロタールによる B 面には、ブラジリアン・フィーリングも吸い込んだ至妙のバッキングが堪らない、シルキーなアーバン・メロウ・ファンクを収録。こちらはクルガゾールの 1982 年 6 月号にも収録。

🕐 1982　🌐 ロシア連邦共和国

Ⓟ Ваня Попов　Ⓢ Новая звезда

Ⓐ **Vanya Popov**　Ⓣ A New Star
Ⓞ LP　💿 R60 00315　★★★★

最初のヒットを記録したのは僅か 4 歳、ギネスにすら記録を残す「世界最年少ポップ・スター」または「ソ連最年少 B-Boy」の異名を取る、ヴァーニャ・ポポフ君による唯一作。コンビナシア（Kombinatsya）等の活動でも知られる、ヒット・コンポーザー、ヴィタリー・オコロコフ（Виталий Окороков）が全面的に制作を手掛け、90 年代らしいオールドスクールなビートにキッズ・ラップを乗っけるという、ソ連らしからぬスタイルで華麗にデビュー。ギャングスタ風から（今でいうところの）トラップ風までをも操り、ファッションも立ち居振る舞いもゴリゴリの B-Boy。本作に収録された全ての曲はヒットを果たし TV スターともなる。ドープ！

🕐 1992　🌐 ロシア連邦共和国

Ⓟ Ваня Стойкович　Ⓥ Поёт Ваня Стойкович

Ⓐ **Vanya Stoykovich**　Ⓥ Sings Vanya Stoykovich
Ⓞ LP　C60-06053-4　★★

60年代より活動を続けるセルビア出身のポップ・シンガー、ヴァーニャ・ストイコヴィッチ。キャリア初期は自国ユーゴスラヴィアのレーベルPGP RTBからシングル・リリースを続けるも、唯一のアルバムとなった本作はMelodiyaからのリリース。基本的にはカヴァーを含むポップス然とした曲が並ぶ中、ひときわ異彩を放つのはオープニング・ナンバーA1。同郷のサイケデリック・ソウル・グループ、ABCをバッキングに迎え、ヒリヒリとしたファズ・ギターとパワフルなヴォーカルによるサイケデリック・ロック・ナンバーはまさに白眉の出来。ABCの2ndアルバム『ABC』（C60-05811-12）にも同テイクで収録。

Ⓒ 1975　⊕ ユーゴスラヴィア連邦

Ⓟ Ватра　Ⓥ s.t.

Ⓐ **Vatra**　Ⓥ s.t.
Ⓞ LP　C60-06231-32　★★★

ウクライナ西部の都市ルヴォフにて結成、バンド名は「炎」の意を持つ非業のエスニック・グルーヴァー。ウクライナ・ジャズの祖、ミハイロ・マヌリャク（Михайло Мануляк）により結成されるも、KGBから音楽性の変更を迫られそれを拒否、即座にリーダーを解雇されている。その後、意志を継いだボグダン・クドラ（Богдан Кудла）がデビュー作となる本作で目指したものは、結成時と何ら変わらぬ、ジャズ・グルーヴとウクライナ伝統フォークのフュージョン。凛とした女性ヴォーカルとブラス隊、そしてビョンビョンと跳ねるウクライナ口琴による、キラー・エスノ・ファンク・チューンA6を収録した名品。

Ⓒ 1975　⊕ ウクライナ共和国

Ⓟ Velly Joonas　Ⓥ Stopp, Seisku Aeg!

Ⓐ **Velly Joonas**　Ⓥ Stop, Stall the Time!
Ⓞ 7"　Frotee / FRO007　★★

数多くのバンド、そして国営オーケストラに帯同しヴォーカルを務めた、エストニア・ソウル・シンガー史の重要人物、ヴェリー・ヨーナス。リリースされたソロ音源は1980年発表のオムニバス作『Eesti Pop-Lauljaid』（C60-13405-6）に残すのみだが、本作はエストニアのラジオ局のアーカイヴに残されていた音源をFroteeが発掘リリースした一枚。A面はABBAのメンバー、フリーダによる「I See Red」のカヴァー、B面はロバータ・フラック「Feel like Makin Love」のカヴァー。両面共にエストニア語詞による特有の響きも素晴らしい、原曲越えの至極のメロウ・チューン。

Ⓒ 2015　⊕ エストニア共和国

Ⓟ Весёлые голоса　Ⓥ Ансамбль веселые голоса

Ⓐ **Veselye Golosa**　Ⓥ Ensemble Cheerful Voices
Ⓞ LP　C60-06009-10　★★★

レニングラードに生を受け、Дружба（Druzhba）や Поющие гитары（The Singing Guitars）を始め、様々なVIAのソリストを歴任したヴォーカリスト、アナトーリー・コロリョフ（Анатолий Королёв）。本作はそのキャリアを活かし生み出した、自身のグループによる唯一のアルバム。紳士イズムを貫いた正統派シンギングを見せつつも、バッキングは実に洒落っ気たっぷりの出来栄え。歪む駆け上がりイントロ、吹き捨てるかのようなサックス、派手な連発フィルイン入りドラム・ソロも見せるファンキーなリズム隊が織りなすB3は、その筋のDJ御用達キラー・チューン！

Ⓒ 1975　⊕ ロシア連邦共和国

℗ Весёлые голоса ❶ Весёлые голоса / На солнечной поляночке / Берёза

🅐 Veselye Golosa ❶ Merry Voices / On Sunny Glade / Birch
◉ 7" 💿 C62-04857-58　　　★★★

唯一のアルバムとなった 1975 年作の前後には数枚のシングルも残す彼らだが、その中でも取り分け耳を引くのは、ソノシート（Г62-04063-4）と 7 インチシングル、2 種でのリリースとなった本作。アメリカン・ソフト・ロック〜 MOR ライクな上質ポップ・ナンバー A1 を収録しつつも、やはり彼ら独自の味と共に強いインパクトを残すのは、亜脱臼寸前の変則リズムとフルートとが踊り狂う、プログレッシヴ・ダンス・チューン A2。この後、アナトーリー・コロリョフはグループを解体し、作曲活動に専念。他歌手への曲提供を続けていくも、1980 年に降りかかった不慮の事故により一線を退くこととなり、1991 年には惜しくも他界している。

🕐 1974　🌐 ロシア連邦共和国

℗ Весёлые ребята ❶ Любовь – огромная страна

🅐 Jolly Fellows ❶ Love - A Huge Country
◉ LP 💿 C60-05459-60　　　★★

まさにモンスター。全キャリアでリリースされたレコードの販売総数は実に 1 億 8 千万枚に上る、最も成功した VIA こと「Весёлые ребята」（「陽気な連中」の意）。結成は 1966 年と古く、VIA の開祖的存在でもあった彼らは、まさに名実共に VIA を代表する存在として、栄光の道を歩み続けて行く。デビュー・アルバムにして代表作、そして VIA のひとつの完成形を提示してみせたとも言える本作は、ヒット歌謡としての側面を持ちながらも、織り込まれたプログレッシヴなアレンジメント、そして Blue Cheer さながらにワイルドに轟くファズ・ギターが眉間を撃ち抜く、底知れぬ VIA サウンドへの入口にして極点。

🕐 1974　🌐 ロシア連邦共和国

℗ Весёлые ребята ❶ Музыкальный глобус

🅐 Jolly Fellows ❶ Musical Globe
◉ LP 💿 C60-12953-54　　　★★

彼らの音源デビューとなる EP『На чем стоит любовь（愛は何によるのか）』（Д-00028623-4）は 1,600 万枚近くのセールスを誇り、VIA 草創期の光として道を切り開いた。そしてデビュー以降次々と成功を積み重ねる中で、音楽性も大きな変革を遂げていく。アーラ・プガチョワをヴォーカルに迎え、ブルガリアのみでリリースされた 1976 年 2nd『Златният орфей 1976（黄金のオルフェ国際音楽祭）』（BTA2058）、UFO からスティーヴィー・ワンダーまでをも収録した英米名曲カヴァー集となった本作、そして 1987 年シンセ・ポップ作『Минуточку!!!（ちょっと待って!!!）』（C60 25543 006）等、多くの作品を残している。

🕐 1979　🌐 ロシア連邦共和国

℗ Витамин ❶ s.t.

🅐 Vitamiin ❶ s.t.
◉ LP 💿 C60 20631 008　　　★★

80 年代には大御所アーラ・プガチョワやソフィヤ・ロタールと並ぶほどの人気を博した女性シンガー、アンネ・ヴェスキ（Анне Вески）を軸に据え結成されたエストニア発のディスコ・ポップ・グループ。1980 年に EP にてデビューを飾るものの、ヴェスキはすぐにソロへと転向。残されたメンバーはその後 2 枚の EP をリリースした後、1983 年『s.t.』（C60 19587 005）にてアルバム・デビューを果たす。本作はその翌年にリリースされた 2nd アルバムで、80s 和モノを彷彿とさせるディスコ・ナンバー A5 は一聴の価値あり。1987 年には最終作『s.t.』（C60 25557 001）も残している。

🕐 1984　🌐 エストニア共和国

Ⓟ Візерунки шляхів Ⓣ Візерунки шляхів

Ⓐ Vizerunki Shlyakhiv Ⓣ s.t.
Ⓕ LP　▨ C60-06699-700　★★★★

60年代末から70年代初頭にかけて人気グループ Еней（Aeneas）を率
い、70年代以降は Красные Маки（Red Poppies）、Чарівні Гітари（Magic
Guitars）等、ウクライナ・シーンの中核を渡り歩いた、タラス・ペトリ
ネンコ（Тарас Петриненко）によって結成されたキエフ発ファンキー
VIA による唯一作。ジャズ、ラテンから民謡まで幅広い音楽をバックボー
ンに持つ彼ら。中でも鮮烈なドラム・ブレイクで幕をあけるウクライナ
民謡の完全改変フレッシュ・カヴァー B1 は、後年 Чарівні гітари（Magic
Guitars）でも再度カヴァーされた不変不朽の名曲。

Ⓘ 1976　⊕ ウクライナ共和国

Ⓟ Вокально-инструментальный ансамбль п/у А. Заботкайте Ⓣ Песни М. Новикаса

Ⓐ A.Care Vocal Instrumental Ensemble Ⓣ Songs of M. Novikas
Ⓕ EP　▨ C62-08799-800　★★★

リトアニアの女流ヴァイオリニストにしてヴォーカリスト、アイーダ・ザ
ボトカイテ（Aida Zabotkaitė）が率いた、俗称 Aida Band による4曲入
EP にして唯一作。終始奔放に転がり続けるピアノ使いが気持ち良い A1、
多層スキャットと複雑なアレンジメントが交錯するプログレッシヴ・ファン
ク・チューン B2 等を収録した、充実の一枚。なお、A1 は 1978 年にリ
リースされたオムニバス作『Apginkime Dainą!』（C60-09611-2）にも収
録されているが、歪んだギター・カッティングにサイケデリック・ヴァイ
ブスさえ香り立つ、至高のプロト・タイプ・ヴァージョンとなっている。
要チェック！

Ⓘ 1978　⊕ リトアニア共和国

Ⓟ Водограй Ⓣ s.t.

Ⓐ Vodogray Ⓣ s.t.
Ⓕ LP　▨ C60-09399-400　★★★

ウクライナ有数の重工業都市、ドニエプロペトロフスクの交響楽団内にて
1974年に結成。すぐにその才はかの巨人ダヴィッド・トゥフマノフにも
認められ、数々の賞を受賞し一躍同国を代表するグループへと駆け上がっ
た、Red Funk シーンを象徴する伝説的 VIA。吹きすさぶフルート、威風堂々
としたオルガン・サウンド、金切り声を上げるファズ・ギター、サンプリ
ング・ソース足り得る印象的なフレージング、躍動するジャズ・ロック・
グルーヴ。伝承音楽や大衆歌謡を織り交ぜながらも、極度にプログレッシ
ヴなアレンジメントが施された本作は、Red Funk を比類なきものたらし
める個性を全て凝縮した傑作。

Ⓘ 1978　⊕ ウクライナ共和国

Ⓟ Водограй Ⓣ Заколдованный круг

Ⓐ Vodogray Ⓣ Enchanted Circle
Ⓕ EP　▨ C62-14083-84　★★★★

彼らが残した音源は決して多くないが、それら全てが実に濃密。単体リリー
スはアルバム1枚、シングル2枚のみとなっている中、本作こそが彼らの
魅力を余すことなく詰め込んだ代表作。フレッシュなリズム・パターンに
よるバッキングに、女性スキャット、フルート、ピアノ、そしてムーグが絡
み付くドラマ・ファンク A1、空間を漂白するシンセサイザーがエクスペリ
メンタルな装いを醸す A2、大胆なエフェクト処理を施しながらもサンバの
フィーリングを導入した B1、一転高速歌謡ジャズ・ロック・グルーヴで魅
せる B2 を収録と、まさに全曲ハズレなし。特にオリジナル・ピクチャー・
スリーヴ付は、そのレアリティーも相まってファン羨望の眼差しを集める。

Ⓘ 1980　⊕ ウクライナ共和国

℗ Водограй　🎵 Зоре моя вечірняя

🅐 Vodogray　🎵 Dawn My Evening
💿 EP　C62-14645-6　★★★

最終作となる本作では、前作とはうって変わり彼らの狂気的側面が表出。陰鬱としたムードを掻き分けるように朗々と歌唱すること約3分半、淡々と刻まれるマラカスの音と共に舞台は暗転。甲高いシャウト、嘶くサックス、16 で刻みつけるエフェクティヴなキーボードが織りなす中間パートが絶品の、ウクライナ民謡のサイケデリック・カヴァー A1 に注目したい。その他、音源デビューとなるコンピ作『Днепропетровский сувенир（ドニエプロペトロフスクの土産物）』（C90-06925-8）に2曲、クルガゾールの 1978 年 1 月号にも 2 曲音源を残しているが、中でもクルガゾール収録のパーカッション使いが光るビート・ナンバーをチェック！

🕐 1980　🌐 ウクライナ共和国

℗ Вячеслав Ганелин　🎵 Браво, Красная шапочка!

🅐 Vyacheslav Ganelin　🎵 Bravo, Raudonkepuraite!
💿 EP　C62-08671-2　★★

Ganelin Trio を始め数多くのグループを率い、リトアニアとイスラエルで活動を続けたピアニスト、ヴァチェスラフ・ガネーリンによる EP 作。ミュージカル用にコンポージングされた音楽の断片を繋ぎ合わせて制作されており、短いパートが交錯する小品曲集といった趣でありながら、インパクト大のファンキー・イントロが随所に混入。ブラス隊と狂走するガールズ・ポップ・グルーヴ、ジリジリと唸り声を上げるワウ＆ファズ・ギター他、そのザッピングするかのような展開は流して聴くには若干不向きなものの、いわゆる DJ ネタ的にはバッチリ。1976 年にも同傾向作「Velnio Nuotaka」（C60-06115-6）を残す。

🕐 1977　🌐 リトアニア共和国

℗ Молодые голоса　🎵 В разгаре лета

🅐 Young Voices　🎵 At the Height of Summer
💿 EP　C62-13403-04　★★

ロシアン・メタル勃興を支えた原初的メタル・バンド、Круиз（Kruiz）のドラマーを務めたニコライ・チュヌソフ（Николай Чунусов）が在籍した、モスクワ発のポップ・アンサンブル。彼らが残した作品はたった 1 枚のシングルながら、そのサウンドは実にフレッシュな仕上がり。颯爽とした男女混声ハーモニーを躍動するディスコ・ビートとファンキー・ブラスが華を添え、そしてかのサン・ラも使用した最初期 DCO シンセサイザーのひとつ、イタリアの Crumar 製モノフォニック・シンセサイザー DS-2 によるフリーキーなサウンドが所狭しと駆け回る、ソ連流ソウル・ナンバー A1 は押さえておきたい。

🕐 1980　🌐 ロシア連邦共和国

℗ Юрий Антонов и Аракс　🎵 Я вспоминаю

🅐 Yuri Antonov and Araks　🎵 I Remember
💿 EP　C62-13653-54　★★

Поющие гитары（The Singing Guitars）や Добры молодцы（Good Fellows）でヴォーカリストを務め、ソロ転向後はウズベク共和国を代表するアーティストへと大成した、大御所ユーリ・アントノフ。多くの作品を残す彼のキャリアの中でも、彼のバッキングを務めたグループ、Аракс（Araks）と作り上げた音源は格別だが、本作はその中でもオススメしたい一枚。四つ打ちビートとシンセサイザー、そして男臭ムンムンのヴォーカルによるノンストップ・アゲアゲ・チューン A1 は、今では現代版にモディファイされ、「Retro House」として一世を風靡した一曲。レッツ・ダンス！

🕐 1980　🌐 ロシア連邦共和国

Ⓐ Araks Ⓣ Everything as Before
Ⓒ EP C62-16251-52 ★★

結成は 1971 年、元々は Led Zeppelin のカヴァーをプレイしていた彼らは、ユーリ・アントノフとの出会いにより大きな成功を収めることとなる。アレクサンドル・ザツェーピンの 1980 年作『Узнай меня（私を知って）』や、詩人エフゲニー・エフトゥシェンコとの 1983 年共作『Исповедь（告白）』等で名録音を残すが、本作は数少ないグループ単体名義作となった一枚。アントノフのキャリア初期にのみ見られる暗黒面にスポットを当てた、渦巻くコズミック・シンセサイザーが襲い来るプログレッシヴ・ナンバー A1 は白眉の出来。なお、1980 年には未発表アルバム『Колокол тревоги』（CD 化済）が存在している。

Ⓝ 1981 ⊕ ウズベク共和国

Ⓟ Зиновий Бинкин Ⓣ Не ищи покоя, сердце

Ⓐ Zinovi Binkin Ⓣ Don't Seek Peace, Heart
Ⓒ LP C60-11661-62 ★★★

デビューは古く 1920 年代、齢 15 にしてドネツク交響楽団にてトランペッターを務め上げ、コンポーザー転身後は名曲を量産した才人。彼の楽曲の数々を Melodiya Ensemble、Самоцветы（Samotsvety）、Синяя Птица（Blue Birds）等が演奏を担当した本作は、流麗なジャズ・ファンクからワウ・ギターが渦巻く歌謡ファンクまでを収録、サンプリング・ネタにもドンピシャなフレーズがてんこ盛りな一枚。また、1982 年にも同傾向のアルバム『Здравствуй, любовь（愛よ、こんにちは）』（C60-18807-8）をリリース。こちらでは Пламя（Plamya）や Акварели（Akvareli）等が演奏を担当、さらにレゲエ風味までも導入した好作となっている。

Ⓝ 1979 ⊕ ウクライナ共和国

Ⓟ Zuke Ⓣ s.t.

Ⓐ Zuke Ⓣ s.t.
Ⓒ LP R60 01305 ★★★

60 年代より活動を続ける本格派ジャズ・シンガー、マリュ・クート（Marju Kuut）と、実息にしてシンセサイザー奏者、ウク・クート（Uku Kuut）。近年彼らの 80 年代エレクトロ・ファンク期の諸作（全作極上の出来！）の再発が進み、一躍脚光を浴びることとなった、エストニア発父子鷹ブギー・グループによる唯一作。時代が時代、リリースは既に Melodiya ではなく Russian Disc。そして録音はハリウッド、歌詞は英語、カッティングは DMM。あらゆる意味においてソ連時代では考えられない、実にオン・タイムかつ高品位な R&B 〜ブギー・チューンがぎっしり。華麗なラップもご堪能あれ。

Ⓝ 1992 ⊕ エストニア共和国

Ⓟ V.A. Ⓣ Всесоюзный конкурс на лучшее исполнение песен стран социалистического содружества

Ⓐ V.A. Ⓣ All-Union Competition for the Best Performance of Songs of the Countries of the Socialist Commonwealth
Ⓒ LP M60-42191-92 ★★★

ソ連において、アーティストとして大成するための登竜門的存在となったコンクール、全ソ連邦（All-Union Competition）。本作はクリミア半島南端ヤルタで開催された、1979 年大会の模様を収めたライヴ・アルバム。ヴァレリー・レオンティエフによる、本作にのみ収録となったソウルフル・ナンバー A1 で幕開け。同年にシングル・カットされる、ВИА-75（VIA-75）のフェラ・クティ・カヴァー（！）A5、ウズベク共和国・レジェンド、Наво（Navo）によるお馴染み「Labamba」カヴァー、ヴォルガ川東岸クイビシェフの原初的 VIA、Скифы（Skify）によるキューバン・グルーヴ B6 等を収録。

Ⓝ 1980 ⊕ ロシア連邦共和国

ⓟ V.A. ❶ Всесоюзный телевизионный конкурс молодых исполнителей "С песней по жизни"

Ⓐ V.A. ❶ All-Union Television Competition of Young Performers "With a Song for Life"

Ⓞ LP ▦ C60-08843-46　★★★

ここ日本で言うところの NHK にあたる、ソヴィエト連邦中央テレビ、略して「СТ(ЦТ)」。СТ はラジオやテレビにおいて様々な番組を制作したが、その中でも 1976 年に放送開始され、出演する若手ミュージシャンを観覧者が投票するコンテスト形式で人気を博したのが、音楽番組『С песней по жизни(人生のための歌)』。本作はそんな番組の企画編集盤としてリリースされた一枚。LP2 枚に渡って多くのアーティストを収録しており、本作のみの収録曲も多いが、オススメはベロルシア共和国出身 VIA、Верасы(Verasy)による DJ 御用達のサイケデリック・ナンバー A2(ソノシートでの単体リリース有)。なお本作は 2LP 版とセパレート版とが存在する。

🕐 1977　🌐 ***

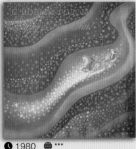

ⓟ V.A. ❶ С Новым годом!

Ⓐ V.A. ❶ Happy New Year!

Ⓞ LP ▦ C60-14507-08　★

そのアートワークとは裏腹に、クリスマス感ゼロのコンピレーション・アルバム。A 面はライモンズ・パウルスや Орэра(Orera)のメンバー、ヴァフタンク・キカビゼ(Вахтанг Кикабидзе)等による普遍的ポップスを収録しているが、やはりポイントとなるのは B 面。Autograph によるシングル・オンリーのインスト・プログレッシヴ・チューン B1、アーラ・プガチョワによるレッド・サンバ・ナンバー B4、そして何よりもトルクメン共和国の最強レア盤、Гунеш(Gunesh)の 1980 年 1st アルバムのオープニング・ナンバーが B5 に配されている。比較的容易に入手可能なため、実に有難い一枚。

🕐 1980　🌐 ***

ⓟ V.A. ❶ Международный музыкальный фестиваль - "Алтын алма-89"

Ⓐ V.A. ❶ International Music Festival - "Altyn Alma-89"

Ⓞ LP ▦ C60-29839-42　★★★★

1989 年にカザフ共和国で行われたフェスティヴァル「Алтын Алма 1989」に参加したグループを収録したオムニバス作。自国カザフ共和国を中心に、アフガニスタン、キルギス、トルクメン、バシキール、モンゴル等々、中央アジアを中心とした幅広い国からのグループを招聘している。また全 3 作品、計 5 枚の LP に渡って制作されたシリーズ作となるが、第 1 弾となる本作には、Гунеш(Gunesh)、Дос-Мукасан(Dos Mukasan)、Медео(Medeo)、Наво(Navo)等による本作のみに収録された音源が揃っているなど、特に重要度の高い楽曲が 2 枚の LP に渡って収録されている。

🕐 1990　🌐 カザフ共和国

ⓟ V.A. ❶ Лауреаты фестиваля «Весенние ритмы, Тбилиси-80»

Ⓐ V.A. ❶ Laureates of the Festival "Spring Rhythms, Tbilisi-80"

Ⓞ LP ▦ C60-15417-20　★★

トビリシにて 1980 年 3 月 8 日〜 16 日にかけて開催、ソ連初の公式ロック・フェスティヴァルと評される「Spring Rhythms:Tbilisi-80」。プロアマ問わず参加し、彼の国では異例とも言える「民主的に」競われたそのコンテスト型フェスティヴァルは、ソ連ロック史においてランドマーク足る「ソ連版ウッドストック」とも呼ばれた。本作は受賞バンドを中心に収録した 2 枚組(セパレート版も存在)オムニバス作で、最優秀賞受賞バンド、Магнетик бенд(Magnetic Band)を筆頭に、ВИА-75(VIA-75)、Гунеш(Gunesh)、そして本作のみ収録のフュージョン・バンド、Лабиринт(Labyrinth)等を収録。

🕐 1981　🌐 グルジア共和国

Ⓟ **V.A.** ⊕ **Наша песня**

Ⓐ **V.A.** ⊕ **Our Song**
Ⓞ LP 💿 C90-11255-56 ★★

Гая（Gaya）、Иверия（Iveria）、Oktava、Нерия（Nerija）、Весёлые
Ребята（Jolly Fellows）、Песняры（Pesnyary）等々、シーンを代表する
グループ～アーティストの名曲群を一挙収録し、Red Funk の美味しいと
ころを一望出来る、まさに初めてこの世界に飛び込もうという方にはうっ
てつけのコンピレーション・アルバム。音楽性も王道 VIA ポップスから、
ソフト・ロック、サイケ、プログレ等々、多種多様なジャンルがミックス
されており、その幅広い音楽性に驚嘆するも良し、自分との相性を占うも
良し。これぞベスト・オブ・ベスト！

🕐 1978 ⊕ ***

Ⓟ **V.A.** ⊕ **Парад ансамблей – 1**

Ⓐ **V.A.** ⊕ **Ensembles Parade – 1**
Ⓞ LP 💿 C60-18819-20 ★

定番からレア・ナンバーまで、数々の名グループをまとめて聴ける便
利なコンピ・シリーズ『Parade of Ensembles』の第 1 弾。Самоцветы
（Samotsvety）、Песняры（Pesnyary）、Ариэль（Ariel）、Zodiac 等々、
シーンを代表するグループを数多く収録しているが、多くは定番ポップ・
ナンバー中心のセレクト。そんな中、気を吐くのは、シングルのみでのリ
リースとなった Круиз（Kruiz）による A1。後に正統派ヘヴィー・メタル・
バンドとして名を馳せる彼らがこの曲で鳴らすのは、ミッド・テンポでア
ゲるコズミック・ハード・ディスコ・サウンド。

🕐 1983 ⊕ ロシア連邦共和国

Ⓟ **V.A.** ⊕ **Парад ансамблей – 2**

Ⓐ **V.A.** ⊕ **Ensembles Parade – 2**
Ⓞ LP 💿 C60 20703 009 ★

『Parade of Ensembles』の第 2 弾も変わらず充実の内容。Весёлые
Ребята（Jolly Fellows）、Пламя（Plamya）、Автограф（Autograph）、
ВИА 75（VIA 75）、Stas Namin Group 等々、多種多様なグループを収
録している中、注目はカザフ VIA、Арай（Arai）のシングル・トラック
B3。実に伸びやかなメロウ・サウンドと美しいハミングが織りなす、ア
ダルト・オリエンテッドなムードに包まれた極上シルキー・スムース・ジャ
ズに思わずウットリ。なお、本曲は単体 EP としてもリリースされている
（p.95 参照）。

🕐 1984 ⊕ ***

Ⓟ **V.A.** ⊕ **Парад ансамблей - 3**

Ⓐ **V.A.** ⊕ **Ensembles Parade – 3**
Ⓞ LP 💿 C60 22501 002 ★

『Parade of Ensembles』のトリを飾る第 3 弾。トルクメン共和国最強
プログレッシヴ・ロック・グループ、Gunesh の 1984 年 2nd アルバム
『Вижу землю（I See Earth）』のオープニングを務める彼らの代表曲の
ひとつ、キラー・コズミック・プログレッシヴ・グルーヴァー A1 を筆頭に、
Melodiya Ensemble、Весёлые ребята（Jolly Fellows）、Дустар（Duster）、
Лейся, Песня（Leisha, Pesnya）等を収録している。なお、本シリーズ
はいずれも比較的容易に入手可能、手軽に Red Funk シーンを体験出来る
一枚となっている。

🕐 1985 ⊕ ***

ⓟ V.A. ❶ Весна молодости

ⓐ **V.A.** ❶ Spring of Youth
◉ LP ▦ C60-15567-8　　　　　　　　★★★★

カザフ共和国出身の作曲家がフィーチャーされた、1980 年公開のテレビ映画『Месяц на размышление』のサウンドトラック・アルバムにして、ソ連に数多存在するサントラの中でも屈指の名品と絶大な評価を受ける一枚。その賞賛の理由はシンプル、A 面全てをかの Melodiya Ensemble、そして B1 ～ B3 をカザフ VIA、Арай（Arai）を率いたローザ・ルィムバエワ（Роза Рымбаева）が務めたが故。狂熱のヘヴィー・サイケデリック・ファンク A5、躍動するキラー・カザフ・ディスコ・ファンク B2 & B3 等、名曲群が揃い踏み、しかも全曲本作のみの収録曲と隙はなし！

🕐 1981　🌐 カザフ共和国

ⓟ V.A. ❶ Узбекская эстрадная музыка

ⓐ **V.A.** ❶ Uzbek Pop Music
◉ LP ▦ C60-13079-80　　　　　　　　★★★★★

ウズベク共和国出身アーティストが集い制作、タシュケント工場のみでの少数プレスとなった同国屈指のレアリティーを誇るオムニバス・アルバム。ディープなエコー処理が施されたストリングスとギター・カッティング、ショットされる連発ホーン、四つ打ちビートと絡みつくパーカッション・グルーヴ、そしてフィーメール・ヴォーカリストによる伝統歌唱が錯綜する、ウズベク伝承音楽とダブワイズが遭遇してしまったかのような希代のキラー・チューン A5 を中心に、同じくタジク伝承音楽をアップデートした B2、ポール・モーリアのファンキー・カヴァー B1 等々、極上の音源の数々が収録された、同国の DJ が血眼で探す圧巻の名品！

🕐 1979　🌐 ウズベク共和国

ⓟ V.A. ❶ Valgusesse

ⓐ **V.A.** ❶ Valgusesse
◉ LP ▦ FRO009　　　　　　　　　　★★★

エストニアの公共放送局に残された膨大なアーカイブから選りすぐりコンパイルされた秘蔵音源集。音源を公式リリースすることなく潰えた未知のグループ、Salamander による極上ブリージン AOR ナンバー A4、ラジオ局お抱えオーケストラ、Eesti Raadio Estraadiorkester（通称 EREO）によるマーヴィン・ゲイ「I Want You」のファットなインスト・カヴァー B1、ヨット・ロック・グループ Tornaado による禁断の Kraftwerk「Das Model」カヴァー B2 等々、あまりに眩い未発表音源の数々がこうして陽の目を見たのは、Frotee レーベルの偉大なる功績の一つ。

🕐 2016　🌐 エストニア共和国

ⓟ V.A. ❶ Югославская эстрадная музыка

ⓐ **V.A.** ❶ Yugoslavian Pop Music
◉ LP ▦ C60-07995-96　　　　　　　　★★

Melodiya によって編纂された、ユーゴスラヴィアン・ポップ・ミュージック・コンピレーション作。プログレッシヴ・ロック・ファンにはお馴染みのユーゴスラヴィア出身大物ロック・バンド、Bijelo Dugme や Indexi を収録しながらも、ミキ・エフレモヴィッチ（Miki Jevremović）を筆頭に基本的には普遍的なポップス集といった趣。そんな中、世の DJ 達のフックにかかったのはセルビアの大物シンガー、ジョルジェ・マリヤノヴィッチ（Đorđe Marjanović）による B1。連発ホーンとスピーディーなドラム・ブレイクによる中盤部を一度聴けば、この数秒のためにこの一枚を探すのも無理はない。

🕐 1976　🌐 ユーゴスラヴィア連邦

亡命ラトヴィア・シーン　ソ連を逃れアメリカで生まれた音楽

　ロシア帝国からの独立、ソ連邦による占領、そして再度独立と、国家としての存続に度々危機が訪れた、ラトヴィア共和国。戦中には多くの人々がアメリカへと亡命したこともあり、オハイオ、イリノイ、ペンシルベニア等々、アメリカ各地でも（元）ラトヴィア人たちによるレコードが多く残されている。

　その中でもまず紹介したい一枚は、巨匠ライモンズ・パウルスによる『Lana』。元々ソ連内では『Raimonds Pauls』(33CM-03669-70) と題され、1972 年にリリースされた一枚だが、翌年にアートワークとタイトルを変更し、アメリカでもリリースされている。内容自体はソ連盤と変わらないものの、アートワークはアメリカ盤の方がクール。またアメリカ盤独自となるラトヴィア語による歌詞インサートが付属、さらにジャケット裏面にはタイトルの由来（ライモンズの妻の名前とのこと）が英語にて記載されており、資料的価値も高い一枚となっている。なお、1971 年作『Teic, Kur Zeme Tā』(Daiga/344) も、異なるアートワークでリリースされている。

　次にご紹介するのは、アメリカのみのリリースとなった、オレゴン在住ラトヴィア人コーラス・グループ、Portlandes Dzintars のメンバーらによる『Meitenes Dziesma Latvijai』。ラトヴィア語によるラトヴィア人のための歌の数々を収録しているが、10 代前半〜後半の少女達によるヴォーカルを支えるバッキングに注目したい。ごくごくシンプルなフォーク・ソングから、スタジアム・バンドよろしく、派手なディストーション・ギターや、ポリフォニック・シンセサイザー ARP Omni2 とムーグ・シンセサイザーを用いた、プログレッシヴなプレイも混入。可憐な少女のヴォーカルとの奇妙な対比が味わえる一枚となっている。

　その他にも色々とリリースされているので、興味のある方は追ってみてはいかがだろうか。

Raimonds Pauls 『Lana』（Daiga/7302）

Raimonds Pauls 『Teic, Kur Zeme Tā』
（Daiga/344）

Lolita Ritmanis and Brigita Ritmanis-Osis
『Meitenes Dziesma Latvijai』
（Riga Records）

The Melodia Ensemble 『In Concert』
（Harmonija/HLP-3023）

Idvasa 『s.t.』（Commercial Features）

Portlandes Dzintars 『Dzintars Dzied』
（Private）

ウラジーミル・ヴァシリコフ　伝説のジャズ・ファンク・ドラマー

Vladimir Vasilkov
Владимир Васильков(1944-2013)

　1944 年、レーニンが生まれ育った都市ウリヤノフスクで生まれたウラジーミル・ヴァシリコフは、規格外のスキルを持つドラマーとして、現在もなお信奉されるソ連ジャズ・ドラマー界最高の一人。

　1965 年にトランペッター、ゲルマン・ルキヤノフ（Герман Лукьянов）率いるトリオにてデビューを飾る。その後、数々のジャズ・フェスティバルへの参加が契機となり、彼の名は瞬く間に全土へと広がっていった。特に 1966 年に開催された「第 3 回モスクワ・ジャズ・フェスティバル」では、トリオは 3 部門（ベスト・パフォーマー、ベスト・アンサンブル、ベスト・コンポーザー）において最優秀賞を獲得している。なお、この時のライヴ音源はオムニバス作『Джаз 66（Jazz 66）』（33С01361-62）に収録されている。

　そのプレイが全盛を迎えた 70 年代以降、Red Funk の文脈で彼を評価するのであれば、残した功績は大きく 2 つと言えるだろう。

　まずはレビュー・ページでも紹介している、ディナラ・アサノワ監督による 1974 年公開映画『Не болит голова у дятла（きつつきの頭は痛まない）』で叩き出した、熱狂のジャズ・ファンク・グルーヴ。ヴァシリコフらのプレイを子役たちが当て振りする、そのあまりに印象的な映像も相まって、現在もなお大きなインパクトをもたらしている。当時音盤化はされていなかったものの、世界中のディガーから熱烈なラブ・コールを受けることとなり、2019 年にはファン待望となる初 EP 化が実現している。

　そしてもう一つの功績は、アレクサンドル・グラツキーの作品群に残した、鮮烈なプレイの数々。ヴァシリコフはグラツキーのほぼ全ての作品でドラムを務めており、いずれも素晴らしいプレイを収めているが、中でも 1980 年作『Русские песни』における、銃撃音、爆撃音、オーケストラ等のコラージュが強烈にフラッシュバックする中、無慈悲に叩き出されるドラミングは、他の追随を許さない。

　80 年代後半には Современник（Sovremennik）に加入、2000 年代に入った後もグラツキーの作品を中心にその才を振るい続けるが、2013 年に惜しくも逝去している。

『Не болит голова у дятла（Woodpeckers Don't Get Headaches）』

CHAPTER3

鉄の
カーテンの向こう側において
も、反体制を掲げるカウンターカルチャー
が形成され、そしてその担い手となるヒッピーた
ちはたしかに存在していた。彼らは西側音楽のレコード
を闇市に流し、自身でもその影響下にある音楽を奏で、ア
ンダーグラウンドなソ連音楽シーンにサイケデリック・サウン
ドを広める一翼を担った。その影響下にあるアーティストは決
して少なくなかったが、ユーリ・モロゾフのように公式に作品を
リリースすることなく、その存在を秘匿された者もいた。しかし、
その影響は奥底で胎動し、多くの VIA たちが続くかのように、
過激なファズ・サウンドを鳴らし始めている。その後時代と
共にサウンドはプログレへと変容していくが、単なる模
倣にはとどまらず、自国の伝承音楽をも交配した、
世界でも類を見ない唯一無二のサウンドを
生み出していく。

PSYCHEDELIC PROGRESSIVE

当局に監視され自宅で実験音楽を録音し続けた赤きシド・バレット

Ⓟ Юрий Морозов

Ⓐ **Yuri Morozov**

🕐 1948 – 2006　　🌐 ロシア共和国（ベロゴルスク）
🔊

極東ロシア、ベロゴルスクに生まれ、共産主義体制下において作詞、作曲、演奏、そしてスタジオ・ワークの全てを自らの手で手掛けた例外的鬼才にして、アンダーグラウンド・サイドからソヴィエト・ロックを「Out There」へと導いた求道者、ユーリ・モロゾフ。70年代初頭、彼はMelodiya のレニングラード・スタジオでレコーディング・エンジニアとして従事する表の顔を持ちながらも、仕事を終えると自らの手で作り上げたホーム・スタジオに篭り、人知れず自身のサウンドを創り上げていった。独りでの自宅録音のみならず、他グループへのゲスト参加やアンダーグラウンド・ライヴの開催等、絶え間なく旺盛な活動を続けた彼は、アルバム50枚に及ぶ膨大な音源を残すこととなるが、その一部が公式リリースされたのは1988年以降のこと。あの時代、あの国で「自由」を行使するリスクを顧みなかった彼は、例に漏れず当局の監視下に置かれることとなり、その音源の多くはリール・テープ等でひっそりと隠匿されていた。ただ彼の死後、遺族の手によってそれら全ての音源はCDやレコードとして音源化を果たし、今ではその珠玉の楽曲の数々にアクセスが可能となっている。1969年に彼が初めて結成した、The Beatles の影響下にあるバンド「Босяки（英訳：Tramp。浮浪者の意）」の音源に始まり、最もサイケデリック色の濃い1973年作『Вишнёвый сад Джими Хендрикса（Cherry Garden of Jimi Hendrix）』、ロック色を排し、アブストラクトな電子音響で埋め尽くした1978年作『Неизъяснимое（Inexplicable）』等、時代の潮流と共にサイケ、アシッド・フォーク、アヴァンギャルド、実験音響と、実に広範に渡る音楽性を提示している。世界でも類を見ないその圧倒的なまでのオリジナリティーは、かのシド・バレットやジミ・ヘンドリクスの才に比肩する存在として語り継がれている。

ディスコグラフィー

1.Ретроскоп. 1968 - 71 / Босяки. 1971

3.Земля гномов. Сборник 1972-76

5.Сон в красном тереме. 1973-76

12.Заклинания. 1979 / Посвящение в красоту. 1977-79

13.Great Lyrics. Сборник 1967-98

15.Китайская поэзия. 1978-81

17.Странник голубой звезды. 1980-81 / Евангелие от Матфеа. 1980

21.Раритеты-1. 1974—2003

26.Мир иной. 1984

35.Суицидные танцы северных славян. 1992-93

42.Свет мой Ангел. Сборник 1976—2000

43.Хроматические инсталляции. 1998—2000

Ⓟ Юрий Морозов Ⓣ Вишнёвый сад Джими Хендрикса

Ⓐ Yuri Morozov Ⓣ Cherry Garden of Jimi Hendrix
Ⓕ LP　▦ Cobweb / Л93 0009　★★★★★

彼の 70 年代初期音源の中で唯一後にレコード化された一枚にして、ソ連サイケデリアを代表する不朽の名作。A1 ～ B4 にはその名の通りジミ・ヘンドリクスに啓示を受けた 1973 年作本編を、B5 ～ B6 に 1974 年作『Как дурак（馬鹿のように）』、B7 ～ B9 に 1975 年作『Остров Афродиты』を収録している。いずれもおぞましい程にサイケデリック一色に染め上げられており、聴くもの全てを「Out There」に連れ去り行く尋常ならざるインパクトを残す。また A7 のドラムには、かのポール・マッカートニーの名がクレジットされているが、参加ではなくサンプリング（妻ニーナに確認済）。なお、2014 年に CD/LP 再発済。

🕙 1993　⊕ ロシア連邦共和国

Ⓟ Юрий Морозов Ⓣ Представление

Ⓐ Yuri Morozov Ⓣ Performance
Ⓕ LP　▦ C60 27219 003　★★★

80 年代も後半に差し掛かり、ようやく自身初の公式作品となった本作をリリース。すでに初期のサイケ・サウンドは後退を見せているものの、蜜月の関係を築いた Яблоко（Yabloko）の女性ヴォーカリスト、マリーナ・カブロ（Марина Капуро）を招き入れ、時代の潮流を汲みヒンヤリとした天然ダーク・ウェイヴ（=Red Wave）スタイルへとアップデート。その中でも彼独自の屈折した曲構成と、スタジオ・エンジニアとしての卓越したスキルとが発露した一枚となった。次作には同傾向の 1990 年作『Смутные дни（動乱の日々）』（C60 29547 003）をリリース、以降多くの作品をドロップし続ける。

🕙 1988　⊕ ロシア連邦共和国

Ⓟ Юрий Морозов Ⓣ Неизъяснимое 4

Ⓐ Yuri Morozov Ⓣ Inexplicable 4
Ⓕ 7"　▦ Spasibo / SP45-005　★★★

1991 年には 1984 年録音音源を収録した『Auto Da Fe』（C60 31561 001）、さらに同年に 1988 年～ 1990 年録音音源を収録した『Красная тревога（非常警報）』（C60 30955 000）をリリースと、2nd アルバム以降は過去の音源を次々と発表。また、ソ連崩壊以降においても、非公式にロシア音楽業界を暗躍したブートレグ・レーベル、АнТроп（AnTrop）から 80 年代秘蔵音源を CD やレコードで発表し続けている。そして 2006 年の彼の死を契機にさらなる遺作の発掘は進み、2016 年に本作がリリース。実験音響期最大の名曲が初のレコード化を果たした、実に意義深い一枚と言える。

🕙 2017　⊕ ロシア連邦共和国

Ⓟ Юрий Морозов Ⓣ Странные ангелы

Ⓐ Yuriy Morozov Ⓣ Strange Angels: Experimental & Electronic Music By Yuri Morozov
Ⓕ LP　▦ Buried Treasure / BUTR14LP　★★

新興レーベル Buried Treasure よりリリースされた本作は、先のシングル曲「Inexplicable 4」を含む、70 年代の実験音楽期の楽曲をアルバム 1 枚分たっぷり収録した一枚。ストイックな電子音響から異形のホーミー・ファンク（！）まで、選曲もまた素晴らしく、彼の才能の一端を存分に堪能できる。なお、CD は 27 曲、LP は 15 曲と収録曲数が異なっている。また、2019 年より『Антология』シリーズが始動。各作品 CD2 枚組仕様という形で、彼の遺した全音源を網羅する（予定の）壮大なアンソロジー・シリーズとなっており、ようやく彼の偉大なる足跡を広く知らしめ得る機会となるであろう。

🕙 2016　⊕ ロシア連邦共和国

ⓕ Юрий Морозов　ⓣ Свадьба кретинов / Там, где дали темны

ⒶYuri Morozov　ⓣThe Wedding of Idiots / At That Place Where Far Lands are Dark
ⓒCD　▦*

ここから紹介するタイトルは、当時はレコード化を果たせず磁気テープでのみ残された、完全な非公式作品となっている。そしてその 50 に及ぶ圧巻の作品群の中でも、とりわけ重要な作品となるのが本作。大部分を Melodiya のスタジオで秘密裏に録音した本作は、1973 年作『Cherry Garden of Jimi Hendrix』期の混沌としたアシッド・フィーリングと、70 年代中期の Led Zeppelin 影響下にあるハード・ロック・サウンドとが絢交ぜとなった、アングラ臭に咽び返す異形のサイケデリア。なお、彼がダブルネック・ギターを手にした象徴的な写真からもジミー・ペイジの影響は窺えるが、本作冒頭曲では弓弾きギターを披露している。

● 1974-76　⊕ ロシア連邦共和国

ⓕ Юрий Морозов　ⓣ Неизъяснимое / Погубить человечество

ⒶYuri Morozov　ⓣInexplicable / Kill the Human Beings
ⓒCD　▦*

70 年代後半に差し掛かると、豪胆なヘヴィー・サウンドをブン回すフリー・ジャズをベースにした、先鋭的かつ実験的な作風が多くを占めていく。KGB の監視下の中、そうしてリリースを前提とせず試行錯誤され、磨き上げられたサウンドの数々は、究極の非コマーシャリズムが貫かれた、ある種、彼の独白記のようなストイックさを孕む音響美を創出。そしてその果てに辿り着いた先こそが、先述した名曲「Inexplicable 4」を収録した本作であった。ここではすでに余分な贅肉が削ぎ落とされ、シリアスな電子音響から、過度なエフェクトが施されたギター・ソロまで、暗く厳しくも美しいエクスペリメンタリズムが貫かれている。

● 1978 – 79　⊕ ロシア連邦共和国

ⓕ Юрий Морозов　ⓣ Ночной певец / Потерянный рай

ⒶYuri Morozov　ⓣThe Night Singer / The Lost Paradise
ⓒCD　*

徐々にアフター・サイケデリアとして「歌」への回帰を果たしていく中で、自身が培ってきたサイケや実験音楽のサウンド・テクスチャーを最もバランス良く配した一枚。あくまで彼の私的な研究誌としての性格の強い諸作において、ひとつの作品としての高い完成度を誇っている。なお、これらテープ作品の数々は、妻ニーナ・モロゾヴァの自主製作により 2007 年に CD 化を果たしているが、その際に音源は時期ごとに整理され、複数の作品を 1 枚の CD にコンパイルする形式となっている。また、2019 年には著者自らの手により、ほぼ全音源を網羅した CD49 枚組ボックス『The Archives』を世界限定 5 セットのみ製作している。

● 1982-83　⊕ ロシア連邦共和国

ⓕ Юрий Морозов　ⓣ Юрий Морозов исполняет Битлз

ⒶYuri Morozov　ⓣYuri Morozov Plays The Beatles
ⓒCD　▦Private　★★

彼はエンジニアとして、そして何よりも規格外のアーティストとして、多くの後塵ロック・バンドに強い影響を与えている。彼はレニングラードのスタジオでその腕を振るったということもあり、同郷の伝説的グループ、Кино（Kino）を始め、DDT や Aquarium 等、80 年代以降の多くの新生代グループに向けて、閉じられた世界の外にあるサウンドや音楽観を指し示した。そしてそんな彼が最も強い影響を受けたのは、ロックの共通言語 The Beatles。本作は 1974 年から 1995 年に録音されたカヴァー曲から編纂され、上記シリーズとは分けて 2006 年に発表された一枚で、彼に根付く純粋なロックへの愛が確認できる。

● 1974-1975　⊕ ロシア連邦共和国

西側カバー脱却、ロシア語ロック追求したソヴィエト・ロックの父

ⓟ Александр Градский

Ⓐ Alexander Gradsky

🕐 1949 - 2021 　⊕ ロシア共和国（コペイスク）
🔊

1949 年、チェリャビンスク南東の都市、コペイスクに生まれ、コンポーザー、マルチ・プレーヤー、そして3 オクターブ半の声を持つヴォーカリストと実に多くのタレントに恵まれ、「ソヴィエト・ロックの父」としてロック黎明期から長きに渡って顔役であり続けた男、アレクサンドル・グラツキー。あの時代には極めて希少とも言える、アメリカ・ツアーを行っていたフォーク・ダンス・グループに所属する、プロのダンサーの叔父がいたこともあり、彼は幼き頃から特権階級の者のみが許さた、西側のレコードに触れられる特別な環境で育った。エルヴィス・プレスリー、ビル・ヘイリー、ルイ・アームストロング等、西側のシンガーに多大なる影響を受けた彼は、いつしかギターを手に歌い始め、13 才の時にはヴォーカリストとしてバンド活動を始めている。The Beatles や Rolling Stones 等、当時世界を席巻していた西側ロックのカヴァー・バンドからの脱却を目指した彼は、1966 年に自身のグループである Скоморохи（Skomorohi/ 道化）を結成し、ソ連全土で誰よりも早くロシア語による独自のロックを追求。そしてその才はソロ・キャリアにて大きく花開くこととなる。1973 年に初のソロ EP『Поёт Александр Градский（アレクサンドル・グラツキーは歌う）』（Flexi /Г62-04461-2）をリリース。同年には巨匠アンドレイ・コンチャロフスキー監督よりラブ・コールを受けた彼は、1974 年公開映画『Романс о влюбленных（恋人たちのロマンス）』にて、たった 23 才にして全ての作曲と歌を担当、現在もなお語り継がれる名作を創り上げている。その後、長いキャリアの中で、実に多種多様な音楽観を提示し続けた彼は、国外でも大きな活躍を果たし（90 年代にはここ日本でもライヴを行っている）、現在も変わらず大きなリスペクトを受けている。彼がシーンに残したその功績の大きさは計り知れない。2021 年 11 月 27 日没。

ⓟ Александр Градский ☺ Романс о влюбленных

🅐 Alexander Gradsky ☺ Romance for Lovers
🅞 LP ▥ C90-05447-48 ★★★★

グラツキーが作曲と歌を担当し、Melodiya Ensemble がバックを固めた、彼のキャリアを代表する一枚にして、ソ連サントラ史に燦然と輝く歴史的名作。中でも A 面中盤部に鎮座する、ロウなビートとベース・ラインによる長尺サイケデリック・ナンバーと、吹きすさぶ嵐の中、フランジャイズ・ドラムとドープな電子音がめまぐるしく交錯するクレイジー・ダンサー・チューン B1 は、多くの DJ、コレクターより多くの賛辞を集める名曲中の名曲。なお、本作は多くのプレスが存在するが、グリーン・ラベル＋ゲートフォールド・スリーヴ仕様の VSG プレスが初回となる。またエクスポート盤には美しいブックレットも付属する。

🕐 1974 🌐 ロシア連邦共和国

ⓟ Александр Градский ☺ Русские песни (Сюита на темы народных песен)

🅐 Alexander Gradsky ☺ Russian Songs (Folk Songs Suite)
🅞 LP ▥ C60-14621-22 ★★

ソロ名義としては初のアルバムとなる 1980 年作。朗々とした独唱を切り裂く、唖吹きフルートによる変拍子や、暗鬱としたシンセサイザーのサウンドは、イタリアン・プログレッシヴとの近似も感じさせる。中でも無慈悲かつ淡々としたドラミングの中、銃撃音、爆撃音、オーケストラ等のコラージュが強烈にフラッシュバックする B3 は、共産流アシッド・サイケの極点とも言える一曲となっている。そして、続き 1984 年にリリースされた『Сама жизнь（人生そのもの）』(C60 21435 000) では、A4 の名曲「?!」を筆頭に、より実験色を強めながら、クラウトロック勢ともシンクロし得る渦巻くコズミック・グルーヴを体得している。

🕐 1980 🌐 ロシア連邦共和国

ⓟ Александр Градский ☺ Размышления шута

🅐 Alexander Gradsky ☺ The Jester's Reflections
🅞 LP ▥ C60 26447 004 ★★

自身のグループ、Скоморохи (Skomorohi) 活動期にあたる 1971 ～ 1974 年に録音がされていながら、検閲対象となりお蔵入りとなっていた、ソ連最初期サイケデリック・ロック・アルバム。長きに渡って封印されたのも、その過剰なまでのサウンド・テクスチャー故。英米のサイケデリック感とはまた大きく異なる、仰々しくも荒涼とした独特の質感は、無二の個性を放っている。なお、強烈なフランジャー・ドラムによるブレイク、引きずり倒すファズ・ギター、縦横無尽に飛び交うエフェクトが火を噴く B3 は、マルチ・トラックにより全パートを一人多重録音して制作されており、ソ連では初の試みと目されている。

🕐 1987 🌐 ロシア連邦共和国

ⓟ Александр Градский ☺ Флейта и рояль

🅐 Alexander Gradsky ☺ Flute and Piano
🅞 LP ▥ C60 27091 005 ★★

上記作品以降近年に至るまで多くの作品を残しており、いずれの作品もクオリティーは高いが、個人的には 1988 年リリースの本作を挙げておきたい。電子変調されたサックスとフルート、退廃的なシンセサイザー・サウンド、淡々としたリズム・ボックスが施されたシニカルなエレクトロ・サウンドは、軽々に他アーティストを引き合いに出せぬ程にストレンジな魅力がギッシリと詰まっている。また、彼の多くの作品に参加し、あまりに特徴的なグルーヴを刻み続けグラツキー・サウンドの根幹を支えた、ソ連最高峰ドラマー、ヴラジーミル・ヴァシリコフ（Владимир Васильков）にも触れておきたい。詳細は特集ページ（p.132）をご覧あれ。

🕐 1988 🌐 ロシア連邦共和国

ⓟ Давид Тухманов

Ⓐ David Tukhmanov

🕙 1940　🌐 ロシア共和国（モスクワ）
🔻

卓越した芸術家に贈られる最高の栄誉称号のひとつ「Народный артист Российской Федерации（ソ連人民芸術家）」、最高国家賞のひとつ「Ленинская премия（レーニン賞）」等、数多くの称号を獲得し、長きに渡り国家からの寵愛を受けた、ソ連が誇るレジェンド・コンポーザー、ダヴィッド・トゥフマノフ。作曲家であった母より英才教育を受け育った彼は、ソ連音楽教育の中枢でもあったグネーシン音楽大学の作曲部門を卒業後、軍楽隊にてオーケストラの指揮を務め上げる。その後、ポップ・フィールドへと進出を果たした彼は、1964 年に作曲した「Последняя электричка（最終電車）」にてコンポーザーとして初めての成功を収めている。ウラジーミル・マカロフ（Владимир Макаров）によって歌われた本曲は、1968 年にはレコード・リリース（ГД0001069-70）もされている。その後も次々と成功を収めた彼は、1972 年に初のソロ・アルバム『Как прекрасен мир（What a Wonderful World）』をリリース。その際にアレクサンドル・グラツキー（Александр Градский）や、Весёлые ребята（Jolly Fellows）を招聘したのを契機に、Самоцветы（Samotsvety）、Лейся, Песня（Leisha, pesnya）等の VIA と共に新たな音楽を模索し始める。より複雑なコンポジション、よりプログレッシヴな音楽観を手中に収めた彼は、1976 年に歴史的名作『По волне моей памяти（On the Crest of My Memory）』を創り上げ、以降もコンスタントに作品を発表し続けている。ソ連崩壊後は一時ドイツへと移住し活動を続けるが、90 年代後半にロシアに帰国後は数多くの国家プロジェクトに参加し、室内楽からオペラまで数多くのスコアを書き上げ、ロシア音楽界の重鎮として現在も君臨し続けている。

Ⓟ Давид Тухманов Ⓗ Песни Давида Тухманова

Ⓐ **David Tukhmanov** Ⓢ Songs of David Tukhmanov
Ⓞ EP ▭ C62-06805-06　　　　　　　　★★★

すでにコンポーザーとしての成功を収めていた彼は、1970 年リリースの EP 作『Песни Давида Тухманова』（Д-00028641-2）で、ソロ名義でのデビューを果たしている。デビュー時より重用し続けた Весёлые ребята（Jolly Fellows）を始め、Песняры（Pesnyary）、Гая（Gaya）、Добры молодцы（Dobry Molodtsy）等、その後も自身の作品に様々な VIA を招き入れ、多くの正統派歌謡曲を残しているが、その音楽性が大きく変化を見せたのは、Лейся, Песня（Leisha, pesnya）が演奏を担当した本作。あくまでもポップス・マナーを保ちながらも、ファズ・ギターも咆哮する複雑怪奇なアレンジが施された高い音楽性が、次作の誕生を予見させる。

◐ 1976　⊕ ロシア連邦共和国

Ⓟ Давид Тухманов Ⓗ По волне моей памяти

Ⓐ **David Tukhmanov** Ⓗ On the Crest of My Memory
Ⓞ LP ▭ C60-07271-72　　　　　　　　★★★

より複雑かつアート性の高いコンポジションを目指し試行錯誤を繰り返す中で、彼が最も強い影響を受けたのが、The Beatles によるかのコンセプト・アルバム。初期のキャリアを総括すべく 1976 年にリリースされた本作は、後に「ロシアのサージェントペパーズ」と呼ばれ、ソ連ロック・シーンにおけるランドマーク足り得る名作となった。決して単なる西側音楽の模倣ではなく、ポップス、ロック、プログレ、サイケ、アヴァンギャルド、オペラ等々、自身の語法として溶け込んだ多種多様なサウンドを所狭しと並び立て、目まぐるしく景色が移り変わる高速回転木馬がごとき、美しくも複雑怪奇な一大絵巻を描き切った。聴けば分かる。

◐ 1976　⊕ ロシア連邦共和国

Ⓟ Давид Тухманов Ⓗ Памяти гитариста / Памяти поэта

Ⓐ **David Tukhmanov** Ⓗ In Memory of the Guitarist / In Memory of the Poet
Ⓞ 7" ▭ C62-10921-22　　　　　　　　★★★

1976 年作において開花したアーティスティックな音楽観は、アルバムのみならず、シングル曲にもおいても遺憾なく発揮される。続く 1978 年にリリースされた本シングル作では、壮大な物語を AB 面 2 曲の中に凝縮、彼の長いキャリアの中でも最高傑作の呼び声高い一枚となった。降り注ぐコズミック・シンセサイザー、這いずるファズ・ベース、鬼気迫るフランジャー・ドラム・ブレイク、美しいストリングスと共に跳ね上げるファンキー・グルーヴ、巻き舌で雄々しく歌い上げるヴォーカル等、耳の中を掻き乱すかのように矢継ぎ早に変貌する怒涛のサウンドは、プログレ〜サイケ・ファンから、DJ までをも悶絶させる。共にアルバム未収録曲。

◐ 1978　⊕ ロシア連邦共和国

Ⓟ Давид Тухманов Ⓗ Н.Л.О.

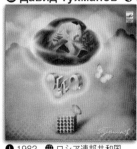

Ⓐ **David Tukhmanov** Ⓗ U.F.O.
Ⓞ LP ▭ C60-18069-70　　　　　　　　★★

1976 年作に続くアルバムとなった本作では、彼が音楽を手掛けたシングル「Игра в любовь（ラヴ・ゲーム）」（C62-17063-4）を 1981 年に残したグループ、Москва（Moscow）に演奏を一任。前作同様、多種多様な要素を取り入れたプログレッシヴ・ロック的な構築性を保ちつつ、ハード・ロックと時代の風をたっぷりと吸い込んだ New Wave 風味をブレンドした一枚となった。彼はこの後も多くの自身の名義作を残すが、提供曲も数多く存在する。その中でもとりわけ有名な一曲として、Самоцветы（Samotsvety）の「Мой адрес - Советский союз（私の住所はソヴィエト連邦）」が知られている。

◐ 1982　⊕ ロシア連邦共和国

ベラルシアン・ロック開祖にしてソ連が誇る超法規的大物VIA

ⓟ Песняры

Ⓐ Pesnyary

● 1969　● ベロルシア共和国
● Владимир Мулявин

ミンスクから放たれたベロルシアン・ロックの開祖にして、リビング・レジェンド。禿頭と髭がトレードマークのリーダー、ウラジーミル・ムリャーヴィン（Владимир Мулявин）は、自国の伝統民謡への深い造詣を持ちながら、ロックの語法を導入。民謡の再解釈を試みることによって新たなサウンドを創造し、グループを大きな成功へと導くこととなった。1971 年に『Песняры（Pesnyary）』にてアルバム・デビューを果たすや否や、大きな成功を手にした彼らは、東欧圏を皮切りに国外のツアーも行うようになり、1976 年には米フォーク・グループ、The New Christy Minstrels を従えて、ソ連 VIA 初となるアメリカ・ツアーも行なっている。その後もコンスタントに作品をリリースし続け、1979 年には国家から栄養称号を得るほどに確固たる地位を築いたものの、80 年代には複数回に渡る大きなメンバー・チェンジを余儀なくされ、グループとしての力は一挙後退。その後も長く活動を続けるも、唯一のオリジナル・メンバーとなってしまったムリャーヴィンは、健康面に問題（ウォッカ中毒）を抱えていたこともあり、当局からの命によりリーダーを解任。1998 年より別名義での活動を再開するも、2003 年に自動車事故の影響により他界している。通りにその名が付き、顔があしらわれた記念切手が発行される等、現在もなおムリャーヴィンの影響は強く、今では公式・非公式含め多くの同名グループ「Песняры」が活動を続けている。なお、1st ～ 2nd アルバム期に在籍したヴァイオリニスト、ヴァレンティン・バジヤロフ（Валентин Бадьяров）は、バンド脱退後に Сябры（Siabry）や、Группа Валентина Бадьярова（Valentin Badiarov Group）を結成し、数々の作品を残している。

℗ Песняры ❶ s.t.

1971 🌐 ベロルシア共和国

Ⓐ Pesnyary ❶ s.t.
Ⓞ LP 〰 33CM02651-52 ★★★

故郷ベロルシアの民謡を下地に、ロックを独自配合した唯一無二のサウンドを創出、アメリカツアーさえも行ったソ連シーンの超法規的大物 VIA による記念碑的デビュー作。かのフランク・ザッパにも影響を受けたとされるリーダー兼コンポーザー、ウラジーミル・ムリャーヴィンの自作曲と、民謡の改変カヴァーを半分ずつ収録しているが、どこか暗鬱とした印象が拭えない、全編ベラルーシ語による古典ハーモニーを軸に組み立てられている。中でも不気味ですらある謎の口笛と、極太ベースがグルーヴするウィアード・サイケ・ナンバー A2 を一度でも聴けば、このグループの特殊性をお分り頂けるはず。なお、本作の初回ラベルは Outline ラベルとなる。

℗ Песняры ❶ Песняры II

1978 🌐 ベロルシア共和国

Ⓐ Pesnyary ❶ Pesnyary II
Ⓞ LP 〰 33C04655-56 ★★

2nd アルバムとなる本作では、前作よりもロック色が強まり、B 面曲を中心にファズを多用したサウンドを展開、西側サイケデリック・ロックへの歩み寄りを見せている。快活なドラム・ブレイクで幕を開ける B1、凶暴極まりないファズの嵐とメロウなコーラスがガムシャラに往来する B4、伝統民謡をフルート、オルガン、ファズ・ギターで血祭りに上げるアジテート・ナンバー B5 他、好曲がひしめき合う一枚となった。そして 1978 年リリースの 3rd アルバム『Песняры III』（C60-10271-72）では、民謡のカヴァーは影を潜め、ベースとなる構造自体が変化。壮大な長尺プログレッシヴ・ファンク A4 が聴きどころ。

℗ Песняры ❶ Гусляр

1979 🌐 ベロルシア共和国

Ⓐ Pesnyary ❶ Guslyar
Ⓞ LP 〰 C60-12727-28 ★★

3rd と同年の 1978 年には、立て続けに 4th アルバム『Песняры IV』（C60-11287-88）をリリース。全編民謡カヴァーと初期作への回帰を見せつつも、素朴な民謡を装いながら後半部分で大胆にプログレッシヴ・アレンジで畳み掛ける A1 を筆頭に、より構築性が増した楽曲へと昇華させている。そして翌年には 5th アルバムとなる本作をリリース。作曲はコンポーザー、イーゴリ・ルチェノク（Игорь Лученок）が全てを手掛け、両面共に 1 曲ずつの大作志向へと大きく変貌。奇怪なアレンジと共に異形とでも呼ぶべきドロドロとしたサウンドに塗れた、紛うことなきプログレッシヴ・ロック・アルバムとなった。

℗ Песняры ❶ Каждый четвертый

1979 🌐 ベロルシア共和国

Ⓐ Pesnyary ❶ Every Fourth
Ⓞ EP 〰 C62-12189-90 ★★★

彼らは多くのシングル作を残しているものの、大半はアルバムからのカットとなっている。そんな中でも、特に抑えておきたいのが 3 曲入り EP となる本作。アルバム未収録となる A1、そして『Песняры IV』からのカットとなる A2 は、ストイックな合唱のみで構築されたポリフォニー・ソングだが、注目すべきはシングル・オンリー曲となる B1。過剰に恐怖心を煽り立てるオカルティックなメイン・テーマが襲い来る、6 分余に渡って繰り広げられるこの長尺プログレッシヴ・ロック・ナンバーは、彼らのファンはもとより、サンプリング・ソースとして DJ からも愛される特別な一曲。一度聴けば脳内で強制リフレイン間違いなし！

℗ Гунеш

Ⓐ Gunesh

🕐 1970　🌐 トルクメン共和国
👤 Мурад Садыков、Олег Королёв

全身これドラム。要塞さながらに自身を取り囲む巨大ドラム・セットから、たった一つのスネア・プレイまで、全てをブッ叩き、蹴り放ち、乱れ打つ。全ての指にスティックを身につけ、ステージ上では煙を撒き散らし、そのまとった奇怪な衣装と立ち居振る舞いによってインパクトを与え、そして何よりも生み出される嵐のようなグルーヴから大きな称賛を浴びる、「リズム・グル（導師）」ことリシャド・シャフィ（Ришад Шафи）を擁した、トルクメン共和国が誇る怪物 VIA、グунеш（Gunesh）。結成は古く、1970 年。トルクメン共和国国営テレビ・ラジオ交響楽団の一部として、詩人兼ヴォーカリストであったムラド・サドゥコフ（Мурад Садыков）の手により結成。音楽面ではプロデューサー、オレグ・コロリョフ（Олег Королёв）をリーダーに据えて活動を開始している。結成当初は典型的な VIA としての活動を続けるも芽が出ず、1976 年に大幅なメンバー・チェンジを決行。トップ・プロとして活動していたジャズ・マンを加えると共に、トルクメン伝統音楽を大胆に導入し、グループは大いなる躍進を果たすこととなる。1980 年に開催された、ソ連初の公式ロック・フェスティヴァル Tbilisi-80 にて最優秀賞を受賞した彼らは、その勢いのまま、不朽の名作となる 2 枚のアルバムをリリース。以降トップ・グループとして 1988 年まで活動を続けている。なお、2000 年に最終作となる『45° in a Shadow』を CD でリリース。1984 年〜 1990 年の間に録音された音源を使用しており、名曲群の再録ヴァージョンも収録した、ファン必聴の一枚となっている。また、Gunesh、そしてリシャド・シャフィの動く姿は動画サイト等でも確認できるので、是非一度この異形を体験していただきたい。

ⓟ Гунеш ❸ s.t.

🕐 1980 🌐 トルクメン共和国

Ⓐ Gunesh ❸ s.t.
Ⓞ LP 📀 C60-14789-90 ★★★★★★

中央アジア南西部、トルクメン共和国に彗星の如く現出した、鋼鉄のプログレッシヴ・ファンク・モンスターによる記念碑的デビュー作。超絶的技巧と（ビジュアルも含めて）圧倒的な存在感を放ちリズム・グル（導師）としてバンドを率いる、リシャド・シャフィ（Ришад Шафи）による暴虐の限りを尽くした尋常ならざる手数のドラミング、そして自国の伝統歌謡をも消化したオリエンタル・ムードとが交配。その狂乱するグルーヴが渦巻く至極のサウンドは、本作をまだ見ぬ貴方を打ちのめす塩化ビニール製の鉄槌。Red Funk シーン四天王の一角として、Фирюза（Firyuza）共に最高位のレアリティーを護持する。

ⓟ Гунеш ❸ Вижу землю

🕐 1984 🌐 トルクメン共和国

Ⓐ Gunesh ❸ I See Earth
Ⓞ LP 📀 C60 21197 007 ★★★★

前作にも増してアジテートする扇動的グルーヴは膨張、コズミックなシンセサイザー・サウンドと大胆なプログレッシヴ・ロック流アレンジメントに染め上げられた 2nd アルバム。シンセサイザー、サックス、ベース、ドラミングが一丸となって脅迫観念的に襲い来るコズミック・プログレッシヴ・ナンバー A1 を筆頭に、まさに「異形」と呼ぶに相応しいサウンドに満ちた傑作。世界広しと言えどもこれほどまでに突出した個性は圧巻、唯一無二のサウンドを五感全てで体感せよ！　なお、2018 年には新興再発レーベル、Soviet Grail によって再発済。またそれに際してバンド側の希望によりアートワークの変更が施されている。

ⓟ Гунеш ❸ Vietnamese Frescoes

🕐 2019 🌐 トルクメン共和国

Ⓐ Gunesh ❸ Vietnamese Frescoes
Ⓞ 7" 📀 SG010 ★★

80 年代中頃には交響楽団との衝突が表面化、メンバーの相次ぐ脱退により唯一残されたリシャド・シャフィは、新たなメンバーを招聘。1988 年に別働隊を結成するも、1990 年には解散している。なお、彼らの音源の発掘も進んでおり、2019 年には 2nd アルバムの最終曲として据えられた、絶品スキツォイド・ジャズ・ロック・ナンバーの発禁ヴァージョンが発掘され、シングルとしてリリースされている。制作段階では冒頭に 1 分余りの女性によるベトナム語の伝統歌唱が挿入されていたが、当局はベトナム語の使用を理由として検閲対象と判断。結局アルバムには冒頭部分がカットされ収録されたという、いわくつきの名曲となっている。

ⓟ АББА / Гунеш ❸ Спасибо за музыку / Я - марионетка / Невестки / Девушка

🕐 1979 🌐 トルクメン共和国

Ⓐ ABBA / Gunesh ❸ Thank You for the Music / Daughter in Law
Ⓞ Flexi 📀 Г62-07335-6 ★★★

個性溢れるシンギングで魅せる詩人兼ヴォーカリスト、ムラド・サドゥコフ（Мурад Садыков）。彼こそが Gunesh（トルクメン語で「太陽」の意）の名付け親であり、バンド創設は 1970 年に遡る。その後、彼はバンドを引き連れ、ソロ名義で数枚のシングルを残しているが、バンドとしてのリリースは ABBA とのスプリット作となるソノシート 2 枚のみ。特に注目したい本作は、シングル・オンリー曲と 1st の A1「ジギ-ジギ」の完全別ヴァージョンを収録、ファン必聴の名曲となっている。また、1989 年リリースのオムニバス作『Алтын алма-89（Altyn Alma 89）』にも参加、シンセ・ディスコ・ナンバー 1 曲を残している。

カザフ共和国が生んだ比類なきサイケデリック・ダイナソー

℗ Дос-Мукасан

Ⓐ Dos-Mukasan

🔵 1967　🌐 カザフ共和国
🔵 Мурат Кусаинов、Досым Сулеев

中央アジアに位置するテュルク系国家、カザフ共和国が産んだ孤高のロック・バンドにして、ソ連コレクター界隈において圧倒的な人気を博す、比類なきカザフ・サイケデリック・ダイナソー。カザフ共和国最大の都市、アルマ・アタにあるカザフ国立工科大学の4人の学生たちによって結成、彼らは同国初のプロフェッショナル VIA となった。なお、グループ名はメンバーの4人の名前である、Досым（Dosym）、Мұрат（Murat）、Қамит（Kamit）、Саня（Sanya）から名付けられている。カザフの伝統音楽をレパートリーに加えながらも、強く影響を受けたのはかの The Beatles。彼らは初のプロとして期待された伝承音楽の正統後継者としての道を歩まず、民族楽器をエレキ・ギターに持ち替えて、多くの批判を背に西側的ロック・ミュージックを打ち鳴らしてみせた。女性ヴォーカリスト、クルマナイ・アジバエヴァ（Курманай Ажибаева）をソリストに据え、1971年にシングル・デビューを飾った彼らは、程なくして最大のヒット曲となった「Свадебная песня（結婚式の歌）」をリリースし、カザフ共和国では知らぬものなどいない存在へと成長を遂げる。同年には国家を代表して、ミンスクで開催された全連邦コンクールへと参戦。参加グループの中では、どのグループよりもソ連全土における知名度に欠けていた彼らだったが、優勝こそ地元の伝説、Песняры（Pesnyary）に譲ったものの、ウクライナの Кобза（Kobza）と共に3位の座に輝き、全土での知名度を瞬く間に獲得することとなる。そして飛躍的に進化を遂げた彼らは、アルバム・デビュー作にして、ソ連サイケデリック・ロック・シーンを代表する名作『Дос-Мукасан（Dos-Mukasan）』を1976年にリリース。今現在までも語り継がれる傑作として、異彩を放ち続けている。

℗ Дос-Мукасан ⓘ s.t.

🕐 1976　🌐 カザフ共和国

Ⓐ Dos-Mukasan ⓘ s.t.
Ⓞ LP　C60-07677-8　★★★★★

ソ連サイケ・シーンの最上位に鎮座する記念碑的デビュー作。本作を語る上で外せないのは、カザフの広大な砂漠の名が冠されたA1。闇夜を這い進んで行くかの如き漆黒のアンビエンス、ヴァイヴするギターによるエキゾチックなリフレイン、絶叫するファズ、幻惑的なディレイ・サウンド、グルーヴするベース・ライン、それら全ては徐々に集約し、混沌とした世界へと誘うサイケデリック・ジャムへと雪崩れ込む。この7分超のロング・トラックが生み出した、世界でも類を見ないまさに孤立無縁のサウンドは、西洋文化に侵されず自然発祥的に体現した、サイケデリックの権化そのもの。なお、本作のオリジナル・アートワークは2種存在する。

℗ Дос-Мукасан ⓘ s.t.

🕐 1983　🌐 カザフ共和国

Ⓐ Dos-Mukasan ⓘ s.t.
Ⓞ LP　C60-19101-02　★★★★

前作から間をおいてのリリースとなった、2作目にして最終작。前作に見られたサイケデリック・サウンドは大きく後退し、快活で小気味の良いポップ・ナンバーから、情感たっぷりのバラードまで、カザフ伝統音楽への回帰を目指している。そんな中にも、オルガンや四つ打ちビートを導入した、ファンク〜ディスコの影響下にある楽曲が混入。特に西側的サウンド・テクスチャーに、口琴や2弦のマンドリンのようなカザフを代表する民族楽器「ドンブラ」等を駆使したアレンジが秀逸な、プログレッシヴ・ディスコB3は要チェック。なお、本作は新興再発レーベルEbalunga!!!より、2019年にCD/LP再発リリース済。

℗ Дос-Мукасан ⓘ Свадебная песня

🕐 2019　🌐 カザフ共和国

Ⓐ Dos-Mukasan ⓘ Wedding Song
Ⓞ EP　SG041　★★

彼らの結成直後の初期音源は、シングルで確認することが出来る。1971年のレコード・デビュー作となるエスケンディル・ハサンガリエフ（Ескендир Хасангалиев）とのスプリットEP（Д-00031399-400）に始まり、彼らはアルバム・リリースまでに数枚のシングル、そしてクルガゾールに楽曲を残しているが、いずれも高い入手難度を誇っている。本作はそんなシングル群から、ベストと言える選曲で組み立てられた嬉しい3曲入り再発EP。代表曲A1をはじめ、いずれも彼らのサイケデリック・フィーリングの萌芽以前、自国の伝統民謡と西側諸国のサーフ〜ガレージ・サウンドとが異種配合された曲が揃う。

℗ Төлеген Мұхамеджанов ⓘ Ақ Желкен

🕐 1990　🌐 カザフ共和国

Ⓐ Tolegen Mukhamedzhanov ⓘ Ak Zhelken
Ⓞ LP　C60 29965 003　★★★

彼らは様々なコンピレーション作にも音源を残しているが、その中でもとりわけ重要度が高い作品は2枚。1989年に開催されたАлтын алма 1989（Altyn Alma 89）フェスティヴァルの音源を収録したオムニバス作（p.128参照）、そして同郷のコンポーザー、トゥレゲン・ムハメドジャノフの楽曲を様々なアーティストがプレイした本作をチェックしたい。いずれも他作品では聴くことが出来ない楽曲が収録されているが、本作の最終曲B4に収録されたのは、パイプ・オルガンによる荘厳なクラシック・イントロを突き破り放たれる、驚天動地のスピード・メタル・チューン！ライトハンド奏法まで自在に操ってみせる、その変貌ぶりは実に興味深い。

劇物ファズを過剰摂取したリトアニアン・サイケデリア集団

ⓟ Октава

Ⓐ Oktava

🕐 1964　⊕ リトアニア共和国
👤 Mindaugas Tamošiūnas

杉原千畝がユダヤ人にビザを発給したカウナスにて結成。市中のトップ・ミュージシャンたちに好労働条件を提示すると共に、住居や楽器を与えメンバーを招聘、プロフェッショナルな集団として鉄壁の布陣を揃えたのは、アート・ディレクターとしてグループを指揮した異能のアーティスト、ミンダウガス・タモシウーナス（Mindaugas Tamošiūnas）だった。トロンボーン奏者としてキャリアを歩み始めた彼は、150 を超えるヒット・ソングを残したコンポーザーとして、ロック・バンドからオーケストラまでをも自在に操るコンダクターとして、そして何よりもアカデミックでありながらも、「全身是サイケデリック」といった先鋭的な音楽観を携えた比類なきアーティストとして、グループを成功へと導いた。Oktava は 3 枚のアルバムと 1 枚のシングルをリリースしているが、1973 年にはアメリカにて 1 枚のスプリット・アルバム『Jūreivių Keliai Ir Kitos Dainos』（Eurotone / ST-148）も残している。共に収録された同郷のグループにしてレジェンド、Gitaristų（Gintarėliai）は、1st アルバムにも中心メンバーとして参加しており、本作に収められた 60s アメリカン・スタイルのサイケデリック・サウンド（The Beatles「Don't Let Me Down」カヴァー含む）もまた素晴らしい。また、ミンダウガスを始めとしたメンバーのソロ・キャリアにも注目したい。特に結成初期の 1967 年からデビュー・アルバム録音時の 1972 年までメイン・ヴォーカルを務めた、ヤニナ・ミシチュカイテ（Janina Miščiukaitė）は、ソロ・シンガーとしても大きな成功を収めている。彼女の作品は別項（p.189）にて紹介しているので、そちらも併せて参照されたい。

℗ Oktava ● s.t.

● 1973　● リトアニア共和国

Ⓐ Oktava ● s.t.
◎ LP　▥ 33CM-03437-8　★★★★

リトアニアが誇る才人、ミンダウガス・タモシウーナス率いるサイケデリック VIA による記念碑的デビュー作。男女混声によるヴォーカルを中心に据え、ブラス・ロック・スタイルから骨太なフリークビート・スタイルまで、英米とは異なるビッグ・バンド編成で迫り来る。さらに、トランペッターでもあったミンダウガスらしくホーン・アレンジは練り込まれ、ギターやオルガンにはディレイやワウ等の多様なエフェクトを施し、分厚くも変幻自在なアレンジを展開してみせた。そんな中でも、ファズを過剰摂取したインパクト極大のギター・リフレインが脳天を突き刺す、ヘヴィー・サイケデリック・ロック・ナンバー A6 は極悪の一言。

℗ Oktava ● Mindaugo Tamošiūno Kūriniai

● 1974　● リトアニア共和国

Ⓐ Oktava ● Works by Mindaugas Tamošiūnas
◎ LP　▥ C30-04787-88　★★★

1st と同年には、全く音楽性の異なるダンス音楽集となった 2nd『Gintarinė Pora』（33CM-03645-46）をリリース。優美なサンバやルンバをプレイする中で、我慢しきれなかったか、両面共に最終曲ではサイケの残り香を漂わせている。翌年には 3rd にして最終作となる本作をリリース。ヘヴィーなギターとベースのユニゾンによる印象的なリフレインと、ソウルフルなヴォーカルが扇動するハード・ファンク A1、一転綿毛のようなフロウを奏でる極上メロウ・スウィート・ナンバー A3 を筆頭に、A 面を男性、B 面を女性がヴォーカルを務め、剛と柔のバランスに優れた素晴らしいトータル・アルバムとなった。

℗ Oktava ● Mindaugo Tamošiūno Dainos

● 1973　● リトアニア共和国

Ⓐ Oktava ● Songs by Mindaugas Tamošiūnas
◎ EP　▥ 33CM-0004143-4　★★★

彼らが残したシングルは、ビート・グループ Bildukai の元メンバー、ヴィータウタス・ペトルショニス（Vytautas Petrušonis）をソリストに据えた 1 枚のみとなったが、アルバムに収録されず本作にのみ収録されたこの 3 曲こそが、紛れもなく彼らのキャリアを代表する最大の名曲。ギター、ベース、オルガン等全てのパートが劇物ファズを過剰摂取、サウンド全体が融点を超えてレッド・ゾーンを振り切った凶悪極まりないそのサウンド・メイキングは、より広く聴かれるべきソ連サイケデリアの極点。ピンクのシャツに身を包みクールを装っているが、彼こそがソ連きっての狂えるコンポーザー。ドープ！

℗ Mindaugas Tamošiūnas ● Ugnies Užkalbėjimas

● 1982　● リトアニア共和国

Ⓐ Mindaugas Tamošiūnas ● The Speech of Fire
◎ LP　▥ C60-17327-8　★★★

ミンダウガスは数多くの楽曲を提供し、オーケストラを率いて制作した『Gintarinė Pora 75』（p.58 参照）他、多くの作品に携わっている。初のソロ名義作となったのは、ラトヴィア TV/ ラジオ・オーケストラを率い、1975 年〜 1976 年にかけて発表した EP3 部作だったが、初のフル・アルバムとなった本作で、ようやく彼は異才ぶりを存分に発揮する。異常発振するコズミック・シンセサイザー、優美なオーケストレーション、歪に縦ノリするファンキー・グルーヴ、轟くファズ・ギター、そして語り叫び集団で合唱し、多様な要素が入り乱れるサウンドが描くのは、ここ日本で言うところの天井桟敷的サイケデリック・ロック・オペラ。強烈！

℗ Иверия

Ⓐ Iveria

🕐 1968　🌐 グルジア共和国
👤 Александр Басилая

1968年にトビリシで結成。グルジアの東部にかつて存在した王国「イヴェリア」からその名を取った、グルジア・サイケデリックVIA。クリエイター兼アーティスティック・ディレクターを務めグループを率いたのは、グルジア共和国国立音楽院を卒業したばかりながら、既に名の通ったコンポーザーであった、アレクサンドル・バシラヤ（Александр Басилая）。1972年、Рэро（Rero）とのスプリット・ソノシート『Сувенир（Souvenir）』（ГД0003193）にて、英語ナレーションのバッキングを担当する形でデビューを飾った彼らは、1974年にグループ単体名義でのデビュー作となる4曲入りEP『Восход солнца（日の出）』（C62-04891-2 / ソノシート版: ГД 0003953-4）をリリースし、自らの音楽性を爆発させる。ケン・ヘンズレー率いるブリティッシュ・ハード・ロック・バンド、Uriah Heepが1972年に発表した名曲、「Sunrise」のカヴァーを冒頭に据えた本作は、彼の国では異例とも言えながらも、彼らの名を一挙全土に広め、初期のキャリアを支えたヒット作となった。翌1975年には『Иверия』にてアルバム・デビューを果たし、以降6枚のアルバム（ソロ名義以外ではДрево желания（Wishing Tree）とのスプリット・アルバムを1984年にリリースしている）をリリース。その後、80年代の終わりには活動を停止しているが、彼らがキャリアを通して貫いた音楽性の核として挙げられるのが、温故知新の精神。王国時代の伝統民謡の旋律を援用しながらも、初期はサイケデリック・ロック、後期はディスコ・ポップへと、西側も含めた同時代の音楽を即座に吸収する柔軟性を持ち得た彼らは、自国グルジアのみならず、ソ連全土にて広く人気を獲得し、一時代を築いたVIAとなった。

Ⓟ **Иверия** 🔊 s.t.

🕐 1975　⊕ グルジア共和国

Ⓐ **Iveria** 🔊 s.t.
◎ LP　▭ C60-05651-52　　　　　　★★★★★

ソ連が誇る、サイケデリック VIA 代表格による記念碑的デビュー作。グ
ルジア民謡をベースにしたメロディ・ライン、大編成による多様かつ重厚
なサウンド、極端なファズ・エフェクト、過激なプログレッシヴ・アレン
ジ。息継ぎなどさせぬとばかりに強烈な個性が横溢する、ソヴィエト・サ
イケが辿り着いた一つの到達点。シングル・ヒットとなった、Uriah Heep
「Sunrise」のカヴァーを B3 に収録している。また、本作はプレス工場
により多くのアートワーク違いが存在するが、モノクロ魚眼レンズ・アー
トワークのジャケット、そしてブラック・ラベルによる、完全初回仕様の
トビリシ工場プレスの入手難度は極端に高くなる。

Ⓟ **Иверия** 🔊 s.t.

🕐 1978　⊕ グルジア共和国

Ⓐ **Iveria** 🔊 s.t.
◎ LP　▭ C60-08639-40　　　　　　★★★

前作で大胆に盛り込まれたサイケデリック・フィーリングは後退を見せ
つつも、ポピュラー度を高めたことにより、バンドの地位を固めた 2nd
アルバム。民謡色を抑えたムーディーな歌謡曲を主軸としつつ、B3 に
は Blood, Sweat & Tears の「My Old Lady」カヴァーを収録（なぜか「C.
Вандер」、つまりスティーヴィー・ワンダーとクレジットされている）す
る等、西側ポップス志向の高まりを見せている。鐘の音と劈くファズ・ギ
ターが疾走する A2、隣国トルコとも近似するグルジア民謡特有のサイケ
デリック・ファンク・グルーヴで魅せる B4 は、前作のサウンドがお好み
の方にはジャスト・フィット。

Ⓟ **Иверия** 🔊 s.t.

🕐 1980　⊕ グルジア共和国

Ⓐ **Iveria** 🔊 s.t.
◎ LP　▭ C60-14453-54　　　　　　★★★

前作同様、一聴すると大衆迎合型フォーク・ポップスを装いつつも、個性
溢れるアレンジメントで独自の世界観を描き出した 3rd アルバム。そして
その中でも、民謡シンギング、唸りを上げるベース、そしてスペーシーな
シンセが渦巻くプログレッシヴ・ナンバー A1 は、前作までの流れを汲み
ながらも、彼らにとっても新しい境地を切り開いた一曲となった。その後
1983 年には 4th アルバム『13 Лет』（C60-18619-20）をリリース。その
他ミュージカル用に制作された 1985 年作『Свадьба соек』（C60 23365
003）、1987 年作『Аргонавты』（C60 26129 007）を残している。

Ⓟ **Иверия** 🔊 Как забыть

🕐 1976　⊕ グルジア共和国

Ⓐ **Iveria** 🔊 How to Forget
◎ EP　▭ C62-07315-16　　　　　　★★★

Uriah Heep「Sunrise」カヴァーを収録した、ソロデビュー EP にして出
世作となる 1974 年作『Восход солнца（日の出）』を筆頭に、複数枚の
シングルをリリースしているが、特に注目したいのが本作。A1 のみ 2nd
アルバム収録曲となるが、他 3 曲は未収録。ファズが唸り倒す B1 にはま
たも Uriah Heep カヴァーとなる「Devil's Daughter」、そしてグルジア民
謡を改変したサイケデリック・ナンバー A2 も外せない。また、1974 年
リリースのソノシート（ГД-0003973-74）も全曲アルバム未収録となって
おり、A2 では初期の彼ららしいサイケデリック・ナンバーが堪能できる。

ロシア民謡を大胆にリビルドするプログレッシヴ・バンガー

ⓟ Ариэль
Ⓐ Ariel

🕐 1968　🌐 ロシア共和国（チェリャビンスク）
👤 Валерий Ярушин

The Beatles や The Monkees をカヴァーする名もなき学生バンドに過ぎなかった彼らは、チェリャビンスクのコムソモール委員会の引き合わせにより、同郷の VIA、Аллегро（Allegro。ニコライ・レヴィノフスキー率いるジャズ・アンサンブルとは同名異バンド）と合流。以降、数々の賞を受賞する栄光の道を歩むこととなった、ソ連ロック・シーン屈指の個性を放つ大御所 VIA。彼らの個性を代表する大きな要素の一つとして挙げられるのは、根底に流れるロシア伝承音楽への畏敬の念。デビュー作でこそ自作曲が占める比重が大きかったものの、2nd アルバム以降はリーダーであるヴァレリー・ヤルーシン（Валерий Ялушин）による伝承音楽のアレンジが特異化。複雑なポリフォニーを特徴とするロシア民謡に、サイケデリック・ロック〜プログレッシヴ・ロックの語法を大胆に導入し、世界でも類を見ないほどに個性際立つサウンドを創造した。1989 年にヤルーシンはメンバー間の確執により脱退するが、彼が在籍した全盛期に残された音源は、ソ連ロック・シーンに大きな影響を与え、多大なる功績を残した。また、別項（p.81）にて紹介しているが、アレクサンドル・ザツェーピン（Александр Зацепин ）のコンポージングによるサウンドトラック名作『Между небом и землей（天と地の間）』においても、彼らの鮮烈なサイケデリック・サウンドが堪能できるので、ぜひチェックしてみて欲しい。なお、その後もバンドは活動を継続し、現在もなおコンスタントに作品を発表し続けているが、2000 年代に入り、ヤルーシンは自身が生んだとも言える「Ариэль」の名義を巡り、バンド側と衝突。その権利の正当性を主張するかのように、ヤルーシンは別メンバーを引き連れもう一つの「Ариэль」を結成し、活動を続けている。

ⓅАриэль ⓈИ s.t.

● 1975　⊕ ロシア連邦共和国

Ⓐ Ariel Ⓢ s.t.
Ⓞ LP　💿 C60-05891-92　　　　　　★★★

デビュー以来数々のコンテストで好成績を残した彼らは、当局からチェリャビンスク音楽協会への加入を認められ、プロとしてレコード制作に乗り出すこととなる。満を持してリリースされたデビュー・アルバムとなる本作は、後に多く見られる伝統音楽のカヴァーは少なく、Песняры（Pesnyary）が如くトグロを巻くかのようなギター・リフと、ジリジリと嘶くファズ・ギターが印象的な長尺サイケデリック・ナンバー A4 を筆頭に、全体を覆う陰鬱なムードと奇怪なアレンジが編み込まれた名品。愛らしいピアノが転がるオールドタイム・ソングでありながら、執拗に「針飛びギミック」が組み込まれた奇天烈歌謡 A3 の聴き心地は、最悪にして最高。

ⓅАриэль ⓈИ Русские картинки

● 1977　⊕ ロシア連邦共和国

Ⓐ Ariel Ⓢ Russian Pictures
Ⓞ LP　💿 C60-08641-2　　　　　　★★★

ミニマルなサウンドスケープに鋭く切り込む変拍子グルーヴで幕を開ける、彼らのキャリアを代表する 2nd アルバム。リーダーであるヴァレリー・ヤルーシンの才能は大きく花開き、イタリアン・ロックをも想起させる豊潤な歌心溢れるメロディーと、複雑かつ緻密に組み上げられたアレンジに、その才は遺憾なく発揮されている。組曲さながらに継ぎ目なく壮大なストーリーを描き切った A 面、ロシア民謡に大胆なアレンジを施した B 面、共に英米では生まれ得ない、圧巻の独創性を備えたプログレッシヴ・ロック・アルバムとなった。なお、暗鬱としたプログレッシヴ・ファンク・リフレインを叩き出す B2 は、DJ 諸氏からも高い人気を集める。

ⓅАриэль ⓈИ s.t.

● 1980　⊕ ロシア連邦共和国

Ⓐ Ariel Ⓢ s.t.
Ⓞ LP　💿 C60-13891-92　　　　　　★★

1978 年にはロック・オペラ・アルバム『Сказание о Емельяне Пугачёве（The Legend of Emelyan Pugachyov）』を録音。キャリア中、最も前衛度の高い音源となるも、当時はリリースされることなく終わっている（ブートレグ CD が存在する）。そして 1980 年には 3rd アルバムとなる本作をリリース。前作よりもさらにロシア民謡の比重は増すも、入り組んだ構造は整理され、トータル・アルバムとしての完成度を見せている。そしてやはり注目はラスト・ナンバー B4。ロシア民謡を渦巻く極太アナログ・シンセと共に強引に改変した、ドープな奇天烈サイケデリック・ディスコ・チューンで昇天！

ⓅАриэль ⓈИ Любите струны гитар

● 1975　⊕ ロシア連邦共和国

Ⓐ Ariel Ⓢ Love Guitar Strings
Ⓞ EP　💿 M62-37359-60　　　　　　★★

続き 1982 年にリリースされた 4th アルバム『Каждый день твой（毎日が君のもの）』（C60-16739-40）以降、ロシア民謡のカヴァーは影を潜め、音楽性も変化を遂げていく。そして、1989 年にはリーダー、ヤルーシンはメンバー間の確執により、脱退している。また、彼らは多くのシングルも残しているが、まず押さえておきたい一枚が本作。アメリカン・ガレージを彷彿とさせる、ワイルドなファズ・ギターが光る明朗ポップ・ナンバー A1、疾走するドラム・ブレイクが堪らないグルーヴ歌謡 B2 と、アルバム未収録となった 2 曲に注目したい。なお、本作にピクチャー・スリーヴは存在せず、掲載画像はソノシート版（Г62-04679-80）のもの。

ディスクレビュー

℗ Алексей Рыбников ⊕ Звезда и смерть Хоакина Мурьеты

Ⓐ Alexey Rybnikov ⊕ The Star and Death of Joaquin Murrieta
Ⓞ LP 📷 C60-11191-4 ★★

モスクワ出身の作曲家にして、栄誉賞号「人民芸術家」受章者、アレクセイ・ルィブニコフ。本作は彼の出世作にして、ソ連初のロック・オペラとされる一大絵巻的2枚組大作。不穏なスポークン・ワード、遠鳴りする子供のハミング、雄大なシンフォニー等々、ザッピングするかのように様々な要素が目まぐるしく入り乱れる構成ながら、A面中盤から始まるダークサイド・カンフー・オーケストラ・ファンク、C面中盤のファズ・シンフォ・グルーヴ、D面序盤のプログレッシヴ・パンク、D面中盤の鬼畜ドラム・ブレイク……挙げればキリがない程に異質なサウンドと特異なグルーヴが混入した、DJ失禁モノの異形の名作。

🕐 1978 🌐 ロシア連邦共和国

℗ Алексей Рыбников ⊕ Музыка из кинофильма "Остров сокровищ"

Ⓐ Alexey Rybnikov ⊕ Music from the Movie "Treasure Island"
Ⓞ EP 📷 33Д-00034413 ★★

両親共にミュージシャンだった彼は、8才の頃から作曲を始めるという早熟の天才。1978年作に続き、1982年にリリースされた代表作のひとつ『Юнона и Авось（Juno and Avos）』（C60 18627 008）以降数多くのオペラを残し、国民的作曲家として大きな成功を収めている。本作はそんな彼のレコード・デビュー作となる1973年リリースの5曲入りサントラEP。縦横無尽に舞い散るファズ・ギターと疾走感溢れる高速ドラミング、そしてあまりに印象的なオルガン・フレーズが所狭しと大暴れするキラー・トラックA1を収録した、Red Funk大ネタとも言うべき名品中の名品。

🕐 1973 🌐 ロシア連邦共和国

℗ Апрель ⊕ Обещание

Ⓐ April ⊕ Promise
Ⓞ EP C62-13015-16 ★★★

1971年から20年近くに及ぶ活動をしながらも、一枚の音源も残さず潰えたVIA、Поморы（Pomors）を母体とし結成された、レニングラード出身VIAによる唯一作。アレクサンドル・ザツェーピン作曲によるサントラ作となる、4曲入りオムニバスEP『Повар и певица』（C62-11853-4）にてデビュー、小気味の良いソフト・ロック・ナンバー1曲を残している。そして、同年に彼ら唯一のソロ名義作となる本作をリリース。連発ホーンと粘りっこいギター・カッティングによる、Earth, Wind & Fireの影響下と思しきファンキーなバッキングをVIA流歌謡ポップスへと落とし込んだ好作。

🕐 1979 🌐 ロシア連邦共和国

℗ Арніка ⊕ Погнівався мі

Ⓐ Arnika ⊕ He Was Angry at Me
Ⓞ EP 📷 33Д-00034591-92 ★★★

ウクライナVIAシーンの黎明期を創成した伝説的グループにして、Водограй（Vodogray）と並ぶシーンの象徴的存在。ジャズ・アンサンブル、Медікус（Medikus）を母体とし、後にソロ・シンガー兼コンポーザーとして活躍するヴィクトル・モロゾフ（Віктор Морозов）らによって結成されたのは1971年のこと。翌1972年に国営テレビが企画した人気才能発掘番組により見出されデビュー、同年に4曲入EPをリリースしている。男女混声ハーモニー、快活なブラス隊、そしてワイルドなドラミング等が跳ね回り、60sアメリカン・ポップスを輸入したかのようなサウンドは、ウクライナにフレッシュな息吹をもたらした。

🕐 1972 🌐 ウクライナ共和国

℗ Арніка ⓘ Естрадний ансамбль Арніка

Ⓐ Arnika ⓘ Variety Ensemble Arnika
Ⓞ LP C60-05183-84 ★★★★

1973 年に録音を開始し、翌年には彼ら唯一のアルバムとなる本作をリリース。デビュー EP から大幅に音楽的成長を遂げ、中心地モスクワですらも得ていない新たな語法を先んじて駆使し、サイケデリック・ロックからブラス・ロック、伝承音楽までをも咀嚼したサウンドを創出。Ватра（Vatra）による口琴カヴァーでも知られるウクライナ伝承音楽 A2 は、異常なまでに肥大化したファズ・ベースで塗り替えられ、最終曲 B3 では各 2 分に及ぶドラム・ソロ、そしてファズ・ギター・ソロを展開。暗鬱としたヴァイヴスが全体を覆い包みながら圧倒的なまでの個性が輝き放つ、ウクライナ・ロック・シーンの地平を切り開いた名作。

🕚 1974 🌐 ウクライナ共和国

℗ Арніка ⓘ Пісні О. Екімяна

Ⓐ Arnika ⓘ Songs by O. Ekimyan
Ⓞ EP C62-07121-22 ★★

アルバム・リリース後、コンポーザーであるオレクシー・エキミャン（Олексій Екімян）を招き入れ、楽曲の制作を依頼。彼が全曲作曲を手掛け、1975 年にリリースされたソノシート作（Г62 04901-02）に収録された「Сонячний дощ（Sunny Rain）」は全土でヒットを果たし、ウクライナきっての人気バンドへと成長を遂げる。本作はそのソノシート作と同曲を収録し、4 曲入 EP 版として再リリースされた 1977 年作。直走るアッパーなリズムが特徴の歌謡曲といった趣のヒット・ナンバー A1、ワウ・ギターと笛（おそらく伝統楽器ティリンカ）が先導する A2、そして A1 の派生ナンバー B1 等を収録している。

🕚 1975 🌐 ウクライナ共和国

℗ Карпаты / Арника ⓘ Эстрадные ансамбли Украины

Ⓐ Carpathians / Arnika ⓘ Variety Ensembles of Ukraine
Ⓞ EP C62-12085-86 ★★★

その後、彼らはソロや Ватра（Vatra）の結成と、各々での活動が始まり活動は一時停止するも、メンバーを入れ替え、活動を継続。本作はそんな中、リリースされた 3 曲入スプリット EP。A1 には本作のみに音源を残す Карпаты（Carpathians）によるファンキー・チューンを収録、そして A2、B1 に Арника を収録。特に暗鬱とした退廃的なムードの中、女性ヴォーカルが仄めく悪魔的アシッド・ナンバー B1 に注目したい。そして 1982 年に最終作となる 3 曲入 EP『В Самборі』（C62 16875-76）をリリース。1974 年のアルバム、そして Ватра（Vatra）でもカヴァーした伝承音楽をシンセサイザーで料理したミッド・ナンバー B1 は秀逸。

🕚 1979 🌐 ウクライナ共和国

℗ Автограф ⓘ Ирландия. Ольстер

Ⓐ Autograph ⓘ Ireland, Ulster
Ⓞ EP C62-15403-4 ★★

1980 年 3 月にトビリシで開催されたフェスティバルで彗星の如くデビュー。たった一晩で全土に知れ渡るほどの名声を手中にし、プロ・デビューを果たした、ロシア発の公式ロック・バンド。デビュー以降若者を中心に熱狂的な人気を獲得、本作は満を持してリリースされた 3 曲入りデビューEP。1985 年にアルバム・デビューを飾りビッグ・ヒット（一説によると70 万枚以上のセールスを記録）を飛ばした「歌」中心の作風とは異なり、キーボードを軸にただならぬテンションで駆け抜けるヘヴィー・プログレッシヴ・サウンドは強烈の一言。A1、A2 の息つく暇など与えぬとばかりに畳み掛ける展開に、プログレ・ファンであれば熱くなること必至。

🕚 1981 🌐 ロシア連邦共和国

℗ Эстрадный ансамбль "Баян Монгол" Чуулга ⓘ s.t.

🅐 The Bayan Mongol Variety Group ⓘ s.t.
🅔 EP 💿 C92-07451-2 ★★★★★

70年代初頭、モンゴルにおいて西洋文化の流入をいち早くキャッチ、ジャズやロックの語法を吸収し新たなシーンを創り上げた始祖的VIA。1974年デビュー・シングル以降、ジャズやロックを咀嚼し、モンゴル民謡とブレンドしたサウンドを練り上げていく彼らの歩みの先にあったものは、音楽的特異点サイケデリック・ミュージック。その萌芽とされる1976年リリースの4曲入りEPとなる本作では、すでに彼らの独自性を決定づけるファズ・ギターの使用が見られる。この頃はまだ男性ヴォーカルをメインに据えており、チープなオルガンとドライヴ感の強いビートを軸にしたそのサウンドは、革命前夜の炎として揺らめき立っている。

🕐 1980　🌐 モンゴル人民共和国

℗ Эстрадный ансамбль "Баян Монгол" Чуулга ⓘ s.t.

🅐 The Bayan Mongol Variety Group ⓘ s.t.
🅛 LP 💿 C90 15959-60 ★★★★★

白いスーツを身にまとい、ギブソンSGを肩から下げた彼らが最初で最後のアルバムをリリースしたのは1980年のこと。彼らは西側諸国ではとうの昔に散っていたサイケデリック・ミュージックを血肉化し、当時の特殊な状況下にあった彼の地でしか生まれ得ない、自然発祥的な独自サウンドへと昇華した名作を産み落とす。伝統歌唱法を操りサイケデリック・ヴァイヴすら漂う女性ビブラート・ヴォーカル、特異なビート感、そしてモンゴル音階からホーミーのフィーリングすらをも吸収したファズ・ギターが嘶く、名曲B1「Жалам хар（A Black Horse）」こそが彼らの到達点。2017年にはハーフ・オフィシャルでLP再発済。

🕐 1980　🌐 モンゴル人民共和国

℗ Чолбон ⓘ Проклятый камень

🅐 Cholbon ⓘ Cursed Stone
🅛 LP 💿 RGM7057 ★★★★

全てが永久凍土に包まれたヤクート自治共和国に居住するテュルク系民族ヤクートとして生まれ、古来から続くツンドラ・シャーマニズムを背景としながらも、Pink Floyd、Yes、Emerson, Lake & Palmer等プログレッシヴ・ロックからの強い影響が発露し生まれた、ヤクート・ロックの中核グループ。1987年から2008年の間に7作のスタジオ・アルバムを残すが、本作はその中でも唯一レコードとしてリリースされた一枚。初期に見られたある種の呪術的儀礼が如きサウンドは影を潜めながらも、壮大なストーリーテリングによって描く極北のロックを刻んだ一枚。初期音源はYouTube等でも試聴可能。

🕐 1992　🌐 ヤクート自治共和国

℗ Эпос ⓘ Рок-Былина "Илья"

🅐 Epos ⓘ Rock-Bylina "Ilia"
🅛 LP 💿 C60 28465 001 ★★★

古代ギリシャにおける叙情詩（エポス）をグループ名に冠し、レニングラードにて1986年に結成された、孤高のポリフォニック・ヘヴィー・プログレッシヴ・ロック・グループ。本作は東スラヴの口承叙事詩、ビリーナをロックに落とし込むという特異なテーマ性を帯びたデビュー作。奇抜な衣装を身にまとい、ロシア語の独特な語感による教会合唱的ポリフォニーと、アコースティック楽器（チェロ、ヴァイオリン等）とエレクトリック楽器（シンセサイザー等）が幾重にも折り重ねられた怪奇的ヘヴィネスとが混然一体となったそのサウンドは、フレンチ・プログレッシヴ・グループ、Magmaとも呼応する異形の音塊。

🕐 1989　🌐 ロシア連邦共和国

ⓟ Эпос ⚔ Георгий Победоносец

Ⓐ **Epos** ⚔ George the Victorious
Ⓛ LP ▦ R60 00643　★★★★

ロシアの国章としても採用されている古代ローマ末期の殉教者、聖ゲオルギオスをテーマにした 2nd アルバム。本作は 90 年代より Melodiya の手を離れた Петербургская студия грамзаписи（Petersburg Recording Studio）から自主リリースされたということもあり、前作よりも入手難度が高まった一枚。カオティック・ゴスペルとでも呼ぶべき A 面、ズール度の高い B 面、共に基本的な音楽性は前作を踏襲しつつも、よりストーリーテリング的側面を強め、彼ら本来のテーマ性を前面に押し出した一枚。YouTube にはミュージック・ビデオもアップされているので、衣装や映像作りも含め彼らの特異な世界観をビジュアル・サイドでもご堪能あれ。

⏱ 1991　🌐 ロシア連邦共和国

ⓟ Фирюза ⚔ s.t.

Ⓐ **Firyuza** ⚔ s.t.
Ⓛ LP ▦ C60-13215-16　★★★★★★

伝統衣装である羊毛製帽子テルペクを着帽した彼らに与えられたのは、鉄のカーテンの内側では異例中の異例、完全なる音楽の自由。伝統音楽とプログレッシヴ・ロックとが奇跡の融合を果たした、鍵盤奏者ドミトリー・サブリン（Дмитрий Саблин）率いるトルクメン共和国発エスノ・ジャズ・ロック・グループによる唯一作。弦楽器ドゥタールや木管楽器ディリ・トゥイドゥク等、自国に根ざした伝統楽器の妖艶な響きと、先鋭的なプログレッシヴ・サウンドとがフュージョン。高度な音楽性、強靭なグルーヴ、そして世界広しといえども無二の個性を誇る、混じりっけなしの最高純度の怪作。原盤はレーベル最高峰のレアリティーを誇る。

⏱ 1979　🌐 トルクメン共和国

ⓟ Каягым (가야금) ⚔ s.t.

Ⓐ **Gayageum** ⚔ s.t.
Ⓛ LP ▦ C60-17161-62　★★★★★

極東からウズベク共和国へと強制移住させられた朝鮮系民族、いわゆる「高麗人」が営んでいた集団農場に端を発する、高麗サイケデリック VIA による唯一作。朝鮮半島の伝統楽器「カヤグム（伽倻琴）」を名前に冠し、朝鮮語とロシア語をミックスしながら歌を紡いでいく。遠泣きするサイケデリック・ギター、唸り喚くシンセサイザー、張り詰めたドラミングが先導するファンキー・グルーヴ他、ある種日本のグループ・サウンズにも通ずる「大韓ロック」とソ連産「VIA サウンド」とが邂逅した、あまりに特異な歌謡サイケ名作。プレス工場は一箇所のみ、ほぼミニマム・ロットに近い 2,000 枚のみのプレスという事もあり、非常に高いレアリティーを誇る。

⏱ 1982　🌐 ウズベク共和国

ⓟ Баходур Негматов и Гульшан ⚔ Дили ман=мое сердце

Ⓐ **Bahodur Negmatov and Gulshan** ⚔ Dili Man My Heart
Ⓛ LP ▦ C60 22217 006　★★★★★

1964 年にタジク国営テレビ・ラジオ委員会により組織され、タジク共和国の伝統音楽「シャシュマカーム」をベースに新しい音楽を模索した異能のアンサンブル Gulshan。彼らは様々なヴォーカリストをソリストとして前面に据え、バッキングを支えることで多くの作品を残しているが、そのキャリアの中でも最も重要と言えるのは、1985 年にリリースされた 3 枚の作品。中央アジア・フィーリングをプログレッシヴ・ファンクに落とし込み、唯一無二の名作となった本作を皮切りに、女性ヴォーカルを迎えタジク流アーバン・メロウを鳴らした次作『Лали Бадахшон』（C60-22239-003）を発表している。

⏱ 1985　🌐 タジク共和国

ⓟ Махфират Ҳамроқулова и Гульшан 🎵 Сози Ишқ = Напевы любви

Ⓐ Mahfirat Hamrokulova and Gulshan 🎵 Sozi Ishq = Lyrics of Love
Ⓞ LP 💿 C60 22711 004 ★★★★★

1985 年リリースの三部作の中でも最後となる本作では、基本となる音楽性はそのままに、女性ヴォーカルによる妖艶なシンギング、そしてあまりにも奇怪な主旋律が聴き手の未知の扉を開ける、オリエンタル・サイケ・ファンク B1 を収録した人気作となっている。また、その他の作品では 1990 年にリリースされた『Рақс Бикун Чоно（Dance My Dear）』（C60 29971 000)に注目したい。80s ハード・ロック然としたギラつくディストーション・ギターと、キラキラと眩いディスコ・ビートが踊り狂うキラー・チューン B1 を筆頭に、大幅にサウンド面はアップデート。その後も唯一無二のサウンドを引っさげて、無人の荒野を突き進む。

🕐 1985 🌐 タジク共和国

ⓟ Гуннар Грапс и ансамбль «Магнетик бенд» 🎵 Roosid Papale

Ⓐ Gunnar Graps and Magnetic Band 🎵 Roosid Papale
Ⓞ LP 💿 C60-17019-20 ★★

エストニア、否、ソ連全土におけるハード・ロックの先駆者にして象徴、「Raudmees（鉄人）」の異名を取るドラマーにしてマルチ・プレーヤー、グンナル・グラプス率いるプログレッシヴ・ハード・ロック・グループによるデビュー作にして唯一のアルバム。重戦車が如きハード・サウンドとプログレッシヴなアレンジを主軸としながらも、サンプリング・ソースへの即戦力的フレージングのセンスは抜群。サイケデリックな音像と哀感漂うメロディーが秀抜なヘヴィー・バラード A2、Jethro Tull ライクな唄吹きフルートがファンクする A3、果ては突然の反則レゲエ・チューン B3 まで、一分の隙すら見せない完全無欠の名作。

🕐 1981 🌐 エストニア共和国

ⓟ Гуннар Грапс и ансамбль «Магнетик бенд» 🎵 s.t.

Ⓐ Gunnar Graps and Magnetic Band 🎵 s.t.
Ⓞ EP 💿 C62-13399-400 ★★

彼らが全土にその名を轟かすきっかけとなったのは、ソ連初の公式ロック・フェスティバル「Spring Rhythms Tbilisi-80」への参加。コンテストとしての性格も合わせ持っていたそのフェスティバルにおいて、彼らは Машина времени（Time Machines）と共に最優秀賞の栄誉を獲得している。そして本作はその際にもプレイされた 2 曲を収録した、彼らのデビュー作となるシングル作。軽快な四つ打ちビートが先導する、ハードなファンキー・ロック・ナンバーは魅力十分だろう。この後、グループは 1984 年に Gunnar Graps Group（GGG）へと発展、正統派ヘヴィー・メタル・グループへと歩を進める。

🕐 1980 🌐 エストニア共和国

ⓟ Горизонт 🎵 Летний город

Ⓐ Horizont 🎵 Summer Town
Ⓞ LP 💿 C60 23911 005 ★★

1979 年より様々なフェスティヴァルに参加、優勝も果たしそのキャリアを築いた、チュヴァシ自治共和国出身のシンフォニック・プログレッシヴ・ロック・グループ。Deep Purple や Shocking Blue を始めとした西側ロック・バンドに強い影響を受け、80 年代には EL&P よろしく、バッハ等バロック音楽のロック・アレンジを試み始める。1986 年にリリースにされたデビュー・アルバムとなる本作では、基本的には全編インストで構築されたサウンドながら、高水準のスキルで魅せるキーボードを主軸としたファンタジックな世界観を創出。B 面全てを費やした組曲最終部の暴走振りは実にスリリング。

🕐 1986 🌐 チュヴァシ自治共和国

ⓟ Горизонт ⓣ Портрет мальчика

Ⓐ **Horizont** ⓣ The Portrait of a Boy
💿 LP 📀 C60 28665 002 ★★★

デビュー・アルバムをリリース後、彼らの音楽性はさらに先鋭化を遂げる。1989 年にリリースされた 2nd アルバムにして最終作となる本作では、ВИА（VIA）ではなく КИА（KIA=Chamber Instrumental Ensemble）であった彼らの最終進化系とも言える、RIO（いわゆるチェンバー・ロック）サウンドへの急接近を果たすこととなる。ここでは前作での幻想性は後退し、アルバム・テーマをよりダークでシリアスな作風に転換。複雑怪奇な構成、エクスペリメンタルなサウンド・テクスチャー、さらには畳み掛けるかの様な獰猛性を織り込み、思想的かつ革命的なレッド・プログレ名作のひとつとして評された。

🕐 1989 🌐 チュヴァシ自治共和国

ⓟ Ильгам Шакиров ⓣ Чатырлар

Ⓐ **Ilgam Shakirov** ⓣ Tents
💿 LP 📀 Private (M-0022) ★★★★

カザン音楽院にてアカデミックな声楽を学び、タタール自治共和国国立交響楽団にてリード・ヴォーカルを務めたレジェンド・シンガー、イリガム・シャキーロフ。そのキャリアは長く、Melodiya 設立以前の 60 年代前半から作品をリリースし続けているが、注目したいのはソ連崩壊後に唯一自主リリースされた本作。軽やかに弾く笛の音とクラシカルな伝統歌唱、そしてそれらを斬り裂くかのように咆哮する、中間部のファズ・ギター・ソロがインパクト大な A4 も秀逸だが、最も注目すべきは A6。禁じ手ともいえる The Doors「Hello, I Love You」のイントロを華麗に拝借した、猛烈なるカザン民謡サイケを喰らえ！

🕐 1993 🌐 タタール自治共和国

ⓟ Imants Kalniņš ⓣ Dzeguzes Balss

Ⓐ **Imants Kalninis** ⓣ Cuckoo Voice
💿 LP 📀 C60-11303-4 ★★★

ライモンズ・パウルスと並びラトヴィアを代表するコンポーザーにして、ソ連産プログレッシヴ・ロックの始祖的アーティスト、イマンツ・カルニンシュ。クラシックの正統教育を受けながらも、60 年代にはヒッピー思想への傾倒からロックへ急接近。無論国家より弾圧の対象となるも、本作は彼の音楽観へ深く刻まれたロックが噴出した代表作。アートワークそのままに立ち込める暗鬱としたムード、シアトリカルかつサイケデリックなアレンジ、ジリジリと渦巻くシンセサイザー、蠢くファズ＆ワウ・ギター、闇夜をたゆたうフルート。国内において禁忌とも言うべきロックの語法をふんだんに用い、ソ連が孕んだダークサイドを仄めき照らす名作。

🕐 1979 🌐 ラトヴィア共和国

ⓟ Imants Kalniņš ⓣ Pūt, Vējiņi!

Ⓐ **Imants Kalninis** ⓣ Blow, wind!
💿 EP 📀 33Д-00035471-2 ★★

彼のキャリアの始まりは 1969 年結成のビートリッシュなビート・バンド、2xBBM（レコード未発売、後年コンピレーション CD で収録あり）。弾圧によるバンド解散後は、自身の出自でもある交響曲やオペラ、映画音楽等を手掛け、70 年代から現代に至るまで多くの作品を残している。本作も同名映画のサウンドトラックとして制作された 4 曲入り EP で、優美でたおやかなシンフォニーの中に、ファズ・ギターも用いたロックという名の毒物を混入させた、彼らしい反骨インストゥルメンタル・ミュージック。ラトヴィア独立後は政治家としても活動、音楽フェスティバル Imantdienas も毎年開催し、大車輪の活躍を遂げている。

🕐 1974 🌐 ラトヴィア共和国

℗ **In Spe** ⊕ s.t.

Ⓐ **In Spe** ⊕ s.t.
Ⓞ LP 🎵 C60 19367 001 　　　　　　　　★★

Yes、Genesis、King Crimson 等のブリティッシュ・プログレッシヴ・ロックの強い影響下にあるコンポーザー、エリッキ＝スヴェン・トゥール（Erkki-Sven Tüür）によって結成された、エストニア出身シンフォニック・プログレッシヴ・ロック・グループによるデビュー・アルバム。洗練されたシンセサイザー・ワークと、リリカルなフルート＆リコーダーとの調和を軸に据えながら、伸びやかなギター・ワークによるハード・サウンドやメディテーショナルなミニマル・パート等を丹念に織り込み築き上げた、ハイレベルな構築美的サウンドによって描くファンタジック・プログレー大絵巻。

⏱ 1983 　🌐 エストニア共和国

℗ **In Spe** ⊕ s.t.

Ⓐ **In Spe** ⊕ s.t.
Ⓞ LP 🎵 C60 23199 000 　　　　　　　　★

エリッキ＝スヴェン・トゥール脱退後に制作された 2nd アルバム。聴きどころは A 面すべてを費やした組曲、「Концерт для пишущей машинки Pe мажор（Typewriter Concerto in D Major/ タイプライターのためのコンチェルト・二長調）」。ホルンやシロフォン、そしてタイプ・ライターの打鍵音をも用いた趣向を凝らしたアレンジメントが、かのフランク・ザッパの影響をも感じずにはいられない。この後ほどなくしてグループは解散するが、エリッキは 1988 年にソロとして現代音楽作『Sümfoonia Nr.2』（C10 27187 009）をリリース、その後もソロや楽団との活動を活発に続けている。

⏱ 1984 　🌐 エストニア共和国

℗ **Калина** ⊕ Ровесники

Ⓐ **Kalina** ⊕ Peers
Ⓞ EP 🎵 C62-06621-22 　　　　　　　★★★

Кобза（Kobza）のディレクションも務めたウクライナの著名コンポーザー、オレクサンドル・ズエフ（Олександр Зуєв）が手掛けた VIA による、3 曲入り EP にして彼ら唯一の作品。アートワークさながらに曇天模様のバラードの中、フルートとベースを走らせるアレンジを効かせた A1、一転ブラス隊で華々しく幕を開ける A2 と続くが、やはり注目すべきは B1。エコー成分たっぷりのバス・ドラムとハンド・クラッピング、そして歪んだベース・ラインが生み出す、そのあまりにヒップホップ・ライクなビートは極上の一言。なお、本曲は Кобза（Kobza）と Водограй（Vodograi）もプレイしている。

⏱ 1976 　🌐 ウクライナ共和国

℗ **Калинка** ⊕ Утро вечера мудреней

Ⓐ **Kalinka** ⊕ Wisdom Evenings Morning
Ⓞ EP 🎵 C62-09511-12 　　　　　　★★★★

「ソ連のビートルズ」こと Поющие гитары（The Singing Guitars）の創設メンバーを中心に 1971 年に結成、数々のコンクールで賞を獲得し、海外ツアーも行ったロシア発の VIA。アルバムこそ残さなかったものの、1982 年の解散までに複数枚のシングルをリリース、本作はその中でも群を抜いて取り扱い危険な 4 曲入り EP。ファズ・ギターと脱臼リズムで歪に縦ノリするサイケデリック歌謡 A1、そして鳥がさえずる花畑を急襲爆撃、猪突猛進型サイケデリック・グルーヴでファンクする大本命曲 B2 を収録。なお 80 年代には同名異バンドも存在するが、本家は 2001 年に再結成を果たし、今もなお現役活動中。

⏱ 1977 　🌐 ロシア連邦共和国

Ⓟ Кола Бельды 🌐 Хейдже (Здравица)

Ⓐ **Kola Beldy** 🌐 Heige (Zdravitsa)
Ⓒ LP 💿 C60 19273 003　　　　　　　★★★★★

ロシア極東部の都市、ハバロフスクから羽ばたいた、シャーマニズムを信仰するツングース系の少数民族ナナイ族が誇る口琴マスター、コーラ・ベリドゥ。1929年生まれということもあり、全土での人気を獲得したのは早く、50年代後半のこと。その美声と奇抜なパフォーマンスで人気を博した彼は、数枚のシングルをリリースした後、1973年に『Поёт Кола Бельды（コーラ・ベリドゥは歌う）』（33CM04151-52）でアルバム・デビューを飾る。その後、間をおいてのリリースとなった本作は、キャリア初期の民謡ポップス然としていた音楽性に、鉄のカーテンの外側で趨勢を誇った、New Wave の空気感をブレンドした一枚となった。

🕐 1982 　🌐 ロシア連邦共和国

Ⓟ Кола Бельды 🌐 Белый остров

Ⓐ **Kola Beldy** 🌐 White Island
Ⓒ LP 💿 C60 27841 007　　　　　　　★★★★★

1985年には 3rd アルバムとなる『Приди, весна（春よ来い）』（C60 21719 003）をリリース。前作の流れを受け継ぎつつも、謎のテンションで女性と吐息の掛け合いをする A4、チープなハード・ギターにチャカポコ・リズムと口琴でアガる B1 他、ストレンジな風合いが強い一枚となった。そして 1989年には 4th アルバムにしてキャリアを代表する本作がリリースされる。木霊するミスティックな伝統歌唱、沈殿するかのように反復するベース・ライン、寒々しく囁くシンセサイザー。不必要な贅肉は極限まで削ぎ落とされ、どこまでも暗く鋭利なサウンドが聴く者の耳を刺す、これぞツンドラが産んだ極北の Dark Wave 名作。

🕐 1989 　🌐 ロシア連邦共和国

Ⓟ Колхида 🌐 s.t.

Ⓐ **Kolkhida** 🌐 s.t.
Ⓒ LP 💿 C60-06239-40　　　　　　　★★★★

Iveria、Orera、VIA-75、Dielo 等、数多の名 VIA を輩出したグルジア。古代王国コルキスの名を冠し、たった1枚のアルバムしか残さなかったもののシーンが産んだ伝説たちと共に並び評された、レジェンダリー VIA による唯一作。グルジア語特有の語感も相まった暗鬱とした男女混声ハーモニー、寄せては返す波の音の SE、スウォールするか細いオルガン、粒立ちの良いベース・ライン、そしてそれら全てを切り裂く鋭利なファズ・ギター。伝承音楽の下地にグルジア特有の天然サイケデリック・ヴァイブスを携え、絶品の語り口で魅せる圧巻の A 面を中心に、トータル・アルバムとしての高い完成度を誇る。

🕐 1975 　🌐 グルジア共和国

Ⓟ Лале 🌐 Снежные вершины Грузии

Ⓐ **Lale** 🌐 Snow Peaks of Georgia
Ⓒ Flexi 💿 ГД0003079-80　　　　　　★★★★

グルジア出身 VIA のひとつの雛形とも言える、曇天模様のアシッド・ヴァイブスをまとった素晴らしきサイケデリック・アンサンブル。彼らがわずか3年の活動期間内に残した作品はソノシート2枚のみ。デビュー作となる本作では、アシッド・フォーク A2 を中心に、どこまでも深く沈殿していくかのような漆黒のアトモスフィアを描き出す。翌 1973年にリリースされた『Mope（海）』（ГД0003797-98）では、特有の暗さは払拭され、音楽的完成度の飛躍をみせる。男性ヴォーカル曲は前作を踏襲しつつ、女性ヴォーカル曲は上質なバッキングを携えて、グループのまた異なる側面に陽を当てた素晴らしきメロウ・バラードを紡いでみせた名品となった。

🕐 1972 　🌐 グルジア共和国

ⓟ Маргарита Вилцане　❶ Cher ami

Ⓐ **Margarita Vilcāne**　❶ Dear Friend
Ⓞ LP　💿 C60-08793-4　★★★

出生はシベリア西部トムスク。ラトヴィアへ居を移し、若き日から交響楽団のソリストを務めた、実力派女性シンガーによる唯一のソロ・アルバム。名門中の名門、Latvian TV and Radio Variety Orchestra にも在籍したイヴァルス・ヴィグネルス（Ivars Vīgners）が手掛ける、ブレイクも満載のスピード感溢れるビッグバンド・ジャズ・ファンク B1 も名曲だが、やはり一際異彩を放つのは、最早文字起こし不能の奇怪なアレンジメントが施されたサイケデリック・ナンバー A2。それもそのはず、手掛けたのはラトヴィアが誇る鬼才ライモンズ・パウルス。彼の仕事にハズレなし。

🕙 1977　🌐 ラトヴィア共和国

ⓟ Marijus Šnaras/Vytauto Kernagio Dainos Teatras　❶ Apie Medžioklę

Ⓐ **Marijus Šnaras/Vytauto Kernagio Dainos Teatras**　❶ About Hunting
Ⓞ LP　💿 C60 29559 004　★★★

リトアニアン・ロックの祖となる伝説的ビート・バンド、Aisčiai（Aistiai）を率いたヴィータウタス・ケルナギス（Vytautas Kernagis）。彼が 80 年代後半に率いたグループ Dainos Teatras のメンバーにしてマルチ・プレイヤー、マリユス・シュナラスによるバンドとの連名作。通常の楽器編成に加え、パンフルート、シロフォン、カンテレ等多種多様な音具を駆使し、作り上げたサウンドは、一言奇妙奇天烈。ロック、ジャズ、伝承音楽、現代音楽、アヴァンギャルド等、ありとあらゆる要素が複雑に入り組み、飛び交う実にカテゴライズし難いそのサウンドは、仮に名付けるのであればザッピング・ロック。

🕙 1990　🌐 リトアニア共和国

ⓟ Наристе　❶ Ал Куну

Ⓐ **Nariste**　❶ My Favorite
Ⓞ EP　💿 C62-14125-26　★★★★★

中国とも隣接する中央アジア東部の共和国、キルギスの高地にある小さな村ミン・クシュから放たれた渾身の一撃。その小さな村に光を当てた男こそ、唯一のプロ・ミュージシャン、ウラジーミル・ブルグロ。彼によって集められ、指導された 15 人余りのメンバーは、小さな村からソ連全土へと名を轟かす VIA へと成長を遂げることとなる。1971 年の結成以来すぐに成功を収めたが、1980 年に同郷の VIA、Арашан（Arashan）との合流を果たし本作にてようやくのレコード・デビューを飾る。ファズ・ギターとオルガンが先導する西側的ガレージ・サイケ・サウンドと、中央アジア特有の旋律が生み出す実にユニークな音像は、まさに孤高と呼ぶに相応しい。

🕙 1980　🌐 キルギス共和国

ⓟ V.A.　❶ Кубулжу Менин Ырым 2

Ⓐ **V.A.**　❶ My Ritual Phenomenon 2
Ⓞ LP　💿 C60-18675-76　★★★★★

結成当初わずか 11 才だったキッズ・ドラマー、エルネスト・アブドジャパロフ（現在は国際的な映画監督）が生み出すグルーヴは、彼の成長と共にバンドのサウンドに大きな影響を与えていく。翌 1981 年にリリースした 4 曲入り EP『Ал Куну（彼は願い主）』（C62-15851-52）ではグルーヴ面が進化、とりわけファンクの語法を導入した B1 は白眉の出来。そしてオムニバスとなる本作には、彼らの最後にして音楽的ピークを捉えた 3 曲を収録。フリオ・キリコよろしく、異常までに鋭利で手数の多いドラミングが先導するプログレッシヴ・ダンサー A1 は極上。また同郷の Фаэтон（Phaeton）による Yes ばりのシンセでディスコする A5 も要チェック！

🕙 1982　🌐 キルギス共和国

Ⓟ **Ниямеддин Мусаев** ⊕ s.t.

Ⓐ **Niyameddin Musayev** Ⓥ s.t.
Ⓒ LP ▭ C30 19389 003 ★★★

アゼルバイジャンの民族音楽ムガムのマスター・シンガーにして、映え
ある栄誉賞号人民芸術家受章者、ニヤメディン・ムサエフ。本作は彼が
1978年に組織したインストゥルメンタル・アンサンブル、Poйя（Roya）
をバッキングに引き連れて制作された、ムガムの明日を見据えるエスノ・
フリーソウル・アルバム。トラディショナル・スケールを用いたあくまで
民族音楽としての軸を保ちつつも、モダンなアレンジを大胆に導入。その
エフェクティヴに渦巻くバッキングが織りなすサウンドは、壁の外側中東
の生み出すグルーヴとも共鳴する。ドイツの伝説、CANも憧れサンプリ
ングした「エスノ」の正体はここにあり。

Ⓒ 1983 ⊕ アゼルバイジャン共和国

Ⓟ **Olav Ehala** ⊕ **Laulud**

Ⓐ **Olav Ehala** ⊕ **Laulud**
Ⓒ LP ▭ C60 32295 ★★

若き日からアカデミックな音楽教育を受け、現在ではタリンにある国立エ
ストニア音楽アカデミーで教鞭を執る、ピアニスト兼コンポーザーによ
る、自身の名を冠したソロ・デビュー作。彼は70年代から多くの映画音
楽やミュージカルを手掛けたものの、レコードとして残されたものは本作
が唯一（この後の作品はCDリリースのみ）。キャリアの成果を試すかの
ようなロック・オペラ形式を導入しながら、変拍子も自在に乗りこなした
その壮大かつ複雑なアレンジメントはプログレ・ファンのお気に入り。リ
リースは時代性を反映しMelodiyaではなく、エストニア発のレーベル、
Forte Studioからとなっている。

Ⓒ 1992 ⊕ エストニア共和国

Ⓟ **Sīpoli** ⊕ s.t.

Ⓐ **Onions** ⊕ s.t.
Ⓒ LP ▭ C60 25559 006 ★★

数多くの映画音楽や劇中音楽の作曲を手掛けた才人、マールティンシュ・
ブラウンス（Mārtiņš Brauns）をリーダーに据え、アートワークそのまま
に「玉ねぎ」の意を持つラトヴィア産プログレッシヴ・ロック・グループ
によるデビュー作。キャッチーで穏やかなポップ・ソングを主軸に据えな
がらも、A面はプログレッシヴなストーリーテリングで描き切った1曲の
みを収録と大曲志向も窺わせる。バタバタと追い立てるような変拍子リ
フ、そして華奢ながらも振り絞るようなシンギングで魅せる女性ヴォーカ
ルによるハイライト・ナンバーB1には、正統派プログレ・ファンも思わ
ずニンマリ。翌年にグループはあえなく解体の一途を辿る。

Ⓒ 1987 ⊕ ラトヴィア共和国

Ⓟ **Оригинал** ⊕ **Оригинал вокально-инструментальная группа**

Ⓐ **Original** ⊕ **Original Vocal and Instrumental Group**
Ⓒ EP ▭ C62-17155-56 ★★★★

幼き頃より音楽的天賦の才を備え持ち、学生生活を終えると同時にウズ
ベク共和国を代表するVIAのひとつ、Ялла（Yalla）のメンバーへと招聘
された、ウズベク・ロック・レジェンド、ダヴロン・ガイポフ（Даврон
Гаипов）。彼は2年と経たずに自身のグループを結成、アルバムこそ残さ
なかったものの、広大なソ連シーンにおいても真に唯一無二のサウンドを
手中にする。2作目となる本作では、硬質なディスコ・ビート、攻撃的な
ベース・リフ、飛び交うコズミック・シンセ、さらにはラップ（らしきも
の）までもが支配され、その果てに引き起こされたものは、ニューヨーク
発ミュータント・ディスコとのシンクロニシティ。

Ⓒ 1982 ⊕ ウズベク共和国

🅐 **Original** 🎙 **Songs to Poems by Ilya Reznik**
💿 **EP** 📀 C62 20333 001 ★★★

ダヴロンが伝説となったのも、彼の苦難に満ちた人生が故。強大な権力者であった父を持ち、激化する権力闘争の犠牲者となった彼は、シベリアへの強制収容と共にバンドの終焉を迎えることとなる。それまでの5年のキャリアの中で4枚のEPをリリースしているが、3作目となる本作では前作よりさらに歩を進め、孤高のヘヴィネスを体現する。コリアン・サイケ感漂うスペース・ハードA1、ジョン・ボーナムが憑依したかのようなスーパー・ファット・ドラムが鮮烈なB2、共に彼らの魅力が溢れ出す名曲となっている。また、同年リリースの最終作『s.t.』(C62 20335 006)では、さらなる苛烈なハード・サウンドへと猛進する。

🕐 1984 🌐 ウズベク共和国

🅐 **Orlan** 🎙 **Bashkir Legends**
💿 **LP** 📀 C60 30443 001 ★★★★

多様な民族と宗教とが混在するバシキール自治共和国から放たれた、孤高のプログレッシヴ・フュージョン・グループによるデビュー・アルバム。鳥の囀り、ホーミー、口琴等によって描かれるミスティックなムード、雄弁に語るテナー・サックス、シンセサイザーやエフェクトが多層的に織り重ねられた壮大なシンフォニック・サウンド、そしてバシキール式木製フルート「クライ」をも自在に操る超然としたグルーヴは、まさに孤高と呼ぶに相応しい。サックス奏者にしてリーダー、オレグ・キレーエフ(Олег Киреев)は、現在もロシア・ジャズ一線級のアーティストとして活躍を続けている。

🕐 1990 🌐 バシキール自治共和国

🅐 **Plamya** 🎙 **Around the Bend**
💿 **EP** 📀 C62-13109-10 ★★

1975年秋、南米ツアーを終えたばかりのСамоцветы(Samotsvety)を離れたメンバーらが結成した、「炎」の意を持つモスクワ出身VIA。コンポーザー兼ピアニスト、セルゲイ・ベレジン(Сергей Березин)を中心にゼロからスタートした彼らは、1976年ソノシート作『До 16 лет』(Г62-05373-4)でデビューを果たす。以降コンスタントに作品を残した彼らだが、初期作品の中で最も気を吐くのが本作。郷愁を誘うフルートによるイントロが導く王道VIAらしいサウンドを下地にしつつも、コンガやワウ・ギターによるファンキー・グルーヴを忍ばせたA1に非凡なセンスを垣間見せる。

🕐 1979 🌐 ロシア連邦共和国

🅐 **Plamya** 🎙 **The Rush of Time**
💿 **LP** 📀 C60-17065-66 ★★

Roland製アナログ・シンセサイザー、Jupiter-4の導入を始め、アレンジメントの幅を広げた1981年EP『Берег моря(海辺)』(C62-15413-14)を境に、プロとしての多くの経験に加え、大胆な音楽的野心を抱く彼らが目指したものは「プログレッシヴ・ロック」。アルバム・デビューとなった本作では、ソ連流コズミック・ブギーA2を織り交ぜつつも、このVIAの特殊性を物語るのはB4。ダミ声による漢ヴォーカル、疾走するベース・ライン、ファンキーなギター・カッティング、そして終盤で猛烈に追い込みをかけるプログレッシヴ・アレンジは圧巻。この後も作品を継続してリリースし、現在もなお現役活動中。

🕐 1982 🌐 ロシア連邦共和国

Ⓟ Raimo Kangro 🎵 Teeme Muusikat IV

Ⓐ **Raimo Kangro** 🎵 Let's Make Music IV
Ⓞ EP ▦ C52 10373-4 ★★★

室内楽からオーケストラまで多くの楽曲を産んだエストニアン・クラシックを代表する作曲家の一人にして、ソ連作曲家同盟の顧問、ライモ・カングロ。本作は、様々な作曲家が手掛けた児童音楽教育シリーズ『Teeme Muusikat (Let's Make Music)』の一環として彼が制作した第4弾作品。キュートなトイ・ピアノやリコーダー、美しくも暗鬱としたストリングス、躍動する原始的なリズム、そして無垢な児童歌唱。そんな素朴で愛らしく清く正しいはずの楽曲が（期せずして）帯びるのは、どこか奇妙なアウトサイダー・ミュージック・ヴァイブス。なお、シリーズ第6弾も彼が担当。

🕐 1978　🌐 エストニア共和国

Ⓟ Рок-группа «Мост» 🎵 Музыка Сергея Баневича

Ⓐ **Rock group "Most"** 🎵 Music by Sergei Banevich
Ⓞ LP ▦ C60 18839 003 ★★

作曲家セルゲイ・バネヴィッチ（Сергей Баневич）のペンによる映画～テレビ用スコアをロック化した一枚。Поющие гитары（The Singing Guitars）やСолнце（Solntse）に在籍したヴァレリー・ブロフコ（Валерий Бровко）率いるスタジオ・グループ「Мост」（Most）がアレンジと演奏を手掛け、断片的な素材を集めたような作風ながら、スリリングなプログレッシヴ・ロックへと変貌を遂げている。イタリアン・プログレと呼応するかのような怒涛のグルーヴ、そしてシンフォニックかつコズミックな多層シンセサイザー・サウンドが織りなす、密室系プログレの名品。

🕐 1983　🌐 ロシア連邦共和国

Ⓟ Ruja 🎵 Põhi, Lõuna, Ida, Lääs...

Ⓐ **Ruja** 🎵 North, South, East,West...
Ⓞ EP ▦ C62-12797-8 ★★

1971年結成、同郷の詩人アンドレス・エヒンが産んだ造語「Ruja」（Fantasyの意）をグループ名とした、エストニア・シーンを代表するロック・バンド。オリジナルであること、それまでのビート・ミュージックを芸術までに昇華させることを標榜した彼らは、必然的にプログレッシヴ・ロックへと接近。デビューとなる1978年オムニバス作『Песни молодежи（青春の歌）』（C60 10003-4）では、Yesに強く影響を受けた楽曲を収録。そして本格デビューとなる本シングルでは、ハード・エッジ・サウンド、ドラマチックなアレンジメント、さらに自国の伝承フォークをも咀嚼した、独自のアート・ロックが打ち鳴らされる。

🕐 1979　🌐 エストニア共和国

Ⓟ Ruja 🎵 s.t.

Ⓐ **Ruja** 🎵 s.t.
Ⓞ LP ▦ C60-16885-6 ★

彼らがリリースしたオリジナル・アルバムは3枚。プログレッシヴ・ロック、New Wave（Red Wave）、ポップスと、時代と共に音楽的変遷を遂げた彼らの満を持してのデビュー・アルバムとなる本作では、結成当初とは異なるパブ・ロックやパンクの影響下にあるサウンドを導入し、大きな成功を収めている。しかし彼らはその成功と比例するかのようにKGBから長年に渡る迫害を受け、1994年にはリード・シンガーのウルマース・アレンダー（Urmas Alender）が20世紀最悪の海難事故の一つとして知られている「エストニア号沈没」により急逝。その後、再び「Ruja」の名の使用を禁じると共に活動に終止符を打つ。

🕐 1982　🌐 エストニア共和国

℗ Ансамбль "Садо"　ℹ Ташкентская легенда

Ⓐ "Sado" Ensemble　ⓘ Tashkent Legend
Ⓞ LP　C60 23243 000　★★★★

後にポップ・シンガーとして成功を収める Азиза（Aziza）らによるヴォーカル・カルテットをベースに集結、一時は総勢 40 名程にまで膨れ上がった異形の集団にして、伝説と呼ばれたコズミック・プログレッシブ・ポップ・グループによる唯一作。キュートなフィーメール・ヴォーカルをメインに据えながらも、鮮烈かつ過激なシンセサイザー・サウンドが渦を巻く。大衆的でありながら前衛的、そのアンバランスさを成立させるのは、ある種ソ連マナーとも言える文化的孤島で自然発生的に身に付いたプログレッシヴな感性。1982 年にはシングル、1988 年にはオムニバス作『Эстрадный калейдоскоп（音楽の万華鏡）』にも音源を残す。

🕑 1985　🌐 ウズベク共和国

℗ Поющие сердца　ℹ s.t.

Ⓐ Singing Hearts　ⓘ s.t.
Ⓞ LP　C60-06269-70　★★

後にソ連で最も成功したヘヴィー・メタル・バンドとなった、Ария（Aria）を結成するヴィクトル・ヴェクシュテイン（Виктор Векштейн）をリーダーに据え、数多くのミュージシャンを輩出したモスクワ出身の大所帯 VIA によるデビュー作。1979 年コンピ『Наша песня（Our Song）』にも収録された、暗鬱なオルガンとジリジリと地を這うファズ・ギターによるイントロダクションが印象的なダーク・ヘヴィー・サイケ・ナンバー A2 を筆頭に、高い音楽性と眩いばかりの個性が詰め込まれた圧巻の名作。なお、ビクターは Ария（Aria）活動初期にあたる 1990 年に謎の死を遂げる。

🕑 1975　🌐 ロシア連邦共和国

℗ Антонина Жмакова и поющие сердца　ℹ s.t.

Ⓐ Antonina Zhmakova and Singing Hearts　ⓘ s.t.
Ⓞ LP　C60-12683-4　★★

1978 年には映画『Rocky』でお馴染み「Gonna Fly Now」の名カヴァーを収録した『Вечером вдвоем（一緒に夕方に）』（C62-11539-40）他、多くのシングル作をコンスタントに発表。そして 1979 年にリリースされた本作は、女優兼シンガーにして、ビクターの妻となるアントニーナ・ジュマコワ（Антонина Жмакова）をメインに据え、制作された実質 2nd アルバム。A 面は普遍的ポップス中心の収録ながら、B 面はこのバンドらしい実に骨太な内容。特に B2、B5 あたりのドラマチックかつファンキーなイントロは、DJ たちが愛用するサンプリング・フレーズ。この後に夫婦共々メタルへの道を歩んでいく。

🕑 1979　🌐 ロシア連邦共和国

℗ Синтез　ℹ Аленушка

Ⓐ Synthesis　ⓘ Alenushka
Ⓞ EP　M62-36671-2　★★★★★

英米に遅れること数年、60 年代後半からウズベク共和国でも急速な流行を見せた「ビートルマニア」。タシュケントの学生を中心に数多くのグループが生まれるが、Скифами（Skifami）、Спектр（Spektr）、Синхрон（Sinkhron）と、なぜかその多くが頭文字に「C」を持つグループが大量発生。そんな中のひとつでありながら、サイケデリックな音像でとりわけ異彩を放ったグループが Синтез（Sintez）だった。ブラス・ロックと伝承音楽がフュージョンした VIA の雛形的サウンドに加え、トワイライト・サイケ・フィーリングをも帯びた特異なサウンドが 5 分余に渡って繰り広げられる圧巻の B1 は、ソ連サイケ史にその名を刻み込むべき名曲となった。

🕑 1974　🌐 ウズベク共和国

℗ Синтез ☺ Кишлогимизга Келинг

🅐 **Synthesis** ☺ Come to Our Village
⊙ EP ▭ C-0004659-60 ★★★★★

かの Dos-Mukasan の冒頭さながらに「向こう側」を予感させる、訥々と叩かれるパーカッション、そしてスウォールするアシッド・ギターに導かれて幕を開ける 3 曲入り EP。伝承音楽のカヴァーでありながらも、掛け声一発ファンキー・ロックへと豹変する A1、フレッシュなギターが耳を刺すガレージ・ナンバー A2、男性ヴォーカルが朗々と歌い上げる中、ブラスやピアノによる幕間音楽的アレンジが光る B1 が収録された、ウズベク共和国に伝統と個性が融和した新たなロックの地平を生んだ一枚。彼らは 2 枚の EP しか残さなかったが、次なるグルーヴを追求した彼らは 1977 年に Наво（Navo）へと改名発展することとなる。

🕐 1974　🌐 ウズベク共和国

℗ Смерічка ☺ s.t.

🅐 **Smerichka** ☺ s.t.
⊙ LP ▭ C60-06859-60 ★★★

ウクライナ・ポップス開祖の一人、レフコ・ドゥトキフシキー（Левко Дутківський）により 1966 年に結成、ソ連全土においても原初的 VIA と目されるサイケデリック・フォーク・グループによるデビュー・アルバム。伝承フォークを下地にしつつ、シンプルかつ印象的なアレンジと、華美とは程遠いどこか鬱屈とした独特のフィーリングを漂わせる。曇天のフォークに少しずつブラス隊の陽が差し込み満ちるドラマチック・フォーク・サイケ A3 等含みつつ、殊更印象に残るのはストレンジ・ポップ A6 の導入部。そのアシッドで爛れた引き摺るようなファズ・サウンドによる乱痴気騒ぎは、DJ 御用達の隠し球的キラー・フレーズ。

🕐 1976　🌐 ウクライナ共和国

℗ Смерічка ☺ Песни Л. Дутковского

🅐 **Smerichka** ☺ The Songs of L. Dutkovsky
⊙ EP ▭ C62-09651-52 ★★

1966 年結成と長いキャリアを誇り、自国のウクライナ伝承音楽を独自に咀嚼したその音楽性は、トラッド・フォーク、ヘヴィー・サイケ、果てはストレンジ・ディスコと変貌を遂げながら、様々な要素を含む実に懐の深いボーダレスなサウンドを鳴らし続け、ソ連全土を魅了してみせた。しかし最盛期を迎えた 1975 年、突如リーダー、レフコ・ドゥトキフシキーが脱退することによりグループとしての創造性は一気に失われていく。本作はそんな最中の 1977 年にリリースされた 3 曲入 EP。お気楽な牧歌的唱歌を装いながら、ねじ切れんばかりに渦巻くファズ・ファンクへと雪崩れ込む A1 は、過渡期にあった彼らの意地を見せた一曲。

🕐 1977　🌐 ウクライナ共和国

℗ Смерічка ☺ Зачаруй

🅐 **Smerichka** ☺ Enchant
⊙ EP ▭ C62-15813-14 ★★

推進力を失い、苦境に立たされたグループは、再びレフコ・ドゥトキフシキーの復帰を要請。1979 年に復帰した彼はメンバーの大胆な再編成を行い、Смерічка（Smerichka）は新たなグループとして再始動を果たしている。その後 1981 年にリリースされた 4 曲入 EP となる本作では、アナログ・シンセを導入し、サウンドの一新を図っている。BPM 高めのアゲアゲなディスコ・ビート、全く不似合いな男臭い握りこぶしコーラス、饒舌にピッチベンドするシンセサイザー・ソロ、そして何よりも一度耳にすれば頭から離れない、シンセサイザーによるどぎついリフレインがミックスされた、ストレンジ・ディスコ・チューン B1 をレコメンド！

🕐 1981　🌐 ウクライナ共和国

ⓟ Соёл Эрдэнэ ❶ Монгол Аялгуу

МОНГОЛ АЯЛГУУ

🕙 1974　⊕ モンゴル人民共和国

ⒶSoyol Erdene　❶ Mongolian Melody
Ⓞ EP　💿 C92-07437-38　　　　　★★★★★

標高約 1,300m の場所に位置するモンゴルの首都にして最大の都市、ウランバートル。そこには人知れず奥底で胎動し、今もなお脈々と受け継がれてきたロック・シーンが存在する。モンゴル初のロック・グループと目され、Bayan Mongol らと共にシーンを築き上げた、Soyol Erdene が結成されたのは 1971 年のこと。モンゴル民謡とロックとのハイブリッドを作り上げた彼らは、1974 年にデビュー作となる 4 曲入 EP をリリースする。饒舌なオルガンが躍動するワイルドなモンゴリアン・ガレージ A1、ヨタヨタとタフなビートで跳ねる亜脱臼インスト・ファンク B2 他、ただならぬテンションでキャリアの幕を開ける。

ⓟ Соёл Эрдэнэ ❶ s.t.

SOYOL ERDENE
СОЁЛЭРДЭНЭ

🕙 1981　⊕ モンゴル人民共和国

ⒶSoyol Erdene　❶ s.t.
Ⓞ LP　💿 C90-15961-2　　　　　★★★★★

文化大臣も務めていた著名な小説家、チャドラーバリーン・ロドイダムバが他界する直前に残した言葉「モンゴルにビートルズを」。バンド結成の契機ともなったその合言葉に呼応した彼らは、ビートルズの表面的な音楽スタイルの模倣というよりも、その創造性や革新性を受け継ぐこととなる。唯一のアルバムとなった本作に詰め込まれた、男女混声によるメランコリックなモンゴル歌唱、華を添えるファズ・ギター、グルーヴィーなリズム隊、そして何よりもソ連、アジア、西洋の三要素が絶妙なバランスで異種交配されたサウンドは、ディープな音楽ファンにこそフレッシュに響くはず。2019 年に若干のアートワーク修正変更の上、めでたく再発済。

ⓟ Сябры ❶ Всем на планете

ВСЕМ НА ПЛАНЕТЕ
СЯБРЫ

🕙 1978　⊕ ベロルシア共和国

ⒶSiabry　❶ Everyone on the Planet
Ⓞ LP　💿 C60-10951-2　　　　　★★

1974 年結成、コンテストでの受賞をきっかけにデビューを果たし、アメリカ、インド、中国、果てはアフリカまで、世界中をツアーで巡るベロルシア共和国が誇る国民的 VIA によるデビュー作。朴訥としたメロディーによるポップ・ソングを装いながらも、唐突に顔を覗かせるのは彼ら特有の奇怪なアレンジメント。壮大かつ複雑怪奇なストーリーテリングで描き切る一大プログレッシヴ絵巻 A5、A5 同様に入り組んだアレンジを施しつつ、テンポ・チェンジや押し寄せるヴァイオリンが『太陽と戦慄』期の King Crimson すらをも彷彿とさせる B1 等、一筋縄では行くはずもない、これぞソ連産プログレッシヴ・ロック・クラシック。

ⓟ Сябры ❶ Ты - одна любовь

ТЫ ОДНА ЛЮБОВЬ
ВИА
СЯБРЫ

🕙 1980　⊕ ベロルシア共和国

ⒶSyabry　❶ Love, Only You
Ⓞ LP　💿 C60-14229-30　　　　　★★

彼らの最大のライバルは同郷のレジェンド、Песняры（Pesnyary）。当局ですら Песняры（Pesnyary）に大きな期待を寄せていたため、活動初期には Сябры（Syabry）のリーダー、アナトーリー・ヤルモレンコ（Анатолий Ярмоленко）に音楽性の変更を提言している。反面、多くのライヴを共にしたバンド同士は意気投合、共にベラルーシ・シーンの興隆に尽力することとなる。本作はディスコ・ビートを導入し、路線変更を遂げた 2nd アルバム。フリーフォームなアナログ・シンセと咽び泣くギター・ソロで幕を開け、フルートとヴァイオリンがどっぷりファンクする A3 他聴き応えあり。この後も多くの作品を残し、現在も現役活動中。

℗ Vāntorel ⊕ s.t.

Ⓐ **Vāntorel** ⊕ s.t.
Ⓞ LP ▦ Frotee / FRO003 ★★

The Beatles のマネージャー、ブライアン・エプスタインの自伝『A Cellarful of Noise』から名を取り「サージェント・ペパーズ・シンドローム」そのままのサウンドを鳴らしたバンド、Keldriline Heli（音源未発表）。その過激なヒッピー思想からバンド解体を迫られた彼らは、改名することで活動を一時的に継続。本作は再び当局の迫害により活動を終えるまでの、僅か数ヶ月の活動期間に残された発掘音源をコンパイルした一枚。咽せ返るほどに籠るアンダーグラウンド臭が充満する、60年代末～70年代初頭のアメリカの自主盤シーンとさえリンクし得る驚嘆のサイケデリック・サウンドを体験せよ！

🕛 2014 ⊕ エストニア共和国

℗ Viktoras Malinauskas ⊕ M. Tamošiūno Dainos

Ⓐ **Viktoras Malinauskas** ⊕ Songs by M. Tamošiūnas
Ⓞ EP ▦ C62-14537-8 ★★

リトアニアの伝説、ミンダウガス・タモシウーナス（Mindaugas Tamošiūnas）が率いたサイケデリック・ロック・グループ Oktava、そしてブラス・アンサンブル Trimitas でシンガーを務めた、ヴィクトラス・マリナウスカス。1975年以降、タモシウーナスと共にラトヴィア TV/ラジオ・オーケストラを率い数枚の EP をリリース、その後、初のソロ名義となる本 EP をリリースしている。タイトル通り全曲タモシウーナスのペンによる曲で構成されており、男汗飛び散るソウルフルなシンギングとギター・プレイが冴え渡るファンキー・ナンバーを中心にしながらも、メロウ・バラード A1 も配された全編聴きどころ満載の一枚。

🕛 1981 ⊕ リトアニア共和国

℗ Viktoras Malinauskas ⊕ Viačeslavo Ganelino Dainos

Ⓐ **Viktoras Malinauskas** ⊕ Songs by Vyacheslav Ganelin
Ⓞ LP ▦ C60 19353 006 ★★

1983年にレコードでは唯一のソロ・アルバムとなる本作をリリース。リトアニアが誇るロック・オペラ『Velnio Nuotaka（Devil's Bride）』を手掛けたコンポーザー、ヴァチェスラフ・ガネリン（Vyacheslav Ganelin）が全ての音楽を担当し、ミュージカルさながらの奇妙奇天烈なワールドは実に壮観。反復するミニマル・シンセをバックに歌唱する A3、突如鋼鉄のギターを刻むヘヴィー・メタル・チューン A5、不穏なパーカッションが暗躍するトライバル・グルーヴ・ミュージカル B4、そして重層的なアレンジが冴え渡る一大叙情シンフォニック・サイケ A6 等、ギミックに溢れた玩具箱的名品。

🕛 1983 ⊕ リトアニア共和国

℗ В. Луговой и П. Финн ⊕ Маша и Витя против "Диких гитар"!

Ⓐ **V. Lugovoy and P. Finn** ⊕ Masha and Vitya Against the "Wild Guitars"!
Ⓞ LP ▦ C50-07761-62 ★★

モスクワ出身のコンポーザー、ゲンナージイ・グラドコフ（Геннадий Гладков）が手掛けた、子供向け映画『Диких гитар（Wild Guitars）』のサウンドトラック・アルバム。基本的にはポエトリー・リーディングと、子供向けのキュートな小品集といったキッズ・サントラらしい趣だが、物語の一幕に登場するゴブリンのギターとババ・ヤーガのドラムが暴れまわるシーンの音楽がポイント。そのワイルドなファズ・ギターと雄叫びが扇動する、サイケデリック・パートのキケンさとクオリティーの高さは一級品。それもそのはず、演奏を手掛けるのはかのゲオルギー・ガラニャン（Георгий Гаранян）率いるオーケストラ。プレイ・ラウド！

🕛 1976 ⊕ ロシア連邦共和国

Ⓟ Яблоко　◍ Кантри-фолк-рок-группа

Ⓐ Yabloko　◍ Russian Country-Folk Rock
Ⓞ LP　▥ KA90-14435-6　★★★★

リーダーであるユーリ・ベレンデューコフ（Юрий Берендюков）の人生を変えたのはひとつの出会い。かのユーリ・モロゾフ（Юрий Морозов）にサイケデリックの教示を受け結成した、レニングラードが誇る伝説的サイケデリック・ロック・クインテット、Apple（英名。ジャケット前面に記載あり）によるデビュー作。本作はモスクワ・オリンピックの契機に乗じレーベルを説き伏せて制作した、ソ連で生産された最初で最後のQuadraphonic（4ch）レコード。とにかく注目はB3。地を這うかのように蠢くファズ・ギター、伝承歌唱法によるフィーメール・ヴォーカルが交配した、アシッドが煙り立つソ連サイケデリア屈指の名曲。

◍ 1980　● ロシア連邦共和国

Ⓟ Яблоко　◍ Ты, Россия, матушка Россия

Ⓐ Yabloko　◍ You, Russia, Mother Russia
Ⓞ EP　▥ C62 20047 000　★★★

唯一となった4chレコードの制作のみならず、カヴァー・アートに英語でのアーティスト表記が許され（エクスポート仕様という例外はあり）国家からも高い評価を得ていたある種特別な存在であった彼らだが、デビュー後の活動は暗礁に乗り上げ、大きなメンバー変更をも余儀なくされる。2ndアルバムとなった1989年作ではロック色は全て失われてしまったが、彼らがリリースした2枚のシングル内、1983年にリリースされた本シングルは出色の出来。ロシア民謡にファンキーなスラップ・ベース、唾吹きフルート、飛び道具的シンセサイザーをもフュージョンさせ、1stアルバムのサウンドをさらにプログレッシヴへと昇華させた紛れもない名品。

◍ 1983　● ロシア連邦共和国

Ⓟ Ялла　◍ Три колодца

Ⓐ Yalla　◍ Well
Ⓞ LP　▥ C60-16641-2　★★

エレクトリック・ギターやオルガンによる通常のバンド編成に加え、2弦の弓奏楽器「ルバーブ」や、木製タンバリン「ドイラ」等のウズベク民族楽器を組み合わせ、伝承音楽を再解釈し、同国で人気を博した大物VIA。1972年に音源デビューとなるシングルをリリース後、コンスタントに作品を残し、ようやく初のアルバムとなる本作をリリース。キャリア中、最もプログレッシヴ・ロック成分の強い作品ながら、民族楽器を活かしたメディテーショナルなドローン・サウンドをも織り込み、民族音楽への愛を示してみせた。本作にて商業的な成功を収めた彼らは、それ以降はポップ路線へとシフト・チェンジしつつ、現在もなお現役として活動中。

◍ 1982　● ウズベク共和国

Ⓟ Яшлик　◍ s.t.

Ⓐ Yashlik　◍ s.t.
Ⓞ LP　▥ C60-10065-6　★★★★★★

テュルク系遊牧民族、ウイグルたちによって組織された孤高のアンサンブル。創設者、ムラト・アフマディエフ（Мурат Ахмадиев）は中国の新疆ウイグル自治区チュグチャックに生まれる。十代にはカザフ共和国に移り、映画俳優として成功を収めた彼は、故郷ウイグルに初めてのプロ劇場「ウイグル劇場」を設立。それに伴って自身が率いるアンサンブルを結成、1976年作『Уйгурские песни（ウイグルの歌）』（10"/M31-38481）でデビューを飾る。続きリリースされた初のフル・アルバムとなった本作に収められたのは、ファズとワウを引っさげて伝承音楽をロックの文法で編み直した超自然的サイケデリック・ロック。

◍ 1978　● カザフ共和国

Яшлик 🔊 Ачил

🅐 **Yashlik** 🔊 Achilles
🅒 LP 📀 C60 20655 003 ★★★★★

結成以来数々のコンテストに出場した彼らは、カザフ共和国のレーニン・コムソモール賞の受賞を始め大きな成功を収めることとなる。ハンガリー、ブルガリア、ルーマニア等国外でのツアーにより、経験を積んだ彼らは、満を持して 2nd フル・アルバムとなる本作をリリースする。ミッド・テンポでトグロを巻くエスノ・サイケ・ファンク A4 & B3、ラスト・ナンバーにして豪快に花を咲き散らすハード・サイケ B6 を始め、前作以上に音楽的成長を遂げ中央アジア・シーン屈指の名作へと昇華している。彼らは 1990 年に至るまでシングルも数枚残しており、全作品通じて音楽的クオリティーはすこぶる高いが、それに比して入手難度は極めて高い。

📅 1983　🌐 カザフ共和国

Евгений Евтушенко 🔊 Исповедь

🅐 **Yevgeni Yevtushenko** 🔊 Confession
🅒 LP 📀 C60 18855 003 ★★

シベリアが産んだ偉大なる詩人、エフゲニー・エフトゥシェンコ（Евгений Евтушенко）による朗読、数々の賞を受賞したモスクワの南、トゥーラ州ボゴロジツク出身の名作曲家、グレブ・マイ（Глеб Май）による音楽、そしてユーリ・アントノフ率いる Аракс（Araks）による演奏によって作りあげられた、片面 1 曲ずつの大曲で構成されたアルバム。禍々しいサウンド・テクスチャー、囁きと絶叫が交錯するポエトリー・リーディング、変拍子が織りなすプログレッシヴ・グルーヴ、荘厳なオーケストレーション等々、ザッピングするかのように多種多様な要素が交錯し積み上げられた、異形のプログレッシヴ大作。

📅 1983　🌐 ロシア連邦共和国

V.A. 🔊 Естрадні ансамблі України

🅐 **V.A.** 🔊 Variety Ensembles of Ukraine
🅒 LP 📀 C60-10431-32 ★★

単体では作品を残せなかったウクライナ出身の三つのグループ、Світязь（Svityazy）、Три плюс три（Tri Plyus Tri）、Метроном（Metronom）が一堂に会したコンピレーション作。オーソドックスな曲が並ぶ中、ことさら異彩を放つのは A1 ～ A3 に収録された、Світязь。ピンと張り詰めたスネアによる鮮烈なドラム・ブレイク、イントロからソロまでワイルドにブン回すファズ・ギター、そしてそれら全てをまとめ上げる威風堂々としたブラス・セクションが光る A3 は、辺境 DJ 垂涎のサンプリング・ソース。なお、Світязь は一枚の名スプリット EP を残した Карпати（Karpati）（または Карпаты。p.157 参照）の後身バンドとしても知られている。

📅 1978　🌐 ウクライナ共和国

V.A. 🔊 Noorte Laulud

🅐 **V.A.** 🔊 Youth Songs
🅒 LP 📀 C60-10003-4 ★★

エストニア出身グループをコンパイルし、本作のみに収録された楽曲も多く含む充実のオムニバス・アルバム。Apelsin によるディスコ・ファンク A5 等を収録した A 面も良いが、やはり注目したいのは B 面。Ruja による Yes タイプの「危機」迫るアグレッシヴ・オルガン・プログレッシヴ・ナンバー B4、そして単体リリースする事なく潰えた幻のプログレッシヴ・レジェンド、Psycho の楽曲を 2 曲収録。トップ・シンガー、ティーニス・ミャーギ（Tõnis Mägi）をヴォーカルに据えたプログレッシヴ・バラード B3、高速ジャズ・ロック・ナンバー B6、共に完成度は高い。Ruja、Psycho 共に本作のみの収録となっている。

📅 1978　🌐 エストニア共和国

Mix Tape　シーンの興隆を支えるDJたちによる作品

シーンを切り開く者、それはDJとコレクター

　多くのジャンルに通じることかもしれないが、今新しい音楽シーンの骨格を先陣切って型作っていくのは、DJとレコード・コレクターの存在が大きいのではないだろうか。このソ連シーンもご多分に漏れず、DJたちの「堀り（Dig）」が未知の世界を切り開いたと言っても過言ではない。ここでは近年徐々に増えつつある、DJたちによるミックス作品をご紹介しよう。

DJにっちょめ

2019年12月にリリースされた、ここ日本で初めて生まれたソ連Mix CD①。ブラック・ミュージック全般から、今最も勢いのある和モノ、そしてタイを始めとしたアジア圏の辺境モノまで、ユーモア溢れるMIXを次々と作り出す、DJにっちょめ。本作もその名の通り、永久凍土が広がる「ツンドラ」を感じさせる、素晴らしい選曲となっている。ソ連シーンにまだ馴染みが薄い方はもちろんのこと、すでにかなり掘った方も思わず唸らされること間違いなしの一枚だろう。

Soviet Freakout

2019年にリリースされた、アメリカはマサチューセッツ出身のレコード・ディガー、Soviet Freakoutによるソ連グルーヴ縛りのミックス・テープ②。収録されている音源は、ソ連（衛星国含む）のサイケ、ファンク、ディスコ等、いわゆるRed Funkを中心に選び抜かれた、クラシックともいえるキラー・チューンの数々。パープルとショッキング・ピンクに染め上げられたパッケージも秀逸。なお、同シリーズの『Vol.1』③も同年にリリースされている。

C.J.Plus

2000年代初頭より活動を始め、この界隈では長いキャリアを持つ、黒海有数の港町、ウクライナはオデッサ出身のDJ。自身の出身でもあるウクライナの音源を中心に、フィジカルでは④を始めとしたミックス・テープを数本リリース。その他、Mixcloud等には多数のミックスをアップしている。いずれもクオリティーと技術の高さを感じるものばかりなので、気になる方はぜひチェックを。

Soviet Konducta

ロシア人DJ、Soviet Konductaによるミックス・テープ。Madlibに多大なる影響を受けた彼は、2018年から2019年にかけて2か月に1度リリースした、『Tape Fusion』シリーズを発表している。
シリーズは『#11』までリリースされているが、中でも私たちソ連音楽ファンが注目しておきたいのは、本書でも紹介している、Шатлык（Shatlyk）によるトルクメン歌謡ファンクで幕を開ける、テュルク系諸民族タタールものミックス⑤。そして、西側諸国のカヴァー曲を中心とした東欧～ソ連レア・グルーヴをセレクトしたミックス⑥だろう。
また、実は和モノのコレクターでもある彼の本領発揮ともいえる⑦は、なんと70～80年代の和モノMIXとなっている。近藤真彦で幕を開ける選曲は、私たち日本人にとっても実にフレッシュ。アートワークもセンスに溢れ、モノとしての魅力にも溢れている。ロシア人の彼が和モノを掘り、日本人である私がソ連モノを掘る。その縁からも時折連絡を取り合っているが、この妙なアベコベ感に、当の私たちも苦笑いしている。なお、彼は日本の映画音楽やアニメをサンプリングして作り上げたビート・テープ⑧もリリースしており、彼の溢れ出る和モノ愛に耳を傾けてみてはいかがだろうか。

① DJ にっちょめ 『Tundra Syndrome -Da MeLodiya Suite-』（CD）

② Soviet Freakout 『Soviet Freakout Volume 2 - Psych, Funk, Disco, Rock Behind the Iron Curtain』（Tape）

③ Soviet Freakout 『Soviet Freakout Volume 1 - Psych, Funk, Disco, Rock Behind the Iron Curtain』（Tape）

SOVIET UKRAINIAN FUNK

④ C.J.Plus 『Soviet Ukrainian Funk』（Tape）

⑤ Soviet Konducta 『Tape Fusion #2:20 Tatar Jazz Funk Greats』（Tape）

⑥ Soviet Konducta 『Tape Fusion #6:Generation J:Jazz - Funk Disco & Groovy Covers from USSR and Eastern Europe』（Tape）

⑦ Soviet Konducta 『Tape Fusion #10: Japanese Vibration』（Tape）

⑧ Soviet Konducta 『Tape Fusion #11: 外人 / Gaijin』（Tape）

Soviet Grail　伝説を現代に蘇らす、最重要再発レーベル

サンクトペテルブルグにて 2013 年に設立されたレーベル、ZBS Records のサブ・レーベルとして生まれ、ソ連音楽の再発や、現行アーティストの発掘に力を注ぐ新興レーベル。2018 年に圧巻の再発タイトルを携えてデビュー以降、リリース・ペースは遅いものの、素晴らしいラインナップのカタログを残している。その充実したラインナップもさることながら、本レーベルの大きな特徴として挙げられるのは、すべてのアーティストへの許諾と、その意向を汲んでいることだろう。

その時代背景からブートレグ（Dos Mukasan や Bayan Mongol 他に存在）も少なくないソ連再発群の中で、正規であることのみならず、Gunesh や Boomerang のように今現在のアーティスト側の意向を汲み、アートワークの変更も行なっている。

また、Greg Pushen's Anor Ensemble『Tallinn Recordings』を始めとした未発表音源、レコードの祭典 Record Store Day を祝して製作された、DJ Soulviet による映画 /TV 音楽ミックス、そしてサンクトペテルブルク発の現行ファンク・バンド、The Vicious Seeds の新譜まで、シーンを底上げする幅の広いタイトルを世に送り続けており、今後のリリースからも目が離せない。

ディスコグラフィ
※「★」が付いた作品には、著者が監修したエクスクルーシブ特別帯仕様が存在

- Greg Pushen's Anor Ensemble『The Taste of Pomegranate』★ [CD/LP]（SG001/2019）
- Greg Pushen's Anor Ensemble『Tallinn Recordings』[10"]（SG002/2019）
- Gunesh『I See Earth』★ [CD/LP]（SG009/2019）
- Gunesh『Vietnamese Frescoes [7"]（SG010/2019）
- Mikhail Chekalin『A Bathroom for Esthete』★ [LP]（SG015/2019）
- DJ Soulviet『Soviet Funk Themes for Television and Film』[LP]（SG017/2019）
- Firyuza『Firyuza』★ [CD/LP]（SG021/2019）
- Sato『Legend』★ [LP]（SG028/2019）
- Sato『Pass Around the Good』★ [LP]（SG029/2019）
- Kovalski『Dead Synchronicity』[LP]（SG034/2019）
- The Vicious Seeds『Illegal Pleasures』[LP]（SG039/2019）
- Dos-Mukasan『Wedding Song』[7"]（SG041/2019）
- Sintez『Come to Our Village』[7"]（SG004/2021）
- Boomerang Ensemble『Boomerang』[LP]（SG012/2021）
- Boomerang Ensemble『Ornament』[LP]（SG013/2021）
- Boomerang Ensemble『Mirage』[LP]（SG014/2021）
- Boomerang Ensemble『Forgotten Recordings』[LP]（SG018/2021）

Spasibo Records　地元ロシア発、期待の45回転専門新興レーベル

　2015 年創立、ロシア発のファンク〜レア・グルーヴの 7 インチシングルの製作に特化した新興レーベル。タイやインドネシア、そしてここ日本でも呼応するかのように、DJ やコレクターたちの手によって自国の音楽を再発見する気風が活発化する昨今、ロシアでも一部好事家の手によって、同様の動きが生まれてきている。

　そんな中 7 インチシングルのみのリリースに特化し、ソ連の音楽を中心に紹介してくれる期待のレーベル、Spasibo Records が 2015 年にスタートした。

　まだまだリリース数こそ少ないものの、現行 Red Funk 最右翼、The Soul Surfers から、ソヴィエト・ロックの伝説、ユーリ・モロゾフ（Юрий Морозов）の秘蔵音源まで、意欲的にリリースを続けている。

　今ならまだ（比較的容易に）入手可能なタイトルが多いため、この機会に手を伸ばしてみることをお勧めしたい。

ディスコグラフィ
※ソ連ファンク関連音源のみ抜粋

■ The Soul Surfer 『Vladimir's Groove / Igor's Groove』(SP45-001/2015)
■ Armenian TV & Radio Orchestra 『Prelude / In the Sunlight』(SP45-002/2016)
■ The Soul Surfers 『Odd Love / Cruisin'』(SP45-003/2016)
■ Murad Kazhlaev 『To See You』(SP45-004/2017)
■ Yuriy Morozov 『Inexplicable 4』(SP45-005/2017)
■ The Soul Surfers & Shawn Lee 『Jose Chicago / Four Track Mind』(SP45-015/2018)
■ The Soul Surfers 『Summer Jam B-Boy Theme』(SP45-033/2019)

Frotee　エストニアの埋蔵音源を掘り起こす開拓者

エストニア発のレコード・レーベル、Frotee が設立されたのは 2013 年のこと。ストレート・リイシューを基本とした他再発レーベルとは大きく異なり、かの体制の中でリリースされずに埋もれた未発表音源の発掘を専門的に手掛け、2016 年までの 3 年間で駆け抜けるように 11 枚のレコード（ないし CD）をリリースした。

いずれの音源もその資料的価値もさることながら、目を見張るほどの音楽的クオリティーを誇っており、タイトルがリリースされる度に世界中のコレクターらを驚嘆させた。そのため、いずれのタイトルも高い人気を博しており、Heidy Tamme や Velly Joonas 等、一部再プレスされたものもあったが、年々その市場価値は高まりをみせている。

ディスコグラフィ

- Tornaado 『Instrumentaaltsükkel "Regatt"』［10"］（FRO001/2013）
- Keeris 『Öö Ja Päev』［7"］（FRO002/2013）
- Väntorel 『Väntorel』［CD/LP］（FRO003/2014）
- Elektra 『Keegi』［7"］（FRO004/2014）
- Jaak Jürisson 『Jaak Jürisson』［LP］（FRO005/2015）
- Heidy Tamme, Tiit Paulus 『Suvi』［7"］（FRO006/2015）
- Velly Joonas 『Stopp, Seisku Aeg!』［7"］（FRO007/2015）
- Liisa Pehmes Süles 『Pehmes Süles』［7"］（FROE01/2016）
- Sven Grünberg 『Anima 1977-2001』［LP］（FRO008/2016）
- V.A. 『Valgusesse - 8 Shiny Tracks from Estonian Radio Archive』［LP］（FRO009/2016）
- Olev Muska 『Laulik-Elektroonik - Explorations in Estonian Electronic Folk Music - The First Years, 1979-1983』［LP］（FRO010/2018）

CHAPTER4

1920 年
にロシアの発明家レフ・テルミ
ンが生んだ、世界最古の電子楽器テルミン
に始まり、原初的シンセサイザーのエクヴォディ
ン、映画『惑星ソラリス』に使用され名を馳せた、光電
子楽器 ANS シンセサイザー等、電子楽器黎明期には西側諸
国よりも先んじて、ソ連では多くの電子楽器が生み出されてい
た。後に Moog、Roland、Yamaha 等の海外産シンセサイザーが
主に使用されることとなるが、先進的なサウンドの導入は早く貪
欲でさえあった。Зодиак（Zodiac）、エドゥアルド・アルテミエ
フ（Эдуард Артемьев）等、世界的なヒットを生んだアーティ
ストをはじめ、ディスコ、エレクトロ、アンビエント、電子
音響等、ソ連で形作らた様々な電子音楽は、同時代の西
側音楽と比してもなお、ひときわ輝きを放つサウ
ンドに満ちている。

DISCO ELECTRO

ラトヴィアの巨人が遺したソ連ディスコ史に慄然と輝く名作の数々

ⓟ Модо

Ⓐ Modo

🕐 1972　🌐 ラトヴィア共和国
👤 Raimonds Pauls、Zigmars Liepiņš

ラトヴィアが誇る巨人コンポーザー、ライモンズ・パウルス（Raimonds Pauls）、そして後にグループを受け継ぐキーボーディスト兼コンポーザー、ジグマルス・リエピンシュ（Zigmars Liepiņš）。二人の鬼才と共に時代の先端を歩み続け、ソ連音楽をネクスト・レベルへと導いた伝説のグループ。結成は 1972 年。ライモンズ黄金期のバッキングを務めた凄腕ミュージシャンたちが、同年リリースの名作『Raimonds Pauls』において、「Studija」というグループ名義でクレジットされたのを契機に、1975 年頃には Modo と名を変え、本格始動。その後ライモンズがリーダーを務め、Modo ソロ名義でのリリースを始めることとなる。ライモンズが 70 年代前半の作品で創り上げたプログレッシヴ・サウンドを昇華し、より強靭なグルーヴを手中にした彼らは、デビュー EP『Devītais Vilnis』を 1977 年にリリース、圧巻のスタートを飾っている。翌年にライモンズは脱退するが、ジグマルスへと引き継がれたグループは、時代の潮流でもあったファンク〜ディスコ・サウンドを大胆に導入し、大きな人気を獲得。その後、ソ連ディスコ史に刻まれる 3 枚の名作 EP を残している。すでにライモンズの手を離れたグループでありながら、成功と共に常に付いて回るそのビッグネーム。ジグマルスはその状況を払拭すべく、1982 年にグループを解散。同年中に「Opus」へと名義を変更し、さらなる飛躍を果たしている。なお、Modo は「ライモンズ・ファミリー」とでも言うべき、ライモンズが自身の作品で起用し続けてきた、多くの才気溢れるヴォーカリストが在籍したグループでもあった。その中でもミルザ・ジヴェレ（Mirdza Zīvere）は、Modo が完全バックアップしたソロ名作を残しており、Modo のディスコグラフィーにおいても最重要の一枚となっている。

Модо ⓔ Devītais Vilnis

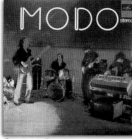

⏱ 1977　🌐 ラトヴィア共和国

Ⓐ Modo ⓔ The Ninth Wave
Ⓒ EP　C62-08961-2　★★★

ラトヴィアが誇る巨人、ライモンズ・パウルスによって結成された、コズミック・プログレッシブ・ロック・グループによるデビューEP。ライモンズの名作群を支えた、凄腕集団が生み出すサウンドはまさに唯一無二。強靭なグルーヴと、ミルザ・ジヴェレ（Mirdza Zīvere）とアイヤ・ククレ（Aija Kukule）によるヴォーカルの掛け合いが秀逸な、コズミック・ファンク・ナンバー B1 も素晴らしいが、やはり A1 こそが本名曲。針を置いたその瞬間から猛烈にハード・ドライブするリズム・セクション、そしてけたたましく鳴り響くギター＆オルガンがバチバチに交錯する、狂熱のヘヴィー・ジャズ・ロック・チューンに熱くならないわけがない。

Модо ⓔ Estrādes Dziesmas

⏱ 1979　🌐 ラトヴィア共和国

Ⓐ Modo ⓔ Stage Songs
Ⓒ EP　C62-11841-2　★★★

本作ではライモンズに代わり、デビューよりグループの中心的存在だったキーボーディスト、ジグマルス・リエピンシュが 2 代目リーダーへと就任。ライモンズ関連人脈は引き継ぎつつ、スロウ・コズミック・ファンク A2、そして代表曲でもある Modo 節全開のアッパーなコズミック・ディスコ B2 等を収録、最高の形でのバトンタッチを果たしている。なお、翌年には一時的にライモンズがリーダーを再就任して制作した EP『Estrādes Dziesmas』（C62-13213-4）がリリースされている。贔屓目に見ても他作品に比べ楽曲の質は落ちるが、ミルザのアンニュイな吐息が美しい A1 は、Modo 面目躍如の出来か。

Модо ⓔ Ko Manā Ielā Meklē Tu? / Spēlē Vēl

⏱ 1981　🌐 ラトヴィア共和国

Ⓐ Modo ⓔ What are You Looking for in My Street? / Play More
Ⓒ EP　C62-15421-2　★★★

ライモンズより再びジグマルスへとリーダーが移った、Modo 名義最終作となるシングル。どこまでもメロウな極上ローズ・サウンド、ファンキーなギター・カッティング、タイトに絞り込まれたディスコ・ビート、そしてミルザによるキュートなヴォーカル。最後にして最高傑作となった、これぞ文句なしのダブルサイダー・シングル。そして翌年にはグループ名を「Opus」へと変更、ジグマルスのバック・バンドとして活動している。なお、ソロ名義でも 2 枚のアルバムを発表しており、1988 年 2nd『Pēc Likuma』（C60 27423 007）では、陰りを帯びた New Wave サウンドを鳴らし、大きな成功を収めている。

Mirdza Zīvere ⓔ Viena Diena Manā Mūžā

⏱ 1979　🌐 ラトヴィア共和国

Ⓐ Mirdza Zivere ⓔ A Day in My Life
Ⓒ LP　C60-12101-2　★★★

Modo にはアイヤ・ククレやノラ・バンビエール（Nora Bumbiere）等、多くの才気溢れるヴォーカリストが在籍したが、メインとして重用されたのが、とりわけ個性溢れる声を持ち、ジグマルスの妻でもあった、ミルザ・ジヴェレだった。本作は Modo が全面的にバックアップし制作された、彼女唯一のソロ・アルバム。可憐なパパパコーラス、性急なプログレッシヴ・ビート、そしてファンキーなムーグ使いが秀逸なエレクトロ・ディスコ A5、クールな脱臼リズムとメロウなムードが絶品のミッド・チューン B2 等々を収録、そして原色使いのキュートなアートワークも完璧な、まさに隙なしの名作中の名作。なお、2003 年には夫婦での共作も発表している。

ラトヴィアから世界に羽ばたいたソヴィエト・コズミック・ディスコ

ⓟ Зодиак

Ⓐ Zodiac

🕐 1979　⊕ ラトヴィア共和国
👤 Янис Лусенс

Kraftwerk、Tangerine Dream、ヴァンゲリス、ジャン・ミッシェル・ジャール。世界の名だたるエレクトロニック・ミュージックのビッグネームに強い影響を受けた一人の学生は、程なくして自身も世界へと羽ばたくアーティストとして成長を遂げることとなる。グループの創設者、ヤニス・ルーセンス（Jānis Lūsēns）が、ラトヴィア国立音楽院で出会った級友たちと Zodiac を結成したのは 1979 年のこと。初期メンバーだったザネ・グリワ（Zane Grīva）の父が、シーンを代表するプロデューサー兼エンジニアのアレクサンドルス・グリワ（Aleksandrs Grīva）だったということもあり、まだ 20 才程度の学生グループに過ぎなかった彼らが、結成間もない 1980 年にデビュー・アルバム『Disco Alliance』の発表を実現している。デビュー作にして異例の約 2,000 万枚に及ぶメガ・ヒットを果たした彼らは、1982 年に 2nd アルバム『Music in the Universe』を発表。続けざまに好セールスを記録したものの、ヤニスは兵役回避のためにグループを脱退することとなる。その後、アレクサンドルス・グリワへと引き継がれたグループは、3rd アルバム『Music from the Films』を発表している。脱退後のヤニスはロック・バンド Neptūns を結成するが、1989 年には Zodiac へ復帰。1991 年の解散まで、リーダーとしてグループを先導し続けた。なお、初期作は世界中へと大量に輸出されており、ここ日本でも新世界レコード社を中心に販売されていたが、それらには俗に「新世界帯」と言われる日本語訳入りの小さな帯が付属していた。そのため、現在の日本市場においても入手は比較的容易となっている。

Зодиак 🅟 ⊕ Disco Alliance

🅐 **Zodiac** ⊕ Disco Alliance
💿 LP ▦ C60-13771-72 ★

リガにあるラトヴィア国立音楽院で出会った若き学生たちは、コズミック・ディスコ・サウンドで世界を席巻する。本作は彼らが在学中に制作されたデビュー作でありながら、メガヒットを果たし、ソ連ディスコ史に深く刻み込まれた一枚。公式記録によると1983年までの3年間で約585万枚、そして現在に到るまでに約2,000万枚の売上を記録している。キーボード奏者にしてリーダー、ヤニス・ルーセンスによるセンスフルなシンセ・ワークと、打ち込みとはまた異なる魅力に溢れた、人肌感じるディスコ・ビートが作り出すサウンドは、人力コズミック・ディスコとして時代を捉え、世界的にも広くヒットを果たした。

🕐 1980 ⊕ ラトヴィア共和国

Зодиак 🅟 ⊕ Музыка во вселенной

🅐 **Zodiac** ⊕ Music in the Universe
💿 LP ▦ C60-18365-66 ★

シンセサイザーの歴史において、Moogと並ぶ最重要電子楽器メーカー、ARPを代表するアナログ・シンセサイザーにして、KraftwerkからYMOまで多くのアーティストに愛された名機ARP Odyssey。Zodiacのデビュー作においてもサウンドの核として重要なポジションを担っていたが、2ndアルバムとなる本作では、当時新機種としてリリースされていたYamaha製SK50Dに持ち替え、新たなサウンドを模索する。ある種シンプルであった前作に比べても、より多層的に構築され洗練度が増した本作は、最高傑作との呼び声も高く、セールス面でも1年間に約170万枚を売り上げるヒット作となった。

🕐 1982 ⊕ ラトヴィア共和国

Зодиак 🅟 ⊕ Музыка из кинофильмов

🅐 **Zodiac** ⊕ Music from the Films
💿 LP ▦ C60 22225 008 ★★

彼らはほとんどライヴ活動を行わないスタジオ・グループであり、その実態は録音制作の大半をヤニスが手掛けたワンマン・グループであった。2ndアルバム発表後、ヤニスは継続的なライヴ活動を目指したものの、その過程で大きな足枷となった兵役を逃れるため、グループを脱退することとなる。1985年にリリースされた本作は、2本の映画用に制作された音源をコンパイルしたサウンドトラック・アルバムとなるが、デビュー時から後ろ盾として大きな役割を果たしたプロデューサー、アレクサンドルス・グリワがグループを引き継ぐ形で制作。音楽性は大きく異なるものの、良質なコズミック・シンフォニーとして評価されている。

🕐 1985 ⊕ ラトヴィア共和国

Зодиак 🅟 ⊕ In Memoriam

🅐 **Zodiac** ⊕ In Memoriam
💿 LP ▦ C60 28301 009 ★★

本作ではヤニスが復帰、全楽曲の作曲も手掛けているが、初期作を支えたコズミック・ディスコ・サウンドは大きく後退し、音色やビートは時代性を反映したライトなサウンドへと大きく変化。どこかBGM然とした作風となっている。その後、最終作となる1991年作『Clouds』(3-014-C-1)では、ヴォーカルを導入したポップス路線へと舵を切るが、ソ連崩壊と共にグループは解散することとなる。なお、2000年にヤニスは実子ヤニスJr.と再結成を果たし、『Disco Alliance』をテン年代版へとアップデートした『Pacific Time』を2015年に発表。現在も活発なライヴ活動を行なっている。

🕐 1989 ⊕ ラトヴィア共和国

ディスクレビュー

Ⓟ Александра Пахмутова　Ⓣ Любовь моя-спорт

🕐 1980　🌐 ロシア連邦共和国

Ⓐ Aleksandra Pakhmutova　Ⓣ My Love – Sport
Ⓞ LP　C60-13559-60　★★

交響曲、バレエ音楽、映画音楽、子供向け音楽、そしてオリンピック・テーマまで、400に及ぶ実に広範なジャンルの楽曲をコンポーズし、栄誉賞号「人民芸術家」を始め数々の賞を手中に収めた大御所女流作曲家、アレクサンドラ・パーフムトワ。本作は50年代から続く彼女のディスコグラフィーの中でも、DJ達にとって一際輝きを見せる人気作。レフ・レシェンコやリュドミラ・グルチェンコ等のシンガーが彼女の楽曲を朗々と歌い上げる中、ソフィヤ・ロタールによる半狂乱の激情型シンセ・ファンク・アンセムA2の存在こそが全て。長いキャリアを誇るロタールにとってもベストの呼び声高い傑出した一曲。

Ⓟ Александра Пахмутова　Ⓣ Птица счастья

🕐 1981　🌐 ロシア連邦共和国

Ⓐ Aleksandra Pakhmutova　Ⓣ The Bird of Happiness
Ⓞ LP　C60-16489-90　★★

モスクワ・オリンピックの開閉会式に使用されたドキュメンタリー映画『О спорт, ты – мир! (Oh Sport, You Are Peace!)』に採用された、タイトル・トラックA1を収録した1981年作。Здравствуй, песня (Zdravstvui, Pesnya) がプレイする、フィルタリングが施されたビートが心地良く跳ねるエレクトロ・ディスコ・ナンバーA1他、アレクサンドル・グラツキー（Александр Градский）によるハートフル・ソングB1、Orchestra of Goskino of USSR が演奏する壮大かつシュールなインスト・ナンバーB2等、やはり彼女らしい多彩な楽曲が収録されている。

Ⓟ Александр Катенин　Ⓣ Один в лабиринте ритмов

🕐 1986　🌐 ロシア連邦共和国

Ⓐ Alexander Katenin　Ⓣ Alone in the Maze of Rhythms
Ⓞ LP　C60 24127 006　★★

独特な音色を持つオルガンを生んだことで知られる、イタリア Farfisa 社が手掛けた電子アコーディオン Syntaccordion 奏者にして、「千の声を操る男」の異名を取るアレクサンドル・カテニン。1985年にアルバム『Тысячеголосый монолог（千の声のモノローグ）』（C60 21945 004）でデビュー、本作は続けざまにリリースされた2ndアルバム。リズム・ボックスの刻みに合わせて、ジョルジョ・モルダーからエルトン・ジョンまで、華麗に80年代丸出しのインスト・カヴァー（俗に言うダイエー・スタイル）。ブリブリなベース・ラインと女性によるウィスパー・コーラスとの掛け合いがクセになるB1をレコメンド！

Ⓟ Анатолий Фомин　Ⓣ Витражи

🕐 1981　🌐 ロシア連邦共和国

Ⓐ Anatoli Fomin　Ⓣ Stained glasses
Ⓞ EP　C62-16075-6　★★★

70年代末にレニングラード出身のVIA、Солнце (Solntse) のメンバーとして活動した、キーボーディストによるソロ・デビューEP。MOR的VIA サウンドを脱し、ソロ作では一転エレクトロ・サウンドへと急接近。Поющие гитары (The Singing Guitars) でギタリストとして活躍したヴァレリー・ブロフコ（Валерий Бровко）とタッグを組み制作された本作は、クラウトロック勢を想起させるような、プレ・ハウス的サウンド・テクスチャーを構築。特に片面全てを費やしたB面曲は、かの Ashra とすら呼応してみせるコズミック・ハウス・チューン。彼はその後2枚のEPをリリースしている。

℗ Андрей Родионов & Борис Тихомиров ⓘ Пульс 1. Музыкальный компьютер

Ⓐ Andrei Rodionov & Boris Tikhomirov ⓘ Pulse 1. Music Computer
Ⓞ LP ▭ C60 23379 009　　　　　　　　　　　　★★

ANS シンセサイザー、Roland Jupiter-8、TR-808 等、時代を華々しく彩った電子楽器の数々を駆使し、新たな電子音楽の地平を切り開いたソ連が誇るテクノ・ゴッド・デュオ、アンドレイ・ラジオノフ&ボリス・チハミロフ。本作はソ連スポーツ委員会が彼らをスーパーバイザーに就け制作した、一般大衆向け「Sports & Music」シリーズの第 1 弾。各曲には「スイミング」や「クロス・カントリー」といった競技名があしらわれ、Yamaha DX7 と Roland TR-909 と好き者には堪らない組み合わせで制作された、直接フィジカルに訴えかけるスポーツ・テクノが満載の一枚！

🕘 1985　⊕ ロシア連邦共和国

℗ Андрей Родионов & Борис Тихомиров ⓘ <<512 Кбайт>> Компьютерная музыка

Ⓐ Andrei Rodionov & Boris Tikhomirov ⓘ "512 bytes" Computer Music
Ⓞ LP ▭ C60 26457 000　　　　　　　　　　　　★★

先進的サウンドを求めた彼らが手にしたものは、当時日進月歩で進化を続けていたパーソナル・コンピューター。本作では前作でも使用されたパソコンをさらにアップグレードし、全面導入している。和製 MSX、Yamaha YIS 805R を酷使したそのサウンドは、キャッチーな音色とリズム、そしてエフェクティブなヴォーカルによる西側シンセ・ポップ風。ただ、ロシア語特有の硬質な語感で奇妙にアジテートするスタイルや、一筋縄ではいかない実験性の強いアレンジメントが生み出したのは、単なるポップの枠を超え、時代の先端を突っ走ったコンピューター・パンク。なお、本作と前作は国内売上 100 万枚を超えるヒットを果たしている。

🕘 1987　⊕ ロシア連邦共和国

℗ Арам Сатян ⓘ Песни

Ⓐ Aram Satyan ⓘ Songs
Ⓞ LP ▭ C60 27843 001　　　　　　　　　　　　★★★★

旧約聖書に登場する伝説の理想郷「エデンの園」が存在していたとされる、アルメニア共和国のエレヴァン。作曲家一家に生を受け、アルメニアにおける音楽教育の中心地、エレヴァン音楽院でコンポージングに磨きをかけ、現在では教授を務めるまでとなった作曲家、アラム・サチャンによる唯一のソロ作品。コンスタンチン・オルベリャン（Константин Орбелян）との仕事でもお馴染みの女性ヴォーカリスト、ザルイ・トニキャン（Заруи Тоникян）を始めとしたアーティストを招聘し制作された本作は、シルキーなディスコ・ビートとチルな雰囲気のメロウな上物が堪らない好作。なお、本作は 3,000 枚のワンショット・プレスのため、入手難度は高い。

🕘 1989　⊕ アルメニア共和国

℗ Арго ⓘ Дискофония

DISCOPHONIA
ДИСКОФОНИЯ

Ⓐ Argo ⓘ Discophonia
Ⓞ LP ▭ C60-15173-4　　　　　　　　　　　　★★

リトアニア・エレクトロ・シーンの始祖的存在にして頂点、作曲家ギエドリウス・クプレヴィチュス（Giedrius Kuprevičius）率いる伝説的グループにして、共産圏エレクトロ・ディスコ最大の名盤との呼び声高いデビュー・アルバム。自国ヴィリニュス製アナログ・シンセサイザー Vilnius-5 とエレクトリック・オルガンにより生み出される多幸感溢れるサウンド、細かいハット刻みと四つ打ちによるディスコ・ビート、そしてウィスパー・ヴォイスで連呼される「Disco」が織りなす A1 は、ドイツで言うところの NEU!「Hallogallo」にあたるレッド・ディスコ・アンセム。マスト・ハブ！

🕘 1980　⊕ リトアニア共和国

ⓟ Арго ⓘ Šviesa

ⓘ 1982 ⊕ リトアニア共和国

ⓐ Argo ⓘ Light
◎ LP 💿 C60 19027 005 ★★

1st アルバムのリリース後、続けざまに翌年に録音、メンバーの変更はないものの音楽性の転換を図った 2nd アルバム。独特の浮遊感は後退したが、前作よりもバンド・サウンドとしての側面を強め、コズミックかつシンフォニックなサウンドを信条としたプログレッシヴ・ロック・サウンドへと変貌した一枚。パンキッシュなビート感で頭を振らすシンセ・ポップ・ナンバー A1、そしてイタリアン・プログレッシヴ・ロック・レジェンド、Area を率いたヴォーカリストのデメトリオ・ストラトスか、あるいはかのスキャットマン・ジョンか、終始高速スキャットが炸裂するエレクトロ・プログレッシヴ・ディスコ・チューン A2 をチェック！

ⓟ Арго ⓘ Žemė L

ⓘ 1985 ⊕ リトアニア共和国

ⓐ Argo ⓘ Earth L
◎ LP 💿 C60 23909 007 ★★

ゲスト参加したトラディショナル・フォーク・シンガー、ミカス・マツケヴィチュス（Mikas Matkevičius）による朗唱で幕を開け、前 2 作とは趣を異にする 3rd アルバムにして最終作。アートワークにも使用されているようにメイン・シンセサイザーを Korg Poly-800 へと変更し、全編をアダルト・オリエンテッドなムードで包み込んだソフィスティケイト・シンセ・アルバム。また同郷の詩人、ヴィンツァス・クレヴェ（Vincas Krėvė）による 1982 年作『Milžinkapis』（C40-18177-8）でも Argo が全編バッキングを担当、美しいシンフォニック・サウンドを奏でている。

ⓟ Круиз ⓘ Волчок

ⓘ 1985 ⊕ ロシア連邦共和国

ⓐ Cruise ⓘ Spinning Top
◎ EP 💿 C62 21669 005 ★★

未だソ連体制下にあった 1988 年 に、国外のメジャー・レーベル、WEA からアルバムをリリースするという偉業を成し遂げた、大御所ロシアン・メタル・バンドによる初期シングル作。本作は「Диско клуб（Disco Club）」シリーズからのリリースという事もあり、メタルそっちのけでディスコ・サウンドを大胆導入した一枚。A1 でこそワイルドなディストーション・ギターを掻き鳴らすが、四つ打ちビートとシンセ、そして鋭利なギター・カッティングが跳ね回るニューウェーヴ・ファンク A2、ピュンピュンと電子音が飛び交わせながら、A 面の 2 曲をちょうどミックスしたかのような、メタル・ディスコ B1 を収録している。

ⓟ Диско ⓘ Море и ты

ⓘ 1978 ⊕ ロシア連邦共和国

ⓐ Disco ⓘ Sea and You
◎ EP 💿 C62-11513-14 ★★★

短期間の活動に終わりながら、ソ連最高のディスコ〜ファンク・グループのひとつとして数えられる、レニングラード発の大所帯グループ。グループを率いたイーゴリ・ペトレンコ（Игорь Петренко）は、60 年代中頃にウクライナ出身ジャズ・オーケストラ、Дніпро（Dnipro）にてキャリアを積んだ後、70 年代にレニングラードへ居を移し、グループを結成している。彼らのデビューにして唯一のシングルとなった本作では、アルバムにも収録された多くの名曲を収録しているが、やはり注目はシングルのみの収録となった Boney M. 版「Sunny」のカヴァー B2。なお、本作はソノシート版も存在する。

℗ Диско 🙂 s.t.

Ⓐ Disco 🙂 s.t.
Ⓞ LP 💿 C60-11581-82 ★★★★

シングルをリリースした翌年には唯一となるアルバムをリリース。B1 の John Davis & The Monster Orchestra「I Can't Stop」カヴァーを筆頭に、B3 の Buffalo Springfield「For What It's Worth」、B4 のスティーヴィー・ワンダー「Another Star」、B5 の Brecker Brothers「Sneakin' Up Behind You」等のインスト・カヴァーをアルバムの主軸に据えながらも、その類稀なるアレンジ・センスは見事。なお、本作もご多分に漏れず複数種のオリジナル・カヴァーが存在するが、掲載の写真のレニングラード・プレスが初回となる。また、これらの他にはクルガゾールの 1978 年 9 月号に他ヒット曲のカヴァー・メドレーを残している。

🕐 1979 🌐 ロシア連邦共和国

℗ Дисплей 🙂 s.t.

Ⓐ Display 🙂 s.t.
Ⓞ LP 💿 C60 28729 001 ★★

Кобза（Kobza）のメンバーとしてキャリアを歩み始め、アートロック・グループ Крок（Croc）でも活動した、キエフ出身のマルチ・プレーヤー、ヴァディム・ラシュク（Вадим Лащук）によるソロ・プロジェクト「Дисплей」(Displei) のデビュー・アルバム。ソ連では異例とも言えるホーム・レコーディング作となった本作は、シンセ・ヴォイスを多用したアゲアゲなサウンドとタイトな四つ打ちキックによる、B 面の 17 分超のノン・ストップ・スペース・ディスコがミソ。なお、2018 年には 1985 年録音の Kraftwerk インフルエンスドな発掘音源「Робот（Robot）」がシングル・リリースされている。

🕐 1989 🌐 ウクライナ共和国

℗ V.A. 🙂 АНС электронная музыка

Ⓐ V.A. 🙂 ANS Electronic music
Ⓞ 10" 💿 Д25631-2 ★★★★

1937 年、シベリアの中心都市、ノヴォシビルスクにて出生。モスクワ音楽院を卒業した 1960 年、ソ連発にして世界初のシンセサイザー ANS Synthesizer に出会い、以降飽くなき探求を続けてきた「ソ連電子音楽の父」こと、エドゥアルド・アルテミエフ。彼が実験の末に生み出したある種「宇宙的」ですらある奇妙なサウンドは、当時のクリエイティブな映画監督たちから大きな注目を浴び、60 年代初頭より多くの映画音楽を手掛けることとなる。ようやくのレコード・デビューとなった 10 インチオムニバス作品である本作は、シンセサイザー・サウンドによるストイックで暴虐的ですらある音響実験を記録した一種のドキュメント。

🕐 1969 🌐 ロシア連邦共和国

℗ V.A. 🙂 Метаморфозы

Ⓐ V.A. 🙂 Metamorphoses
Ⓞ LP 💿 C10-13889-90 ★

70 年代には映画監督アンドレイ・タルコフスキーとの蜜月関係を築き、1972 年作『惑星ソラリス』、1975 年作『鏡』、1979 年作『ストーカー』と次々と映画音楽を手掛け、その評価を世界的なものへと押し上げた。その後 1980 年に入り発表された本作は、アルテミエフに加えて、第二次大戦後世代のリーダー的作曲家、ウラジーミル・マルトゥイノフ（Владимир Мартынов）、Melodiya のエンジニア、ユーリ・ボグダノフ（Юрий Богданов）の三人が集ったソ連エレクトロ・ミュージック金字塔的一枚。巨大アナログ・モジュラー・シンセ、EMS Synthi 100 を酷使した圧巻のサウンドを体感せよ！

🕐 1980 🌐 ロシア連邦共和国

Ⓟ Эдуард Артемьев 🅗 Ода доброму вестнику

Ⓐ **Eduard Artemiev** 🅗 Ode to the Bearer of Good News
Ⓛ LP C60 21277 005 ★

名実共にソ連を代表する電子音楽家へと成長したアルテミエフは、1980年に国家の威信をかけて開催されたモスクワ・オリンピックにおいてテーマ曲を担当することとなる。本作は 1984 年と遅れてのリリースとなったものの、録音自体は 1980 年に行われ、オリンピックの開閉会式用に制作された音源を収録している。Бумеранг（Boomerang。カザフ・ジャズ・ロック・グループとは同名異バンド）や Melodiya Ensemble を起用し、畳み掛けるかのような強迫観念的エレクトロ・プログレッシヴ・グルーヴで幕を開け、多層シンセサイザーによるコズミック・シンフォニーで空間を織り紡ぐ、まさにアルテミエフ節全開の好作。

🕗 1984 🌐 ロシア連邦共和国

Ⓟ Эдуард Артемьев 🅗 Тепло земли

Ⓐ **Eduard Artemiev** 🅗 Warmth of Earth
Ⓛ LP C60 23029 000 ★

電子音楽家（ないし映画音楽家）のある種の好例とも言える「多作家」でもあった彼は、齢 80 を越す今もなお作品を発表し続けているが、本作は彼のソロ作の中でも最も有名なアルバムの内のひとつ。70 年代後半より彼が重用し続けたアンサンブル、Бумеранг（Boomerang）を変わらず引き連れて本作も制作されているが、ここでの新しい実験はロック・イディオムの本格的な導入。特にプログレッシブ・ロックとは元々親和性が高かったが、シンフォニックかつコズミックな多層シンセサイザーはそのままに、女性ヴォーカルと豪胆なバンド・サウンドを導入し、ロック的フォルムへの再構築を成し遂げている。

🕗 1985 🌐 ロシア連邦共和国

Ⓟ Eolika 🅗 Rīgas Sapņi

Ⓐ **Eolika** 🅗 Dreams of Riga
Ⓛ LP C60-14615-16 ★★

The Beach Boys を英語カヴァーした高校生時代を経て、1966 年にリガで結成。リーダー、ボリス・レズニク（Boriss Rezņiks）を中心に多くのメンバー変遷を繰り返しながら 90 年代後半まで活動を続け、「ラトヴィアの ABBA」との異名を取った男女混成シンセ・ポップ・グループによるデビュー・アルバム。オルガンによる印象的なフレーズ、シルキーで夢心地なヴォーカル、そして大胆にシーンを変えるプログレッシヴなアレンジメントが光る B1、悲哀に満ちた美しいヴァイオリン、終始淡々と刻むシンセとドラム、サンプリング切り貼りを繰り返したかのような独特な質感で魅せるミッド・ナンバー B2 に注目。

🕗 1980 🌐 ラトヴィア共和国

Ⓟ Eolika 🅗 Pasaule, Pasaulīt

Ⓐ **Eolika** 🅗 Our, World
Ⓛ LP C60 23305 005 ★★

レコード・デビューはアレクサンドルス・クブリンスキス（Aleksandrs Kublinskis）のバックを務めた 1969 年のこと。徴兵による活動休止もあり、メンバーの変更を余儀なくされた彼らは、グループ名義でのアルバム・デビューは 1980 年と長い時間を要している。しかしその後は国内のみならずソ連全土でも高い人気を獲得し、満を持して発表した本 2nd アルバムは、より明確なポップ性を打ち出したヒット・チューン満載の一枚となった。意味深なオリエンタル・インタールードを経て、クールに刻まれるリズムと抑制の利いた混声ハーモニーが風変わりな世界観を持つ、ミニマル・ディスコ・ポップ A5 をレコメンド。

🕗 1985 🌐 ラトヴィア共和国

ⒻEolika ❶Rock Opera "Robinson Crusoe"

🅐 **Eolika** ❶ Rock Opera "Robinson Crusoe"
🅞 LP 📻 C60 26413 006 ★★

3作目にして彼らのラスト・アルバムとなった本作は、タイトル通り『ロ
ビンソン・クルーソー』を題材としたロック・オペラ作。サウンドによる
壮大なストーリーテリングを主軸に据え、前作までの持ち味でもあった
キャッチーなディスコ・サウンドは後退。ここまでに築いたグループ・イ
メージとも離れたサウンドとはなるが、シンセサイザー、フルート、シル
キーなコーラス等で練り上げたサウンド・テクスチャーは面目躍如の出
来。なお、本作でも美しいロング・トーン・ギターを奏でたジギスムンズ・
ローレンツ（Zigismunds Lorencs）は、ラトヴィアで初めてFenderスト
ラトキャスターを手にした男としても知られる。

🕐 1988 🌐 ラトヴィア共和国

ⒻEolika ❶Saule Un Jūra

🅐 **Eolika** ❶ Sun and Sea
🅞 EP 📻 33Д-00028451-52 ★★★

グループ名義で残されたシングルは全4作となるが、本作はその中でも
最初期音源にあたる一枚。少数ないオリジナル・メンバーで残された録音
ということもあり、アルバム・デビュー時のシンセ・ポップ・サウンドと
は異なり、ただならぬサイケデリック・ヴァイヴスに満ちている。ファズ・
ギターが遠泣きするソフト・サイケ・チューンA1、そしてライモンズ・
パウルスのサウンド・メイキングが妖艶に光る、ドープなファンク・チュー
ンB2等を収録している。また1969年にグループ初のビック・ヒットと
なった「Noktirne」を大胆にディスコ化した、セルフ・カヴァー・シング
ル（C62-16129-30）を1981年に残している。

🕐 1970 🌐 ラトヴィア共和国

ⒻФорум ❶Белая ночь

🅐 **Forum** ❶ White Night
🅞 LP 📻 C60 25779 005 ★

アレクサンドル・モロゾフ（Александр Морозов）により1983年に結成、
ソ連初のシンセ・ポップ・バンドと目される、レニングラード出身グルー
プによるデビュー・アルバム。歌い方もどことなくスティング風なThe
Police仕立てのレゲエ・チューンA3、ソ連版ミニマル・ウェイヴと評さ
れるB1他、シンセサイザーやエレクトリック・ドラムを用いたキャッチー
なピコピコ・サウンドを信条に、今や再結成も果たし、なお現役を続ける
お茶の間の人気者。なお、ギタリストのユーリ・スティハーノフ（Юрий
Стиханов）は本作リリース後即脱退、Gunnar Graps Groupに参加して
いる。

🕐 1987 🌐 ロシア連邦共和国

ⒻJanina Miščiukaitė ❶Estradinės Dainos

🅐 **Janina Miščiukaitė** ❶ Estrade Songs
🅞 EP 📻 C62-15565-6 ★★★

結成時の1967年からデビュー・アルバム録音時の1972年まで、かの
Oktavaでメイン・ヴォーカリストを務めた、リトアニアン・ガールズ・ポッ
プ・シンガー、ヤニナ・ミシチュカイテ。グループ脱退後、オーケストラ
での活動も行いながらソロ作品をコンスタントにリリース、本作は1981
年にリリースされた必殺のムーグ・ディスコ・チューンを収めた人気の4
曲入りEP。とにかく注目はA1。狂おしいほどファンキーに乱れ弾きす
るムーグ、4つ打ちによるディスコ・ビート、性急なBPM、連発ホーン、
そしてキュートなガールズ・ヴォーカルから飛び出す赤いサウンドが産む
のは、バルト随一のキラー・グルーヴ。レッツ・ダンス！

🕐 1981 🌐 リトアニア共和国

Ⓟ Леонид Дербенёв Ⓘ Робинзон

Ⓐ **Leonid Derbenev** Ⓘ Robinson
Ⓞ LP ▦ C60 23287 005 ★★

アレクサンドル・ザツェーピンとの共作を始め、数多くの作詞を手掛けたモスクワ出身の作詞作曲家、レオニード・デルベニョフによるソロ・アルバム。彼が本作でアーラ・プガチョワやミハイル・ボヤルスキー等の大物シンガーを招聘して鳴らす音は、コテコテこってり味仕上げのエレ・ポップ・サウンド。ソヴィエト十八番の先端エレクトロ機材を使用しつつも、どうしても拭いきれないB級辺境感がフュージョンしたサウンドは、気のせいかここ日本の80s感（YMOではなくCCBの方）ともシンクロ。ただチョット気恥ずかしいそのサウンドに、なんだか妙にグッと来ちゃうのが日本人の性。シュールなアートワークもGood！

Ⓛ 1986 ⊕ ロシア連邦共和国

Ⓟ Ксения Георгиади Ⓘ Хочу быть любимой

Ⓐ **Ksenia Georgiadi** Ⓘ I Want to Be Loved
Ⓞ EP ▦ C62-15279-80 ★★

巨星アレクサンドル・ザツェーピンの名作『Узнай меня（私を知って）』のオープニング・トラックで素晴らしいパフォーマンスを披露した、グルジア生まれのフィーメール・シンガー、クセニア・ゲオルギアディ。Верные друзья（Vernye Druz'ya）への参加を始め、自身のソロ作においても数多くのVIAとコラボした彼女ならではの輝きを放ったのが本作。Красные маки（Red poppies）をバックにハードとメロウの往復ビンタ的青春ディスコ・ビートで走るA2、Аракс（Araks）をバックに『Узнай меня』路線のプログレッシヴ・ディスコを打ち鳴らすB1、共にタマラナイ！

Ⓛ 1981 ⊕ グルジア共和国

Ⓟ Медео Ⓘ Ансамбль «Медео»

Ⓐ **Medeo** Ⓘ Medeo Ensemble
Ⓞ LP ▦ C60 22145 005 ★★★★

カザフ共和国が誇る伝説的ジャズ・ロック・アンサンブル、Бумеранг（Boomerang）、そしてさらにその分派グループ、Арай（Arai）のメンバーとして活動したウラジーミル・ナザロフ（Владимир Назаров）。彼がリズム・マシーンとシンセサイザーを導入し、Арай（Arai）の一時的な別働隊として結成したコズミック・アンサンブルによる唯一作。吹き荒ぶエフェクトの中をタイトな高速ドラム・ソロが切り裂くB1、クールなマシーン・ビートとシンセサイザーとがファンクするB2等、アンビエント～ライブラリー的側面も持ちながらも、幅広い音楽性が溶け込んだ特異なグルーヴで魅せるコズミック名品。

Ⓛ 1985 ⊕ カザフ共和国

Ⓟ Михаил Чекалин Ⓘ Вокализ в рапиде

Ⓐ **Mikhail Chekalin** Ⓘ Vocalise in Rapid
Ⓞ LP ▦ C60 27165 000 ★★★

エストニアの生ける伝説、スヴェン・グリュンベルク（Sven Grünberg）や、ジャーマン・ロック・シーンが誇る巨人、クラウス・シュルツェとも共鳴する、国産アンビエントの生みの親と目される、モスクワ出身エクスペリメンタル・アーティスト、ミハイル・チェカーリンによるレコード・デビュー作。電化ヴォイス、シンセサイザー（Yamaha DX7）、ドラム・マシーン（Roland TR-909）を酷使し、時にクールに、時にパンキッシュに、緻密かつ豪胆なコズミック・グルーヴを叩き出す。翌年にはさらに先鋭度を高めた『Post·Pop – Non·Pop』をリリース、以降長きに渡り研鑽を積み続ける。

Ⓛ 1988 ⊕ ロシア連邦共和国

℗ Михаил Чекалин ☻ A Bathroom for Esthete

Ⓐ **Mikhail Chekalin** ☻ **A Bathroom for Esthete**
Ⓞ LP ▦ SG015 ★★

1991 年には最もアブストラクトかつストイックな音響芸術を追究した、12 枚からなる連作『MARS』シリーズを皮切りに、彼は 90 年代以降に 50 を越える膨大な作品群をリリースしていくこととなる。そんな中、新興再発レーベル Soviet Grail の尽力により発掘、そして 2019 年にリリースされた本作は、彼が 1988 年にアルバム・デビューを飾る前の 70 年代〜 80 年代の未発表音源をコンパイルした一枚。倒錯したジャズ・グルーヴ、先鋭的なコズミック・サウンド、構築されたアヴァンギャルド・テクスチャー等が混然一体となり、デビュー前でありながら既に築き上げられていた彼独自の世界観は見事というほかない。

🕐 70s-80s 🌐 ロシア連邦共和国

℗ Olev Muska ☻ Laulik-Elektroonik - Explorations in Estonian Electronic Folk Music - The First Years, 1979-1983

Ⓐ **Olev Muska** ☻ **Laulik-Elektroonik - Explorations in Estonian Electronic Folk Music - The First Years, 1979-1983**
Ⓞ LP ▦ Frotee / FRO010 ★★

エストニア人の両親を持ちながらオーストラリアにて生まれ育った、稀代のエクスペリメンタル・アーティスト、オレフ・ムスカ。彼のデビュー・アルバムは 1985 年にオーストラリアでリリースされた『Old Estonian Waltzes』（エレクトロ名作！）となるが、本作は 1979 年から 1983 年にかけて録音された彼の初期発掘音源集。アルバム以前にリリースされていた 7 インチシングルとカセット音源も収録している。自身の出自でもあるエストニアの伝承音楽とエクスペリメンタルな電子音楽を交配、先端機材からカシオ・トーンまでをも使用したその自由度の高いサウンド・メイキングは、ソヴィエト圏外だからこそ成し得た例外的産物。

🕐 2018 🌐 エストニア共和国

℗ Оркестр п/у Павла Овсянникова ☻ Звездный вираж

Ⓐ **Pavel Ovsyannikov Orchestra** ☻ **Star Bend**
Ⓞ LP ▦ C60 22781 004 ★★

70 年代後半よりクレムリン付の指揮者として従事し、現在では大統領管弦楽団の芸術監督兼チーフ・コンダクターを務める、パーヴェル・オヴシャニコフが率いたエレクトロ・フュージョン・オーケストラによる唯一作。「Sports & Music」シリーズへの参加からも分かるように、軸に据えられたのはシンセサイザーを多用したフューチャリスティックで洗練されたサウンド・メイキング。ロボット・ヴォイスも挿入されたコズミック・ナンバー A1、エレクトリック・ピアノのサウンドと米西海岸的 AOR フィーリングが心地良く吹き抜けるメロウ・チューン B4 等、エリートの手によって磨き上げられたサウンドの数々をご賞味あれ。

🕐 1985 🌐 ロシア連邦共和国

℗ Ансамбль п/у Павла Овсянникова ☻ К звездам

Ⓐ **Pavel Ovsyannikov Ensemble** ☻ **Towards the Stars**
Ⓞ EP ▦ C62-18165-66 ★★★★

彼らはアルバム・リリース前に 1 枚の EP を残しているが、その内容から人気の高い一枚となっている。それもそのはず、収められた 4 曲の内 2 曲は、後に「Sports & Music」シリーズ第 1 弾『リトミческая гимнастика（リトミック）』にも運用された名曲。先述の作品にてオープニングを飾るシンボリックな A1、そしてギター・カッティングとスラップ・ベースが堪らない B1 が運用されることとなるが、後に加えられるエアロビ・ヴォイスは収録されておらず、さらにミックス収録される前のフル尺での収録となっており、エアロビ的飛び道具なしに、そのコズミック・グルーヴを正面から堪能できる一枚となっている。ナイス！

🕐 1982 🌐 ロシア連邦共和国

⒫ Красные маки ❶ Чужая ты

Ⓐ **Red Poppies** ❹ Stranger You
Ⓔ EP 💿 C62-13071-72 ★★

Электрон（Elektron）や レйся, Песня（Leisha, Pesnya）を始めとした数多くのグループを輩出、ある種VIA虎の穴とも言える機能を果たした、ロシアの産業都市トゥーラにある文化機関、トゥーラ・フィルハーモニー協会。1977年に独立デビューを果たした彼らは、Самоцветы（Samotsvety）や Цветы（Flowers）のメンバーを加えながら、協会最大の成功を収めるVIAへと急成長を遂げていく。本作は彼らのデビュー・アルバムの先行シングルで、脱臼気味の変拍子ナンバーB2等、全曲アルバム収録となるが完全なるディスコ期突入前のVIAサウンドを披露している。

🕐 1979 🌐 ロシア連邦共和国

⒫ Красные маки ❶ Если не расстанемся...

Ⓐ **Red Poppies** ❹ If We Don't Break Up...
Ⓞ LP 💿 C60-13361-62 ★★

ユーリ・アントノフの曲の歌詞から引用された「ヒナゲシ」を意味するグループは、通称「Maki Band」（Maki＝ケシ）と呼ばれ、その人気を確かなものとしていく。数枚のシングルをリリース後、満を持してのデビュー・アルバムとなった本作は、少し暑苦しめな歌い上げ系男性ヴォーカルによる旧来のVIA流ポップを基本にしながらも、四つ打ちディスコ・ビートとコズミックなシンセサイザーを大胆に導入。シングル期からはかなり速まったBPM感で走るアゲアゲ・ナンバーA1、コズミックなアレンジが織り込まれたA2、振り幅の広いギター・アレンジが異彩を放つA5等、自作で完成を迎えるディスコ・サウンドへの過渡期的一枚。

🕐 1979 🌐 ロシア連邦共和国

⒫ Красные маки ❶ Красные маки

Ⓐ **Red Poppies** ❹ Spin Disks
Ⓞ LP 💿 C60-14117-18 ★★

彼らの2ndにして最終作となった本作は、彼らが追い求めたディスコ・サウンドの完成形にして、ソ連で初となる「ディスコ用」に制作されたエポックメイキングなコンセプト・アルバム。跳ねる四つ打ちビート、アゲアゲのブラス隊、エフェクティヴなアレンジメント等、ソ連らしい大所帯によるファンキー・ディスコ・スタイルで踊る、まさに80年代のVIAの雛形的サウンドを形成した一枚。A面とB面それぞれが近似BPMで統一された、そのノン・ストップ・ディスコ的な構成もまた素晴らしい。この後バンドは Маки（Maki）と改名し、活動を継続。1988年にはアルバム『Одесса（Odessa）』（C60 27185 003）をリリースしている。

🕐 1980 🌐 ロシア連邦共和国

⒫ Ритм ❶ Дискотека «А»

Ⓐ **Rhythm** ❹ Disco "A"
Ⓞ LP 💿 C60-14657-58 ★★

アーラ・プガチョワのソロ活動開始時から、専任グループとして多くの作品でバッキングを務め、彼女と共に輝かしいサクセス・ロードを歩んできた、アレクサンドル・アヴィロフ（Александр Авилов）率いるファンキー・ディスコ・グループ。本作は彼らの唯一作にして、プガチョワによる1979年作『Поднимись над суетой（喧噪を超えて立ち上がれ）』のインスト・カヴァー・アルバム。ドラムによる四つ打ちディスコ・ビートとパーカッションによるリズムが主軸となり、プガチョワ版よりもさらにダンス・アルバム的側面が強化。DJミックスさながら曲間なしのノン・ストップ・グルーヴが堪能出来るA面はナイス・フィーリング！

🕐 1980 🌐 ロシア連邦共和国

℗ Sven Grünberg, Ansambel "Mess" 🌀 Hingus

Ⓐ Sven Grünberg, Ensemble "Mess" 🌀 Hingus
Ⓞ EP ▭ C62-13695-6　★★

エドゥアルド・アルテミエフ（Эдуард Артемьев）らと共にソ連エレクトロ・ミュージックのオリジネーターとして知られる、エストニア出身のシンセサイザー奏者スヴェン・グリュンベルク。活動時には作品を残さず潰えた伝説的プログレッシヴ・ロック・グループ、Mecc（Mess）のリーダーを務めた彼は、ソロ・デビューとなる本作でもメンバーを招聘して作成している。シンセサイザーを幾重にも折り重ね、バンド・グルーヴを一切排し、大宇宙を想起させるコズミック・アブストラクト・アンビエントを創出した。なお、Mecc の音源は 2016 年に『Küsi Eneselt』として発掘リリースされている。

🕐 1980　🌐 エストニア共和国

℗ Sven Grünberg 🌀 Hingus

Ⓐ Sven Grünberg 🌀 Hingus
Ⓞ LP ▭ C90-16301-2　★★★

チベット仏教からも多大なる影響を受けた彼は、生み出す旋律や瞑想的なサウンド・コンストラクションにその影響が織り込まれている。ソロ・デビュー翌年に初のフル・アルバムとなった本作では、全編を 3 曲からなる大曲で構成。ソ連産シンセサイザー独特の太い音色を生かしたサウンドを存分に振るいながら、奥底で脈打つようなパーカッションによるビートや、多幸感溢れるブッディズム・サウンドを配し、世界的な評価を得るに相応しい一枚となった。間を空けて 1988 年のリリースとなった 2nd アルバム『OM』（C60 27019 002）では、よりチベット仏教への畏敬の念が直接的に現れた佳曲 B2「OM」を収録している。

🕐 1981　🌐 エストニア共和国

℗ Sven Grünberg 🌀 Anima 1977

Ⓐ Sven Grünberg 🌀 Anima 1977
Ⓞ LP ▭ FRO008　★★

コンポーザーとしても多大なる才を発揮した彼は、エストニア映画史では重要作となる『Nest in the Winds』の監督を務めた、オラフ・ノイランドによる映画ではその大半を務めるなど、シンセサイザー・アーティストのある種のお決まりともいえる、多くのサウンドトラックを手掛けている。本作は 2016 年に Frotee により初めて音源化された、アニメーション映画と人形劇のために制作された数々の楽曲をコンパイルしたサウンドトラック集。1977 年から 2001 年までの幅広い時代の音源を収録しているが、決してエレクトロニクス一辺倒にはならない「自然との融和」を目指した、彼の一貫した音楽的思想が見て取れる。

🕐 2016　🌐 エストニア共和国

℗ Teisutis Makačinas 🌀 Teisučio Makačino Dainos

Ⓐ Teisutis Makachinas 🌀 Songs of Teisutis Makachinas
Ⓞ EP ▭ C62-09769-70　★★

ヴィリニュスにある国立大学、リトアニア音楽演劇アカデミーで教鞭を執る、「教授」ことテイスティス・マカチナス。60 年代初頭にはコンポーザーとしてレコード・デビューを飾り、ポップ・ソングからアカデミックな音楽まで、現在に至るまで実に幅広い楽曲を世に出し続けている。1972 年には彼の作品集にして初期代表作『Estradiniai Kūriniai』（CM03149-50）をリリース、そして注目すべきはその後、間を開けてのリリースとなった本作。ダンディズム溢れるヴォーカルによるポップスを下敷きにしながらも、ビック・バンドによる変拍子ファンク・バッキングを施したアレンジはお見事！

🕐 1978　🌐 リトアニア共和国

℗ Teisutis Makačinas 🎵 Disko Muzika

Ⓐ Teisutis Makachinas 🎵 **Disco Music**
Ⓛ LP 💿 C60-18011-12 ★★★★

ジャズ・ファンクからビック・バンドまで自在に指揮する彼が本作で導入したのは、日本の「教授」とシンクロする大胆なエレクトロ・サウンド。80 年代に入り、国内に留まらず世界に広く知られることとなったラトヴィア発のエレクトロ・グループ、Zodiac（Зодиак）に多大なるインスピレーションを受けた彼は、自身の培ったアカデミックな文法と共に独自のサウンドを確立。そしてソ連エレクトロ・ポップ金字塔となる本作をリリースしている。 唸るムーグ、顛狂なヴォーカル、飛び抜けて風変わりなアレンジは、かのドイツが誇る Kraftwerk 以上に大胆不敵。現在もなお、リトアニア室内弦楽団を率い、多くのスコアを手掛けている。

🕐 1982 🌐 リトアニア共和国

℗ Вахтанг Кикабидзе 🎵 Поёт песни А. Морозова

Ⓐ Vakhtang Kikabidze 🎵 **Sings Songs of A. Morozov**
Ⓔ EP 💿 C62-19063-4 ★★

ビートルマニアよろしく、ソ連で熱狂的人気を博したグルジアを代表するコーラス・グループ、Орэра（Orera）のメンバーにして、ソ連映画を代表する 1 本とも言える、ゲオルギー・ダネリヤ監督作品『Мимино（ミミノ）』(1978 年)で主役を務めるなど俳優としても大きな成功を収めた、ヴァフタンク・キカビゼ。本作は数多くの作品を残した彼のキャリアの中でも、最も DJ 達から熱い眼差しを受ける EP 作。ダンディズム溢れる彼の超低音アダルト・ヴォイスを飾るバッキングは、180 度正反対のムーグ・サウンド。ミッド・テンポで淡々とファンクする特有のタイム感、そして真っ直ぐな彼の眼差しが、多くのファンを虜にして止まない。

🕐 1982 🌐 グルジア共和国

℗ Группа Валентина Бадьярова 🎵 s.t.

Ⓐ Valentin Badiarov Group 🎵 **s.t.**
Ⓛ LP 💿 C60 22455 008 ★★

Песняры（Pesnyary）、Сябры（Syabry）、Поющие гитары（The Singing Guitars）等、ベロルシア共和国を代表する数々の VIA に参画した、ギタリスト兼ヴァイオリニスト、ヴァレンティン・バジヤロフが 1981 年に結成したエレクトロ～ディスコ・グループによる 1985 年作。時代の空気を目一杯吸い込んだシンセ・サウンドとキャリアを積み上げた職人技で奏でる、赤く染まったアダルト・オリエンテッド・グルーヴは秀逸。また、「ディスコ クラブ（Disco Club）」シリーズでリリースされた 1982 年オムニバス作『Песни Олега Иванова（オレグ・イワノフの歌）』(C60-16635-8)への参加にも注目したい。彼らによるブチ上がり系極上ディスコ A1 は必聴！

🕐 1985 🌐 ベロルシア共和国

℗ Вераси 🎵 Наша дискотека

Ⓐ Verasy 🎵 **Our Disco**
Ⓛ LP 💿 C60-14331-32 ★★

1971 年の結成時は女性 4 人組。成功を目指した彼女らはコンテストに備え、バッキングを補強。VIA へと変貌を遂げ、ブルガリアの Balkanton レーベルから 1978 年にデビューを果たす。本作は彼女らの通算 2nd アルバムにして、ソ連でのアルバム・デビュー作。アゲアゲなシンセ・サウンドで幕を開けながらも、奇天烈なドラム・ブレイクが混入する A1、ミッド・テンポで魅せるコズミック・ファンキー・チューン B3 等が聴きどころ。本作で大きな成功を収め、1986 年にはエレクトロ・ディスコ作『Музыка для всех（みんなのための音楽）』(C60 24619 001)をリリース。現在もなお国民的グループとして活動を続けている。

🕐 1980 🌐 ベロルシア共和国

Ⓟ Вячеслав Добрынин 🎤 День за днем

Ⓐ **Viacheslav Dobrynin** 🎤 Day After Day
Ⓒ LP ▦ C60-15569-70 ★★

1000 を超える楽曲を引っさげて、90 年代以降続けざまにスマッシュ・ヒットを世に送り数々の栄誉賞を手中にした、モスクワ出身のコンポーザー兼シンガー、ヴァチェスラフ・ドブルィニン。本作はソロ名義のデビュー作にして、彼のコンポージングした楽曲を錚々たるメンツの VIA がプレイした充実作。Красные маки（Red Poppies）を中心に、Самоцветы（Samotsvety）、Поющие сердца（Singing Hearts）、Лейся、Песня（Leisha, pesnya）、Здравствуй、Песня（Zdravstvui, pesnya）といった VIA 達による粒揃いのソウル〜ディスコ・ナンバーを収録、その大半は本作のみの収録となっており、それぞれの VIA のファンにとっても見逃せない一枚となっている。

🕐 1981 🌐 ロシア連邦共和国

Ⓟ Виктор Зельченко 🎤 Блики

Ⓐ **Viktor Zelchenko** 🎤 Glare
Ⓒ EP ▦ C62-17073-4 ★★

モスクワ出身ジャズ・トランペッター、ヴィクトル・ゼリチェンコ。50 年代よりプレーヤーとして活躍を続け、70 年代にはコンポーザーとして開花。自身が率いた管弦楽団、Оркестр 2-го областного музыкального училища（Orchestra of the 2nd Regional School of Music）では、名ライヴ盤『ジャз-78』の第 1 弾に名演を残す。本作はそんな彼の唯一のソロ名義となった 3 曲入り EP。Melodiya Ensemble をバッキングに従え、自身の築いてきたジャズ・フィーリングに、時代の空気を吸い込んだアッパーな四つ打ちビートと女性スキャットをブレンドした、ベテランならではの解釈で打ち鳴らす流麗なディスコ・サウンドは見事。

🕐 1982 🌐 ロシア連邦共和国

Ⓟ Владимир Осинский 🎤 Аэротон

Ⓐ **Vladimir Osinsky** 🎤 Airtone
Ⓒ LP ▦ C60 24505 000 ★★

80 年代後半よりプロのサウンド・エンジニアとして、昼夜を問わずスタジオに籠りサウンドを創り続けた職人、ウラジーミル・オシンスキー。ソ連スポーツ委員会の制作による「Sports & Music」シリーズの一環として企画された本作は、彼のスタジオ・ワークを駆使したシンセ・ポップ〜ディスコ・ナンバーを収録。他シリーズ作に比べ今ひとつインパクトには欠けるが、職人らしい高品位なサウンドを鳴らしている。また、1990 年にはアンドレイ＆ボリスの片割れ、ボリス・チハミロフとの共作となったミュージカル・アルバム『Без царя в голове（頭の中に王はいない）』（C60 29325 005）も残している。

🕐 1986 🌐 ロシア連邦共和国

Ⓟ Юрий Бучма 🎤 Автопортрет

Ⓐ **Yuri Buchma** 🎤 Self-portrait
Ⓒ LP ▦ C60-30295-007 ★★★

70 年代にウクライナのテレビ・ラジオ交響楽団で経験を積んだピアニスト、ユーリ・ブチマ。80 年代初頭に出会ったシンセサイザーとリズム・マシーンに魅せられた彼は、それ以降エレクトロニクスを用いた音楽を追求していく。彼が唯一 Melodiya に残した作品にしてデビュー作となる本作は、ちょうど「Sports & Music」シリーズともシンクロするかのようなダンサブルなナンバーを中心に、Roland 社のフル・デジタル・シンセサイザー「D-50」を用いたその音色とビート感に非凡なセンスを発揮している。また、本作のアートワークは画家でもある彼自身が手掛けており、現在も画家としての活動を継続している。

🕐 1990 🌐 ウクライナ共和国

℗ Здравствуй, песня ● Здравствуй, песня

Ⓐ Zdravstvuy, Pesnya ● s.t.
Ⓞ LP 🔲 C60-11977-8 ★★★

ウクライナの工業都市として繁栄したドネツクの大型工場と、音楽大学が連携して誕生したサラリーマンVIA、Калейдоскоп（Kaleidoscope/ 音源未リリース）を母体とし、そこからКрасные маки（Red Poppies）と分派する形で結成。デビュー作となる本作では、普遍的ポップスに終始蠢くシンセサイザーによるイカれたアレンジを施したA1、情緒不安定気味にドライヴするプログレッシヴ・ファンクA4等、全身これディスコと言った 2nd 以降の作風とはまた異なる、単純なカテゴライズを拒むかのような、Red Funk らしい特異な魅力に溢れた一枚。

🕐 1979 🌐 ウクライナ共和国

℗ Здравствуй, песня ● Мы любим "Диско"

Ⓐ Zdravstvuy, Pesnya ● We Love "Disco"
Ⓞ LP 🔲 C60-13949-50 ★★

デビュー作録音直後にはメンバーを増強、同年のリリースでありながらサウンドの転換を果たし、大きな成功を収めた 2nd アルバム。オープニング・ナンバーに異国のグループである Shocking Blue「Venus」のコズミック・ディスコ・カヴァーを収録出来たのも、モスクワ・オリンピック開催を翌年に控えていたが故。キュートなシンディー・ローパー的ヴォーカル、The Isley Brothers『3+3』期的ディストーション・ギター、それら全てをブチ混んで総ディスコ化。ニール・セダカ「One Way Ticket (To the Blues)」だってアゲアゲ必至カヴァー！もうヤメられないトマラナイ！

🕐 1979 🌐 ウクライナ共和国

℗ Здравствуй, песня ● Марафон

Ⓐ Zdravstvuy, Pesnya ● Marathon
Ⓞ LP 🔲 C60-18435-6 ★★

1981 年には『Вокруг любви（愛の周りに）』（C60-15647-8）をリリース。200 万枚以上のセールスを記録した勢いそのままに、彼らは長期のツアーへと出ることとなる。本作はツアー終了後さらなるメンバー・チェンジを経てリリースされた 4th アルバムにして最終作。バーブラ・ストライサンド「Woman in Love」のロシア語カヴァーを始めとした普遍的ポップスを挟みつつも、やはり注目はエレクトロ・ディスコ・ナンバー。カチカチのバスドラと時代がかった上物が躍動するインスト・ディスコ A1、そして突拍子もなくプログレッシヴなアレンジで料理された B5 をチェック。2000 年代には再結成も果たしている。

🕐 1983 🌐 ウクライナ共和国

℗ Zigmars Liepiņš ● Ceļojums

Ⓐ Zigmars Liepiņš ● Trip
Ⓞ LP 🔲 C60 19963 005 ★★

1973 年に巨人ライモンズ・パウルスからかの伝説的グループ、Modo を引き継ぎさらに飛躍させた、ラトヴィア出身のキーボーディスト兼コンポーザー、ジグマルス・リエピンシュ。兵役により一時音楽シーンから遠ざかるも、復帰後の 1982 年には自身のグループ、Opus を始動する。そんな中発表された本作は、自身の名を冠した初のソロ・アルバム。ミルザ・ジヴェレ（Mirdza Zīvere）を始め、Modo のメンバーがバッキングを担当している。ファンキーな Moog Prodigy 使いが光るディスコ・ナンバーA2 から、70s ブリティッシュ・モダン・ポップ・ナイズドした A1 まで、バラエティーに富んだ楽曲を収録。

🕐 1983 🌐 ラトヴィア共和国

ⓟ Zigmars Liepiņš ⚊ Пульс 2

Ⓐ **Zigmars Liepiņš** ⚊ Pulse 2
Ⓒ LP 💿 C60 23479 004 ★★

ソロ・デビュー後はコンスタントにアルバムをリリースし続けていく中、
ソ連スポーツ委員会による「Sports & Music」シリーズにも携わることと
なる。競技会等スポーツに関する様々な場所での使用を国家より推奨され
た本シリーズは、各作品ごとに異なるコンポーザーが音楽を担当してい
る。そして本作は、ジグマルスが手掛けたシリーズ第2弾作品。彼のシン
セサイザーとリズム・マシーン（Yamaha RX11）を主軸に、Opus のメン
バーと共に組み上げたインストゥルメンタル・サウンドの数々は、実に
スタイリッシュかつスポーティー。90年代以降は劇音楽や交響曲へと活
躍の幅を広げ、現在もなお現役活動中。

🕐 1985 🌐 ラトヴィア共和国

ⓟ V.A. ⚊ Ритмическая гимнастика

Ⓐ **V.A.** ⚊ Aerobic Exercises
Ⓒ LP 💿 C60 21591 005 ★★

ソ連スポーツ委員会がお送りする、一般大衆向け「Sports & Music」シ
リーズ第1弾にして、ソ連が誇るテクノ・ゴッド、アンドレイ・ラジオ
ノフ＆ボリス・チハミロフをスーパーバイザーに就け制作された、完全無
欠のエレクトロ・エアロビクス・アルバム。シンセ大国、ソ連の先端をひ
た走る磨き上げられたシンセ・サウンド、ダンスにフィットする頃合い
の BPM、そしてロシア語独特の巻き舌発声法による女性の掛け声もクセ
になる、Zodiac らと共に広く聴かれるべきキャッチーさを備えた高品位
な一枚。なお、Ансамбль п/у Павла Овсянникова（Pavel Ovsyannikov
Ensemble）によるインスト版も存在（p.191 参照）する。

🕐 1984 🌐 ロシア連邦共和国

ⓟ V.A. ⚊ Jaunības Balss

Ⓐ **V.A.** ⚊ Voice of the Youth
Ⓒ LP 💿 C60-11703-4 ★★★★

ラトヴィアのコムソモール（共産主義青年同盟）に捧げられたオムニバス・
アルバム『Jaunības Balss』シリーズの一角にして、コムソモール結成60
周年を記念して制作された最大の名作。シーンの精鋭のみを結集した本作
最大の成果は、イヴァルス・ヴィグネルス（Ivars Vīgners）が手掛けた30
分余に及ぶ長尺スペース・ディスコ・トラック B1。ミルザ・ジヴェレ（Mirdza
Zīvere）を始めとした名ヴォーカリスト陣、バックには自身が率いたオー
ケストラという鉄壁の布陣が揃う。吹きすさぶ風の中に後光が差すディス
コ・ビートで幕を開け、極上メロウ・バラードからコムソモール・クンフー・
ディスコ等までもが、百花繚乱に踊り乱れるキラー・チューン！

🕐 1979 🌐 ラトヴィア共和国

ⓟ V.A. ⚊ Mūzika Diskoklubos

Ⓐ **V.A.** ⚊ Music Disco Clubs
Ⓒ LP 💿 C60 19971 007 ★★★

巨匠ライモンズ・パウルスが創設したラトヴィア・シーンの頂点に燦然と
輝く名グループ、Modo のギタリストとして活躍した、ビャチェスラフ・
ミトロヒンス（Vjačeslavs Mitrohins）によるインストゥルメンタル・ア
ンサンブルと、Eolika によるスプリット作。やはり注目は本作にのみ音源
を残したミトロヒンス・サイド。吹きすさぶ風を切り裂くあまりに印象的
なギター・リフ、そしてパーカッションとタフな四つ打ちビートが跳ね回
る最高のドラマティック・ディスコ・ナンバー A1、チルな気分で乗れる
インスト・レゲエ A3 等を収録。Modo にも通じる洗練されたサウンドは
見事！

🕐 1983 🌐 ラトヴィア共和国

The Soul Surfers　現代版Red Funk最右翼グループ

　70～80年代のソ連サウンドを継承した、現代版 Red Funk 最右翼グループ、The Soul Surfers。リーダー兼ドラマーにして、ロシア屈指のソ連レコード・ディガー、イーゴリ・ジュコフスキー（Игорь Жуковский）を中心に、2011年にロシアで結成。同年にはデトロイトのファンク・レーベル、Funk Night Records から7インチシングル『Soul Power / We Can Do Some』をリリースし、デビューを果たしている。

　ファズ・ギターやブラス・アレンジに特徴付けられる古き良き Red Funk サウンドに加え、英詞によるメロウかつソウルフルな歌心をミックスし、現代的にモディファイされたスタイルはオーチン・ハラショー！現在のロシア産ファンク・グループの中でも、最も注目されるべきグループであろう。

　彼らは Funk Night を中心に、Ubiquity、Spasibo 等のレーベルから大量のシングル（20作以上）をリリースしているが、ここでは彼らが残した全3作のアルバムを紹介させていただこう。

The Soul Surfers
『Soul Rock!』
【CD/LP】（Ubiquity/2015）
　2015年デビュー作にして、唯一のグループ単体名義でのアルバム。猛りうねるファズ＆ワウ・ギター、花を添えるブラス・アレンジ、よく鳴るオルガン、枯れた歌声でなぞる甘茶メロディー、そして JB 流ファンクネス。サウンドのみならずアートワークにもソ連音楽からの色濃い影響を感じさせつつ、さらに現代版へとアップデートを果たしたデビュー作にして名作。

Shawn Lee and the Soul Surfers
『Shawn Lee and the Soul Surfers』
【LP/Tape】（Silver Fox/2018）
　ジェフ・バックリーから Dust Brothers まで、80年代後半より様々なアーティストと活動を共にし、現在はロンドンを拠点に活動するアメリカ人マルチミュージシャン、ショーン・リーとのコラボレーション作。ソ連サウンドがダビーかつコズミックなサウンドをまとい、新味溢れるフューチャリスティックなグルーヴを生んだ一枚。

Janko Nilovic & The Soul Surfers
『Maze of Sounds』
【CD/LP】（Broc Recordz/2020）
　60年代より数多くのコンポージングを手掛け、フランスが生んだライブラリー・ミュージック界のゴッドファーザー、ヤンコ・ニロヴィックとの共演作。ここにはソ連特有の陰りのあるヴァイブスはなく、洗練を極めた極上のモダン・ヴィンテージ・グルーヴが堪能できる。

『ソヴィエト・ヒッピー』　ソ連カウンターカルチャーに迫る映画

2017 年公開ドキュメンタリー映画『Soviet Hippies』
（監督・脚本 :Terje Toomistu / 配給 :Kultusfilm）

『Nõukogude hipid/Soviet Hippies』【DVD】
（Kultusfilm/2018）

『Soviet Hippies Soundtrack』【LP/Tapes】
（Cece Music/2018）

　「共産主義国家」と「ヒッピー」。まるで対義語かのようにかけ離れた存在と思えるが、鉄のカーテンの向こう側でも西側諸国と同じく、彼らは確かに存在していた。ただでさえ反社会的イメージの強い彼らだが、こと共産圏においてはことさら異質な存在であったことは、容易に想像できるのではないだろうか。

　ただ、彼らが奏でた音楽、そして彼らが闇市に流した西側諸国のレコードの数々は、数多のアーティスト、そしてリスナーを生み、ソ連音楽シーンの発展を裏側から支えていた。

　映画『Soviet Hippies』はそんな興趣の尽きないソ連ヒッピー・シーンに、鋭く迫ったドキュメンタリー作品。指揮を取ったのは、エストニア出身の若き女性映画監督、テリエ・トーミストゥ。

　プロジェクトの立ち上がりから多くの注目を集めていたが、5 年余の歳月を掛け、2017 年初頭に本国にて公開となった。ロシアに始まり、ヨーロッパ、そしてアメリカと、数年に渡り世界各国で映画上映と展示会を開催して周るも、日本ではまだ未公開となっており、長い間、公開が待ち望まれている。

　ただ、2018 年末にリリースされた DVD に加え、今ではオンライン配信もされており、映画自体にアクセスすることは容易となっている。また、映画に併せてサウンドトラック盤、『Soviet Hippies Soundtrack』も製作されており、限定数量でレコード、そしてカセットがリリースされている。

　鬼才ユーリ・モロゾフ（Юрий Морозов）や、スヴェン・グリュンベルク（Sven Grünberg）が在籍した伝説のグループ、Mecc（Mess）等を収録した内容はもちろんのこと、そのアートワークやピンク色に染め上げられたレコード盤等、フィジカルとしても実に素晴らしい仕上がりになっている。

　ソ連アンダーグラウンド・カルチャーを窺い知ることのできる、数少ない証左となる本作。興味のある方はぜひ一度ご覧いただきたい。

After Red Funk ソ連音楽の遺伝子たち

ソ連崩壊以降の音楽シーン

　ここでは本書では取り扱いのない80年代後半のアンダーグラウンド・ロック・シーン、そしてソ連崩壊以降の音楽シーンにも触れておく。西側諸国から送れること数年、80年代後半には鉄のカーテンの向こう側でも New Wave サウンドが花開いている。そしてその中でもとりわけアイコニックな存在として語り継がれるのが、ヴィクトル・ツォイ（Виктор Цой）率いるバンド、Кино（Kino）だった。彼らは AnTrop をはじめとしたアンダーグラウンド・レーベルを中心に作品を発表し続けたが、Aquarium ら他3バンドと共に録音、1986年にアメリカのマーケットで販売された『Red Wave: 4 Underground Bands From The USSR』（Big Time/1-10020）は、1万枚を超えるセールスを上げ、国外においても一定の評価を得ている。ツォイは1990年に28才と若くしてこの世を去っているが、後年のロシアン・ロック・シーンに多大なる影響を与え、彼をモデルとした映画『LETO -レト-』が2020年に公開される等、今現在もなおその評価は高まりを見せている。

　ソ連崩壊後の90年代はその情勢や権利関係からか、ソ連時代の音源の多くは CD やレコードでの再発が進まず、世界から隔絶され埋もれたままにあった。しかし、DJ やレコード・コレクターたちによりその価値を再発見する動きが活発化した2000年代以降、その趨勢に伴ってソ連音楽の影響下にあるアーティストたちが躍進を見せている。

　特集やインタビュー・ページ等でも紹介している、イーゴリ・ジュコーフスキー率いる The Soul Surfers や、ミーシャ・パンフィーロフ率いる Misha Panfilov Sound Combo や Penza Penza 等、Red Funk サウンドへの愛とリスペクトを感じさせながらも、現代版へとアップデートを果たしたグループが続々と登場している。

　さらに、エストニアが生んだ稀代の二世代アーティスト、マリュ＆ウク・クートにも触れておきたい。母マリュ・クート（Marju Kuut）と息子ウク・クート（Uku Kuut）は、1992年に親子で結成したグループ、Zuke としてアルバムをリリース（p.127参照）しているが、ここでは各々のソロ作に注目したい。母マリュは「Maryn E. Coote」名義にて90年代以降の音源をコンパイルした作品集『Welcome To My World』（PPU-094）を2018年にリリース。アブストラクトなシンセ・サウンドをベースに、その多くを一人多重録音で編み上げた、極上のエレクトロ・ファンクの数々が収録されている。他2016年リリースのレア音源集『Maskeraad』（PPU-082）もチェックしておきたい。

　また、2012年にリリースされクート親子再評価の契機になったとも言える、息子ウクによる80年代秘蔵音源を収録したアーバン・エレクトロ・ファンク大名作『Vision Of Estonia』（PPU-034）も必聴だ。翌年には続編『Grand Hotel』（PPU-052）がリリースされており、こちらも併せて聴いておきたい。なお、これらは全てワシントン DC の人気発掘音源再発レーベル、「Peoples Potential Unlimited」からリリースされている。

Hip Hop への援用

　そして最後に触れておきたいのは、Red Funk の Hip Hop への援用。Hip Hop 誕生以降、知られざる音楽の鉱脈を掘り当てるのは、いつだってビート・メイカー、ないしレコード・ディガーだった。あまりに知られていなかったソ連の音楽とて例外ではなく、レジェンドと呼ばれるアーティストたちは先んじて多くのソ連製レコードを掘り起こし、サンプリングにより再構築、新しい音楽へと昇華した。

　その中でもシンボリックな作品として信奉されるのは、ロサンジェルス出身の Hip Hop プロデューサー、ラッパー、トラック・メイカーにして、かの Eminem のお抱え DJ、The Alchemist による2012年作『Russian Roulette』（Decon/DCN162）だろう。そのタイトル通り、ライモンズ・パウルス、ソフィヤ・ロタール、Arsenal、In Spe 等々、Red Funk の珠玉の名曲群がサンプリングされており、ソ連音楽が持つ固有の魅力にまた異なる側面から光を当てた一枚となった。なお、彼がそこでサンプリングしたソ連音楽の作品の数々は、そのほとんどを本書にも掲載しているので、一覧にして記しておく。また、他 Hip Hop アーティストらによる、ソ連音楽のサンプリング例もあわせて紹介しておくので、実際に聴き比べるなどして楽しむのも一興だ。

　こうして徐々にではあるが、ソ連音楽の、そして Red Funk の遺伝子は現在進行形で伝播し続けている。本書もその一助となり、より多くの音楽ファンに聴かれるようになることを願っている。

The Alchemist 『Russian Roulette』にてサンプリングされた作品（一部）

- ■Государственный эстрадный оркестр Армении（State Variety Orchestra of Armenia）『s.t.』（p.35 参照）
- ■Арсенал（Arsenal）『Джаз - Рок ансамбль（Jazz Rock-Ensemble）』（p.43 参照）
- ■Джазовый Ансамбль Игоря Бриля（Igor Bril Jazz Ensemble）『Оркестр приехал（An Orchestra Came）』（p.47 参照）
- ■Raimonds Pauls『Māsa Kerija（Sister Carrie）』（p.78 参照）
- ■София Ротару（Sofia Rotaru）『s.t.』（p.119 参照）
- ■V.A.『Всесоюзный телевизионный конкурс молодых исполнителей " С песней по жизни "（All-Union Television Competition of Young Performers "With a Song for Life")』（p.128 参照）
- ■In Spe『s.t.』（p.162 参照）
- ■Эдуард Артемьев（Eduard Artemiev）『Тепло земли（Warmth of Earth）』（p.188 参照）
- ■Михаил Чекалин（Mikhail Chekalin）『Вокализ в рапиде（Vocalise in Rapid）』（p.190 参照）

ソ連音楽のサンプリング例

- ■ 50 Cent「Piggy Bank」
  元ネタ：Алла Пугачева（Alla Pugacheva）「Сонет Шекспира（Shakespeare's Sonnet）」（p.83 参照）
- ■ Action Bronson -「Chop Chop Chop」
  元ネタ：Александр Градский（Alexander Gradsky）「Ты меня Оставил（You left me）」（p.141 参照）
- ■ Mobb Deep「Taking You Off Here」
  元ネタ：Поющие сердца（Singing Hearts）「Где найти любовь（Where to find love）」（p.168 参照）

V.A.『Red Wave: 4 Underground Bands From The USSR』

Кино『Группа Крови』

Penza Penza
『Beware of Penza Penza』

Maryn E. Coote
『Welcome to My World』

Uku Kuut
『Vision of Estonia』

The Alchemist
『Russian Roulette』

Interview 現行シーンの立役者たち

Q.最も影響を受けたアルバム3枚は何ですか？

　本書を執筆するにあたり、現代の Red Funk シーンを取り巻く重要人物たちにインタビューをした。アーティスト、DJ、レーベル・オーナー等、各方面の方から様々な話を聞いたが、ここではシンプルでありながらも、大いに参考になるであろう質問、「私的ベスト・アルバム」への回答を掲載する。回答いただいた作品はいずれも素晴らしいものばかりのため、これを頼りにレコードを集め出すも良し、シーンの立役者ともいうべき彼らのバックボーンを知るも良し。レビュー・ページと共にご一読いただきたい。

　※作品名は英語表記にて記載

Spasibo Records

2015 年創立、ロシア発のファンク〜レア・グルーヴの 7 インチシングルの制作に特化した新興レーベル。The Soul Surfers から、ソヴィエト・ロックの伝説、ユーリ・モロゾフ（Юрий Морозов）の秘蔵音源まで、意欲的にリリースを続けている。

Murad Kazhlaev 『To See You（Vocal verison）』

Gaya 『Azerbaijan』

Variety Orchestra of Television and Radio of Armenia 『My Town』

Frotee（Martin Jõela）

2013 年設立、ストレート・リイシューを基本とした他再発レーベルとは大きく異なり、リリースされずに埋れた未発表音源の発掘を専門的に手掛ける、新進気鋭のエストニア発のレコード・レーベル。その再発盤のクオリティーは、まさにトップ・オブ・トップ。

Collage 『Kaokiri』

Apelsin 『s.t.』

Gunnar Graps and Magnetic Band 『Roosid Papale』

Igor Zhukovsky (The Soul Surfers)

現代版 Red Funk 最右翼グループ、The Soul Surfers を率いるリーダー兼ドラマーにして、ロシア屈指のソ連レコード・ディガー。膨大な量のレコードを発掘し、Madlib、Egon、Cut Chemist 等々、ソ連音楽を掘りに来るアーティストやレーベル・オーナーのガイド役も努めてきた。Egon とのレコード紹介記事も残しているので要チェック！
※紹介記事名：『Funk Archaeology - Red Bull Music Academy Japan』
（記事の初出は日本版『WAX POETICS（25 号）』に掲載）

Gaya 『Azerbaijan Vocal and Instrumental Ensemble』

Firyuza 『s.t.』

Alexey Mazhukov
『Songs, Orchestra Pieces』

Soviet Groove（Pavel Vlasov）

Red Funk シーンを WEB にて広く紹介し始めたパイオニア的サイト（英語）。地域ごとにカテゴライズし、詳細なアーティスト情報や歌詞の解説、音盤化されていない映画のサウンドトラックや DJ によるミックスの紹介等々、多くの音楽を世に問い続けたシーン拡張の功労者。
［選者より］
このリストは非常に個人的だが、（偶然にも）すべてのアルバムは客観的にも面白いものが並んだと思う。また、すべて 1976 年末から 1978 年にかけて制作されたものとなっており、私はそれを「黄金期」と呼んでいる。

David Tukhmanov
『On the Crest of My Memory』

Variety Orchestra of Armenia 『s.t.』

V.A. 『Jazz-78』

Obscure Little Beasties（Aidas Česnauskas）

実にワイドレンジなソ連音楽をストイックにアップし続ける Web サイト。彼のライフ・ワークともいえる、同名チャンネルにて YouTube へ大量にアップロードされた音源の数々は、Funked Up East と並び、Red Funk シーンに多大なる貢献をもたらしている。

［選者より］
Gunesh はとにかくユニークで、Kaseke は個人的には世界基準に達していると思っている。あとヴィータウタス・ケルナギスは私の地元リトアニアの中でのベスト・アルバムだと信じているよ。

Gunesh『s.t.』

Kaseke『Burns』

Marijus Šnaras/Vytauto Kernagio Dainos Teatras『About Hunting』

Misha Panfilov（Funked Up East）

現行エストニア最強ファンク・グループの呼び声高い、Misha Panfilov Sound Combo を率いるアーティスト。また、Funked Up East 名義にて YouTube へ大量の音源をアップロード、Hanz Mambo 名義にてアートワークのデザインを手掛ける等、八面六臂の活躍をする才人。

［選者より］
これは悩ましいな……。私にとってはとても 3 枚では足りないな！でもソ連時代に限定するのであれば、（無理矢理）これらを挙げさせてもらおう。

Medeo『Medeo Ensemble』

Uno Naissoo『Malestusi Kodust』

Collage『s.t.』

C.J. Plus

ウクライナ出身の DJ。Hip Hop をベースとした、高いスキルと耳の良さでシーンを盛り立てる。自国ウクライナの音楽を使ったミックス・テープ『Ukraine in Grooves』を始め、数枚の作品をリリース済。SoundCloud 等でも気軽に聴けるので、ぜひご一聴を。

［選者より］

私は忘れられてしまった何かの、真の発見者になることに興味を持っていたんだ。そして気づいた頃には、ソ連のレコードを集め始めていたよ！

The Bayan Mongol Variety Group 『s.t.』

Dos-Mukasan 『s.t.』

Firyuza 『s.t.』

山中 明（著者）

最後に私からもベスト 3 を挙げさせていただく。もちろん多くの候補があったが、個人的に想い入れの強いレコードから、単にちょうど今手元にあったものまで、今の気分でチョイスさせていただいた。

ユーリ・モロゾフはその衝撃で私をソ連音楽へとのめり込ませた一枚、Gaya は手に入れた時に嬉しかった一枚、そして Charivny Gitary はいつでも聴いていたい一枚。明日には全て変わっているかもしれないが……。

Yuri Morozov
『Cherry Garden of Jimi Hendrix』

Gaya 『Azerbaijan』

Charivny Gitary 『s.t.』

後書き

　構想8年、執筆2年。暗中模索の中、ひとり手探りでソ連音楽を掘り続けてきたということもあって、ずいぶんと長い時間が掛かってしまった。買っては聴き、聴いては書き、そして売っては買い……そうしてここに掲載されている何倍、いや何十倍ものレコードと触れ合うことで、この本は徐々に形作られて行ったわけだ。そしていよいよこのあとがきを書く段になって、ようやくその連鎖に一区切りがつくな、と安堵するとともに、なんだか一抹の寂しさも感じている。

　私は80年代中頃から90年代初頭、「壁」崩壊で沸いたあの頃、西ドイツで育った。私の亡き父は豪快な性格の海の男で、軽い気持ちで（当然必要な）ビザも持たずに、「壁の向こう側」だった東ドイツに家族を連れ、ふらりとドライブをしに行くような人だった。後部座席から見える格調高い建物、整然と広場に並ぶトラバント（東ドイツ製自動車。その造りから「走る段ボール」と揶揄された）、誰もいない街、そして銃を携えた兵士。そのあまりに自分が見たこともない景色に、否応なしに共産圏というものに興味を持ったものだ。

　そしてそんな小さな頃の思い出も影響したのか、現在の本業でもあるレコード・バイヤーとして多くのレコードに触れる中で、気づけばソ連の音楽に夢中になっていた。当初はあくまで個人的な趣味にすぎなかったが、自然と作品の紹介文を書き溜めたり、同じ作品を複数枚入手し、細かなレコードのディテールを比較検証したりするようになった。まぁいわば職業病みたいなものだ。そして、その研究成果を発表するという意味合いでも、自身の店舗でMelodiyaのレコードの販売を始めた。そしてその際に配布したフリーペーパー『Red Funk』が、本書の元となっている。

　それからしばらくして、パブリブ濱崎氏より書籍化のお話をいただいたのが、一昨年のこと。それではと、改めてイチから原稿の執筆を始めたわけだが、とにかく苦労の連続だった。ソ連の音楽（もっといえばレコード）以外の、たとえば地理や政治等に不見識だったこと、そして何よりもロシア語に始まるソ連の言語にあまりに疎いことがネックとなった。今回それらの校正を快く引き受けていただいた、ソ連/アゼルバイジャンジャズの研究者である佐藤大雅氏、言語マニアの秋山知之氏、そしてソ連音楽本の先人ともいえる『ソ連歌謡』の蒲生昌明氏、『共産テクノ』の四方宏明氏には、この場を借りて御礼申し上げたい。

　まえがきでも述べたが、今や世界津々浦々、堀りに掘られたと言っても過言ではない過去の音楽遺産。そしてインターネットにアクセスしさえすれば、世界中のどんな音楽にでも……と言いたいところだが、それはまだまだ西側文化圏の話。近年たしかにその深度は加速していっているが、かつて最大の国土を誇ったソ連の音楽でさえ、未だ埋もれたままなのが現状だ。（今や見えないはずの）鉄製のカーテンをひょいとくぐって、その先に広がる音楽を気軽に楽しめる。本書がそのきっかけのひとつとなれば、それ以上に嬉しいことはない。

壁崩壊から少し経った1990年1月、私がハンマーで叩き削った「ベルリンの壁」。

共産趣味インターナショナル 5

共産テクノ ソ連編 増補改訂版

四方宏明

ISBN978-4-908468-53-7
C0073 四六判 256 頁
価格　2,530 円 税込 (本体 2,300 円 + 税)

テルミンを生み出したソ連で
独自に進化を遂げていた電子音楽
共産趣味テクノ by 西側陣営
ロシアン・ハードベース by スラヴ不良ゴプニク
メロディヤ認定スポーツテクノ継承者インタビュー等
初版から 32 ページ増の永久保存版！

■ガガーリンも宇宙で聴いたソ連電子音楽の元祖、**ヴィチスラーフ・ミシェーリン**
■ソ連の共産テクノの起源となるラトビアの宅録集団、**ゼルテニエ・パストニエキ**
■2 トラック録音機だけで名作を作り上げた人力テクノ二人組、**チルナフスキー＝マテツキー**
■小国ラトビア出身ながら、売上 2000 万枚を超えるスペースディスコ、**ゾディアック**
■ Kraftwerk をレゲエカヴァーし、イラク公演まで果たしたエストニアの **Tornaado**
■強制労働を課された事もある自称火星出身ソ連版 Lady Gaga、**ジャンナ・アグザラワ**
■ YMO をサンプリング（パクった？）した閉鎖都市の反乱者、**Brothers In Mind**
■「セックスのための音楽」を発表した「化粧品研究所」、**ニー・コスメチキ**
■突然テクノディスコを発表したリトアニア音楽院のクラシック音楽理論教授**テイスティス・マカチナス**
■ラヴソングを英語のみで歌う旧スターリングラード出身のアイドルデュオ **Slow Motion**
●ロシア・アヴァンギャルド風ジャケット展や、ペレストロイカ期に出版されたモスクワのガイドブック再訪など共産
　趣味コラム類も多数 !!

共産趣味インターナショナル 7

ソ連歌謡

蒲生昌明

ISBN978-4-908468-30-8
C0073 四六判 224 頁
価格　2,530 円 税込 (本体 2,300 円 + 税)

民謡・クラシック・革命歌だけじゃなかった！
鉄のカーテンの向こう側で
グループサウンズ・ポップス・ロック・ディスコ等
あらゆる音楽が鳴り響いていた !!
リアルタイムでモスクワ放送を聴き、
現地に通い続けた愛好家が約 100 アーティストを完全解説 !!

■イギリスのビートルズ旋風に匹敵する**プガチョワ**の登場
■ソ連のフランク・シナトラ、**イオシフ・コブゾン**
■ソ連の島倉千代子、**ワレンチーナ・トルクノーワ**
■スラブとラテンの接点で生まれ育った、**ソフィヤ・ロタール**
■末期ソ連に登場した朝鮮族のロックスター、**ヴィクトル・ツォイ**
■「東側」でアイドルになったアメリカ人、**ディーン・リード**
●「ソ連で最も有名な外タレ、**カレル・ゴット**」等のコラムも多数

共産趣味インターナショナル 8

ソ連ファンク
共産グルーヴ・ディスクガイド

2022 年 2 月 1 日初版第 1 刷発行

山中 明（やまなか　あきら）
Akira Yamanaka

1979 年生まれ。神奈川県出身。レコード・バイヤー＆リサーチャー、
ライター、漫画家。2003 年より（株）ディスクユニオン所属。日本
初のサイケデリック・ロック・ディスク・ガイド「PSYCHEDELIC
MOODS ‐ Young Persons Guide To Psychedelic Music USA/
CANADA Edition」編著。レコード文化の発展に寄与すべく、各種媒体
にてコラムや漫画等執筆中。

Twitter: @_Akira_Yamanaka
Instagram: https://www.instagram.com/akira_yamanaka_/
Facebook: https://www.facebook.com/akira.yamanaka.585

著者	山中明
装幀＆デザイン	合同会社パブリブ
発行人	濱崎誉史朗
発行所	合同会社**パブリブ**
	東京都中央区東日本橋 2 丁目 28 番 4 号
	日本橋 CET ビル 2 階
	Tel 03-6383-1810
	https://publibjp.com/
印刷 & 製本	シナノ印刷株式会社